#수능기초
#10일 만에
#감각익히기

10일 격파

빠른 정답 확인

과학탐구 영역

수능 기초 10일 격파 생명과학Ⅰ

구성과 활용

오늘 공부할 내용 미리보기

미리보기
오늘 공부할 내용을 그림으로 미리 살펴보며 재미있게 학습하도록 구성하였습니다.

공부할 내용
해당 일차에서 공부할 네 가지 개념을 제시하였습니다.

핵심 유형 체크

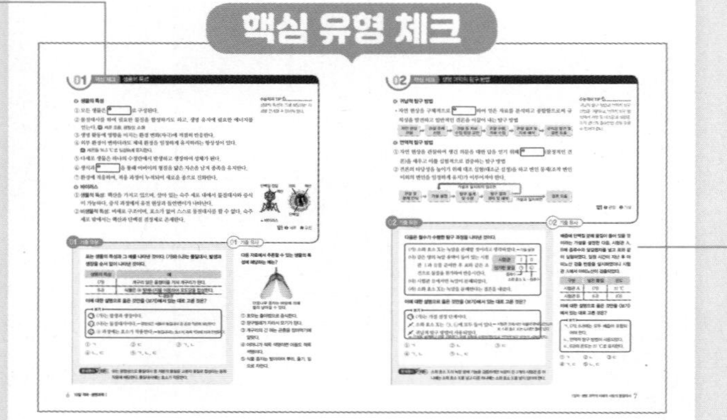

핵심 체크
수능에 꼭 나오는 필수 개념을 정리하였습니다.

기출 유형 & 기출 유사
수능에 출제되었던 기출 유형과 기출 유사 문제를 풀어보면서 개념을 완벽히 이해할 수 있습니다.

기초력 집중드릴

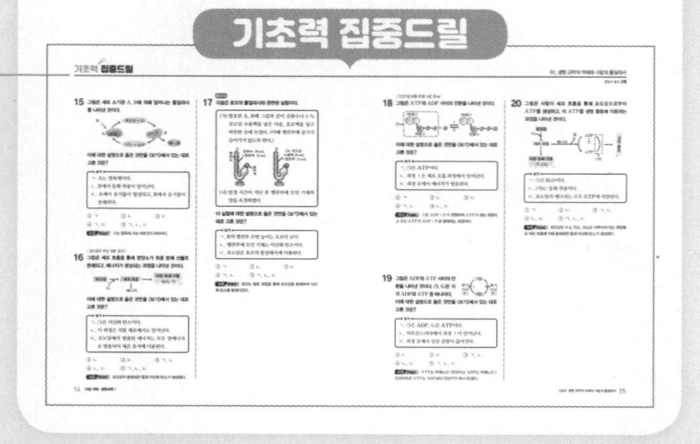

기초력 집중드릴
수능 기출 문제를 변형한 실제 수능 유형을 연습하면서 기초력을 다질 수 있습니다.

차례

10일 동안 공부할 날짜를 정하여 계획에 따라 공부해 보세요.

01 일차 생명 과학의 이해와 사람의 물질대사

오늘 공부할 내용 미리보기

개념 01 생물의 특성

개념 02 생명 과학의 탐구 방법

공부할 내용

01 생물의 특성
02 생명 과학의 탐구 방법
03 세포의 생명 활동
04 에너지의 전환과 이용

개념 03 세포의 생명 활동

개념 04 에너지의 전환과 이용

01 핵심 체크 생물의 특성

생물의 특성

① 모든 생물은 ❶ [ ] 로 구성된다.

② 물질대사를 하여 필요한 물질을 합성하기도 하고, 생명 유지에 필요한 에너지를 얻는다. 예 세포 호흡, 광합성, 소화

③ 생명 활동에 영향을 미치는 환경 변화(자극)에 적절히 반응한다.

④ 외부 환경이 변하더라도 체내 환경을 일정하게 유지하려는 항상성이 있다.
예 체온을 36.5 ℃로 일정하게 유지한다.

⑤ 다세포 생물은 하나의 수정란에서 발생하고 생장하여 성체가 된다.

⑥ 생식과 ❷ [ ] 을 통해 어버이의 형질을 닮은 자손을 남겨 종족을 유지한다.

⑦ 환경에 적응하며, 적응 과정이 누적되어 새로운 종으로 진화한다.

바이러스

① 생물적 특성: 핵산을 가지고 있으며, 살아 있는 숙주 세포 내에서 물질대사와 증식이 가능하다. 증식 과정에서 유전 현상과 돌연변이가 나타난다.

② 비생물적 특성: 비세포 구조이며, 효소가 없어 스스로 물질대사를 할 수 없다. 숙주 세포 밖에서는 핵산과 단백질 결정체로 존재한다.

수능격파 TiP
생물의 특성과 그에 해당하는 사례를 연계할 수 있어야 한다.

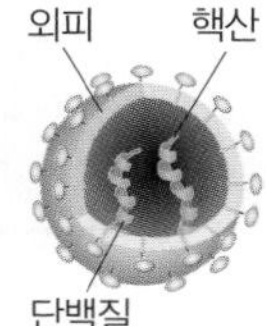

▲ 바이러스

답 | ❶ 세포 ❷ 유전

01 기출 유형

| 2021년 6월 모평 1번 유사 |

표는 생물의 특성과 그 예를 나타낸 것이다. (가)와 (나)는 물질대사, 발생과 생장을 순서 없이 나타낸 것이다.

생물의 특성	예
(가)	개구리 알은 올챙이를 거쳐 개구리가 된다.
(나)	식물은 ⓐ 빛에너지를 이용하여 포도당을 합성한다. (└ 광합성)

이에 대한 설명으로 옳은 것만을 〈보기〉에서 있는 대로 고른 것은?

보기
ㄱ. (가)는 발생과 생장이다.
ㄴ. (나)는 물질대사이다. ─ 광합성은 식물의 물질대사 중 동화 작용에 해당한다.
ㄷ. ⓐ 과정에는 효소가 작용한다. ─ 물질대사는 효소의 촉매 작용에 의해 진행된다.

① ㄱ ② ㄷ ③ ㄱ, ㄴ
④ ㄴ, ㄷ ⑤ ㄱ, ㄴ, ㄷ

문제풀이 TiP ⓐ는 광합성으로 물질대사 중 저분자 물질을 고분자 물질로 합성하는 동화 작용에 해당한다. 물질대사에는 효소가 작용한다.

01 기출 유사

다음 자료에서 추론할 수 있는 생물의 특성에 해당하는 예는?

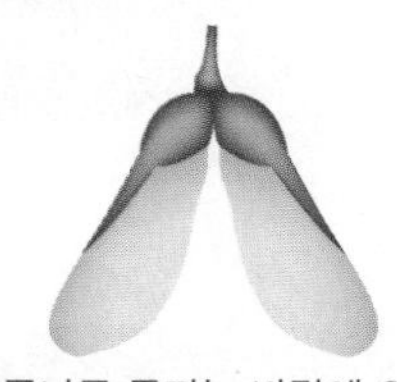

단풍나무 종자는 바람에 의해 멀리 날아갈 수 있다.

① 효모는 출아법으로 증식한다.
② 장구벌레가 자라서 모기가 된다.
③ 개구리의 긴 혀는 곤충을 잡아먹기에 알맞다.
④ 어머니가 적록 색맹이면 아들도 적록 색맹이다.
⑤ 식물 종자는 발아하여 뿌리, 줄기, 잎으로 자란다.

02 핵심 체크 생명 과학의 탐구 방법

귀납적 탐구 방법

• 자연 현상을 구체적으로 ❶ [   ] 하여 얻은 자료를 분석하고 종합함으로써 규칙성을 발견하고 일반적인 결론을 이끌어 내는 탐구 방법

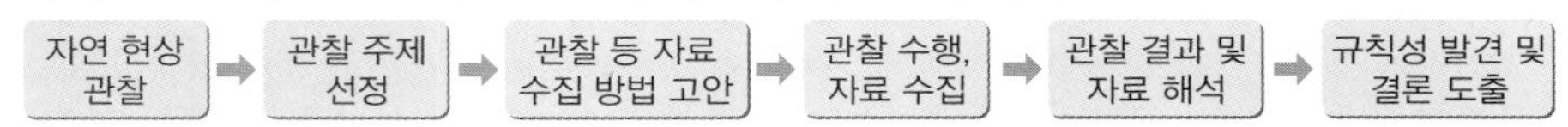

연역적 탐구 방법

① 자연 현상을 관찰하여 생긴 의문을 대한 답을 얻기 위해 ❷ [   ] (잠정적인 결론)을 세우고 이를 실험적으로 검증하는 탐구 방법

② 결론의 타당성을 높이기 위해 대조 실험(대조군 설정)을 하고 변인 통제(조작 변인 이외의 변인을 일정하게 유지)가 이루어져야 한다.

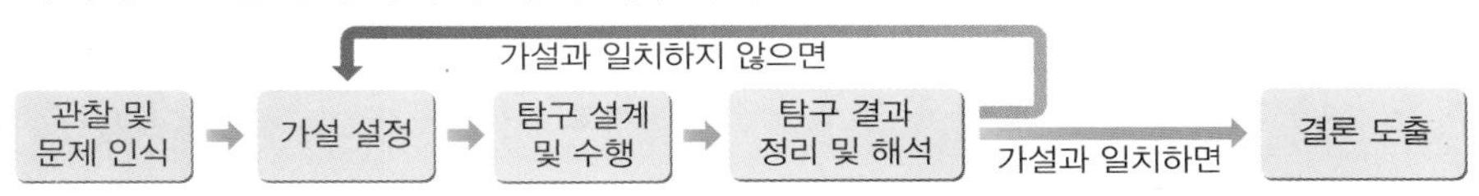

수능격파 TiP
귀납적 탐구 방법과 연역적 탐구 방법을 구분하고, 연역적 탐구 방법에서 가설 및 대조군과 실험군, 조작 변인과 종속변인 등을 찾을 수 있어야 한다.

답 | ❶ 관찰 ❷ 가설

02 기출 유형

| 2015년 수능 4번 유사 |

다음은 철수가 수행한 탐구 과정을 나타낸 것이다.

(가) 소화 효소 X는 녹말을 분해할 것이라고 생각하였다. — 가설 설정

(나) 같은 양의 녹말 용액이 들어 있는 시험관 Ⅰ과 Ⅱ를 준비한 후 표와 같은 조건으로 물질을 첨가하여 반응시킨다.

시험관	Ⅰ	Ⅱ
첨가한 물질	㉠	㉡

㉠ 증류수, ㉡ 소화 효소 X + 증류수

(다) 시험관 Ⅱ에서만 녹말이 분해되었다.

(라) 소화 효소 X는 녹말을 분해한다는 결론을 내렸다.

이에 대한 설명으로 옳은 것만을 〈보기〉에서 있는 대로 고른 것은?

보기
ㄱ. (가)는 가설 설정 단계이다.
ㄴ. 소화 효소 X는 ㉠, ㉡에 모두 들어 있다. — 시험관 Ⅱ에서만 녹말이 분해되었으므로 소화 효소 X는 ㉡에만 들어 있다.
ㄷ. 귀납적 탐구 방법이 사용되었다.
— 가설을 설정하고 이를 검증하기 위해 실험을 수행하였으므로 연역적 탐구 방법이 사용되었다.

① ㄱ ② ㄴ ③ ㄷ
④ ㄱ, ㄴ ⑤ ㄴ, ㄷ

문제풀이 TiP 소화 효소 X의 녹말 분해 기능을 검증하려면 녹말이 든 2개의 시험관 중 하나에는 소화 효소 X를 넣고 다른 하나에는 소화 효소 X를 넣지 않아야 한다.

02 기출 유사

배즙에 단백질 분해 물질이 들어 있을 것이라는 가설을 설정한 다음, 시험관 A, B에 증류수와 달걀흰자를 넣고 표와 같이 실험하였다. 일정 시간이 지난 후 아미노산 검출 반응을 실시하였더니 시험관 A에서 아미노산이 검출되었다.

구분	넣은 물질	온도
시험관 A	(가)	27 ℃
시험관 B	(나)	(다)

이에 대한 설명으로 옳은 것만을 〈보기〉에서 있는 대로 고른 것은?

보기
ㄱ. (가), (나)에는 모두 배즙이 포함되어야 한다.
ㄴ. 연역적 탐구 방법이 사용되었다.
ㄷ. (다)의 온도는 27 ℃로 유지한다.

① ㄱ ② ㄴ ③ ㄷ
④ ㄱ, ㄷ ⑤ ㄴ, ㄷ

03 핵심 체크 세포의 생명 활동

수능격파 TiP
효소는 반응의 활성화 에너지를 낮춤으로써 반응을 촉매한다는 것을 이해하여야 한다.

○ 물질대사

① 물질대사: 생물체에서 일어나는 화학 반응으로, ❶ [　　] 가 관여하며 에너지 출입이 동반된다.

② 물질대사의 종류

구분	동화 작용	이화 작용
정의	간단하고 작은 물질을 복잡하고 큰 물질로 ❷ [　　] 하는 반응	복잡하고 큰 물질을 간단하고 작은 물질로 ❸ [　　] 하는 반응
에너지 출입	에너지 흡수(흡열 반응) 에너지양 / 에너지 흡수 / 생성물 / 반응물 / 반응 경로	에너지 방출(발열 반응) 에너지양 / 반응물 / 에너지 방출 / 생성물 / 반응 경로
예	광합성, 단백질 합성, 글리코젠 합성	세포 호흡, 소화

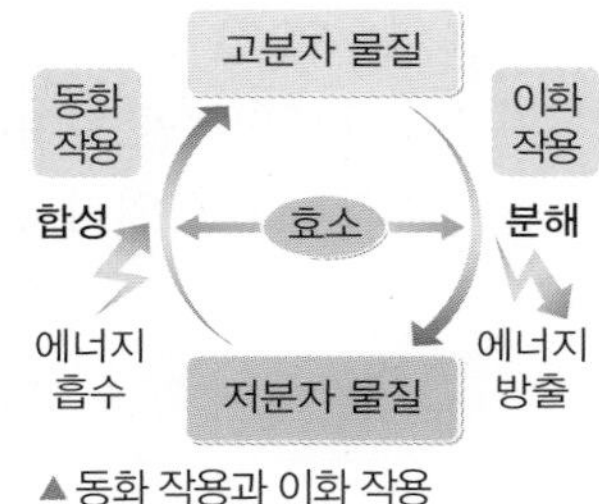

▲ 동화 작용과 이화 작용

답 | ❶ 효소 ❷ 합성 ❸ 분해

03 기출 유형

| 2019년 6월 모평 5번 유사 |

다음은 식물 세포의 세포 소기관에 대한 자료이다. (가)와 (나)는 각각 미토콘드리아와 엽록체 중 하나이다.

- (가)에서 ㉠ 광합성이 일어난다. – 광합성은 엽록체에서 일어난다.
- (나)에서 ㉡ 세포 호흡이 일어난다. – 세포 호흡은 미토콘드리아에서 주로 일어난다.

이에 대한 설명으로 옳은 것만을 〈보기〉에서 있는 대로 고른 것은?

보기

ㄱ. (가)에서 이화 작용이 일어난다. – 광합성은 동화 작용이다.
ㄴ. (나)는 미토콘드리아이다. – 세포 호흡은 미토콘드리아에서 일어난다.
ㄷ. ㉠과 ㉡에서 모두 효소가 작용한다. – 생물의 물질대사에는 효소가 관여한다.

① ㄱ ② ㄷ ③ ㄱ, ㄴ
④ ㄴ, ㄷ ⑤ ㄱ, ㄴ, ㄷ

문제풀이 TiP (가)는 엽록체, (나)는 미토콘드리아이며, 광합성은 동화 작용, 세포 호흡은 이화 작용이다.

03 기출 유사

그림은 사람의 세포 내에서 일어나는 물질대사 Ⅰ, Ⅱ를 나타낸 것이다.

아미노산 —Ⅰ→ 단백질

글리코젠 —Ⅱ→ 포도당

이에 대한 설명으로 옳은 것만을 〈보기〉에서 있는 대로 고른 것은?

보기

ㄱ. Ⅰ에서 에너지가 방출된다.
ㄴ. Ⅱ는 이화 작용이다.
ㄷ. Ⅰ, Ⅱ에는 모두 효소가 필요하다.

① ㄱ ② ㄷ ③ ㄱ, ㄴ
④ ㄴ, ㄷ ⑤ ㄱ, ㄴ, ㄷ

04 핵심 체크 에너지 전환과 이용

세포 호흡

① 세포에서 영양소를 분해하여 ❶ [   ] 를 얻는 과정으로, 생성된 에너지의 일부는 ATP에 저장되고, 나머지는 열로 방출된다. 주로 ❷ [   ] 에서 일어난다.

포도당 + 산소 ⟶ 이산화 탄소 + 물 + 에너지(ATP, 열)

② ATP: 생명 활동에 직접 사용되는 에너지 저장 물질

수능격파 TiP 영양소에서 방출된 에너지는 모두 ATP에 저장되는 것이 아니라는 것을 기억하자. 방출된 열에너지는 체온 유지 등에 이용된다.

에너지의 전환과 이용

ATP의 화학 에너지는 여러 가지 형태로 전환되어 근육 운동, 능동 수송, 정신 활동, 발성 등 다양한 생명 활동에 사용된다.

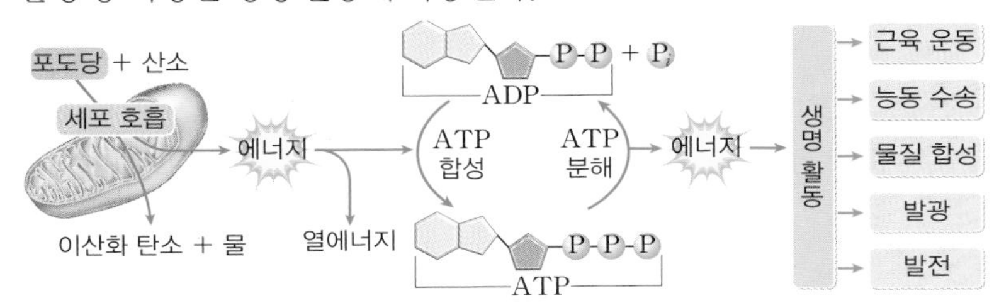

답 | ❶ 에너지 ❷ 미토콘드리아

04 기출 유형

| 2020년 6월 모평 3번 유사 |

그림은 어느 세포 소기관에서 일어나는 물질대사를 나타낸 것이다. ⓐ와 ⓑ는 O_2와 CO_2를 순서 없이 나타낸 것이다. 이에 대한 설명으로 옳은 것만을 <보기>에서 있는 대로 고른 것은?

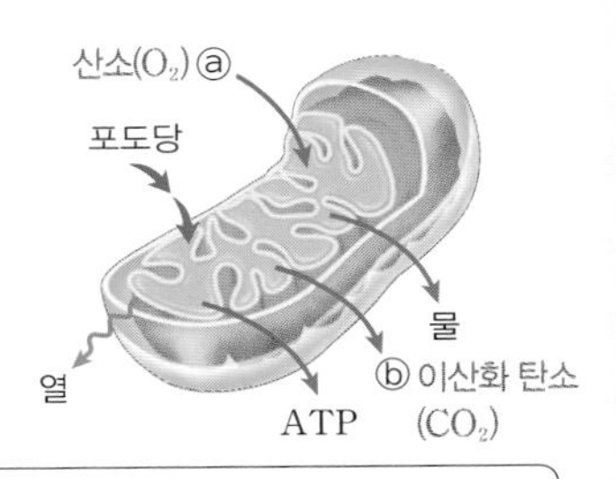

보기

ㄱ. 미토콘드리아에서 일어난다. — 세포 호흡은 주로 미토콘드리아에서 일어난다.

ㄴ. ⓐ는 ~~CO_2~~ (O_2)이다. — 세포 호흡이 일어나려면 산소가 필요하다.

ㄷ. ⓑ는 ~~O_2~~ (CO_2)이다. — 세포 호흡 결과 물과 이산화 탄소가 발생한다.

① ㄱ ② ㄷ ③ ㄱ, ㄴ
④ ㄴ, ㄷ ⑤ ㄱ, ㄴ, ㄷ

문제풀이 TiP 물질대사 중 세포 호흡은 산소(ⓐ)를 이용하여 영양소(포도당)를 물과 이산화 탄소(ⓑ)로 분해하는 과정이다.

04 기출 유사

그림은 광합성과 세포 호흡에서의 에너지와 물질 이동을 나타낸 것이다. (가)와 (나)는 각각 광합성과 세포 호흡 중 하나이다.

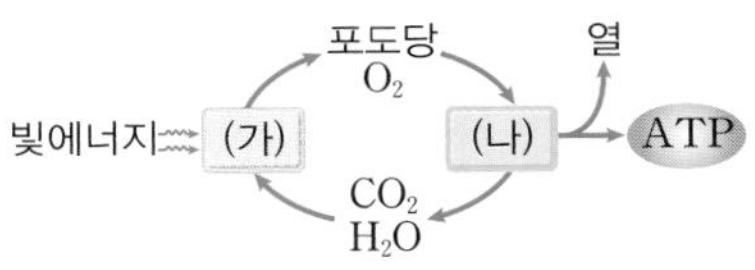

이에 대한 설명으로 옳은 것만을 <보기>에서 있는 대로 고른 것은?

보기

ㄱ. (가)는 이화 작용이다.

ㄴ. 식물 세포에서 (나)가 일어난다.

ㄷ. 포도당의 에너지는 모두 ATP에 저장된다.

① ㄱ ② ㄴ ③ ㄷ
④ ㄱ, ㄷ ⑤ ㄴ, ㄷ

기초력 집중드릴

01 다음은 민물고기에 대한 설명이다.

> 민물고기는 아가미와 체표를 통해 많은 물이 체내로 유입되기 때문에 체액의 염분 농도가 낮아진다. 민물고기는 부족한 염분을 먹이를 통해 섭취하고, 묽은 오줌을 배설하여 염분의 손실을 줄여 체액의 삼투압을 일정하게 유지한다.

이 자료에 나타난 생물의 특성과 가장 관련이 깊은 것은?

① 미모사를 건드리면 잎이 접힌다.
② 효모는 포도당을 분해하여 에너지를 얻는다.
③ 개구리 알은 올챙이를 거쳐 개구리가 된다.
④ 사람은 더울 때 땀을 흘려 체온을 정상 수준으로 유지한다.
⑤ 평지보다 비탈에서 자라는 민들레의 뿌리가 더 길다.

해결 Point 생물은 체내 환경을 일정하게 유지하려는 항상성이 있다.

02 다음은 파리지옥에 관한 조사 자료이다.

> 파리지옥은 곤충을 잡아먹으며 사는 식충식물로, ㉠ 벌레가 잎 안의 감각모에 닿으면 잎을 닫아 가둔 뒤 ㉡ 소화액을 분비해 벌레를 분해하거나 소화시킨다.

㉠, ㉡에 나타난 생물의 특성으로 가장 적절한 것은?

	㉠	㉡
①	항상성	적응과 진화
②	생식과 유전	물질대사
③	발생과 생장	생물의 구성
④	물질대사	적응과 진화
⑤	자극에 대한 반응	물질대사

해결 Point 소화 작용은 물질대사에 해당한다.

(신유형)
03 다음은 화성 생명체 탐사에 대한 설명이다.

> 2016년 화성 탐사선 엑소마스가 발사되었다. 이 탐사선의 임무는 화성 궤도를 돌면서 화성 대기권에서 ㉠ 생명체의 생명 활동 결과 발생한 기체 성분이 있는지 알아봄으로써 화성에 생명체가 존재할 가능성을 찾는 것이다.

㉠에 나타난 생물의 특성과 가장 관련이 깊은 것은?

① 세균은 분열법으로 증식한다.
② 싹튼 종자에서 뿌리, 줄기, 잎이 나왔다.
③ 땅다람쥐는 체온을 37 ℃로 유지한다.
④ 거미는 진동을 감지하여 먹이에게 다가간다.
⑤ 딸기는 광합성으로 얻은 양분을 열매에 저장한다.

해결 Point 기체 발생 여부로 세포 호흡을 하는 생명체를 확인할 수 있다.

(신유형)
04 그림은 생명체 X의 생활사를 나타낸 것이다.

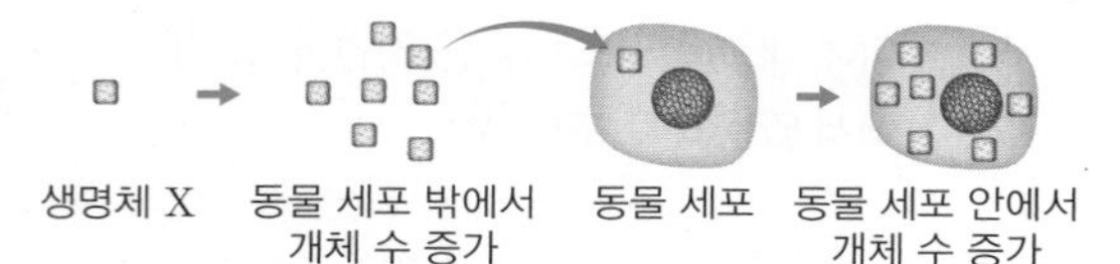

생명체 X에 대한 설명으로 옳은 것만을 〈보기〉에서 있는 대로 고른 것은?

> 보기
> ㄱ. 세포로 이루어져 있다.
> ㄴ. 독자적으로 물질대사를 할 수 없다.
> ㄷ. 숙주 세포 내에서만 증식할 수 있다.

① ㄱ ② ㄴ ③ ㄱ, ㄷ
④ ㄴ, ㄷ ⑤ ㄱ, ㄴ, ㄷ

해결 Point 동물 세포 밖에서도 증식하는 것으로 보아 유전 물질과 효소를 가지고 독자적으로 생명 활동을 할 수 있다.

| 2021년 3월 학평 4번 유사 |

05 그림 (가)는 독감을 일으키는 병원체 X를, (나)는 대장균을 나타낸 것이다.

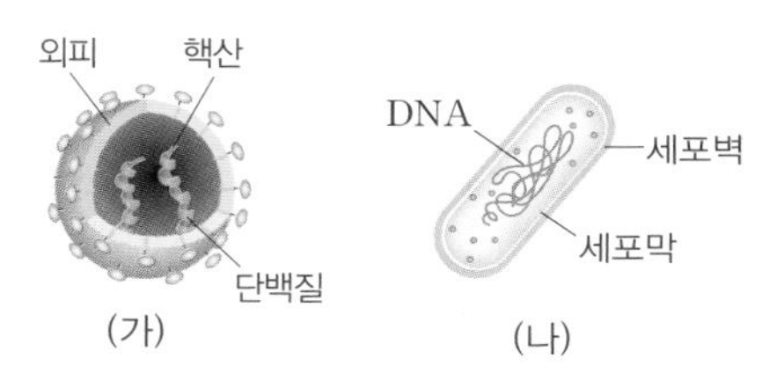

(가), (나)에서 공통적으로 발견되는 생물의 특성으로 옳은 것만을 <보기>에서 있는 대로 고른 것은?

보기
ㄱ. 세포로 구성된다.
ㄴ. 유전 물질을 갖는다.
ㄷ. 스스로 물질대사를 한다.

① ㄴ ② ㄷ ③ ㄱ, ㄴ
④ ㄴ, ㄷ ⑤ ㄱ, ㄴ, ㄷ

해결 Point 바이러스는 세포 구조가 아니며, 스스로 물질대사를 할 수 없다.

06 다음은 연역적 탐구 방법에 대한 학생 A~C의 대화 내용이다.

제시한 내용이 옳은 학생만을 있는 대로 고른 것은?

① A ② C ③ A, B
④ B, C ⑤ A, B, C

해결 Point 조작 변인 이외에 실험에 영향을 줄 수 있는 변인은 통제되어야 한다.

| 2013년 7월 학평 2번 유사 |

07 다음은 천인조를 대상으로 실시한 탐구 과정이다.

(가) 수컷 천인조의 꼬리가 번식기에 길게 자라는 것을 보고, 그 이유가 궁금하였다.
(나) 암컷 천인조는 배우자로 꼬리가 긴 수컷을 주로 선택할 것이라고 생각하였다.
(다) 번식기의 수컷 천인조들을 3개의 집단으로 나누어 다음과 같이 처리한 후 다른 조건은 동일하게 하였다.

집단	처리
A	자연 상태로 둔다.
B	꼬리를 자른다.
C	B 집단에서 잘라낸 꼬리를 덧붙여 길게 만들어 준다.

(라) 암컷 천인조들이 선택한 수컷에 대한 결과를 그래프로 나타내었다.

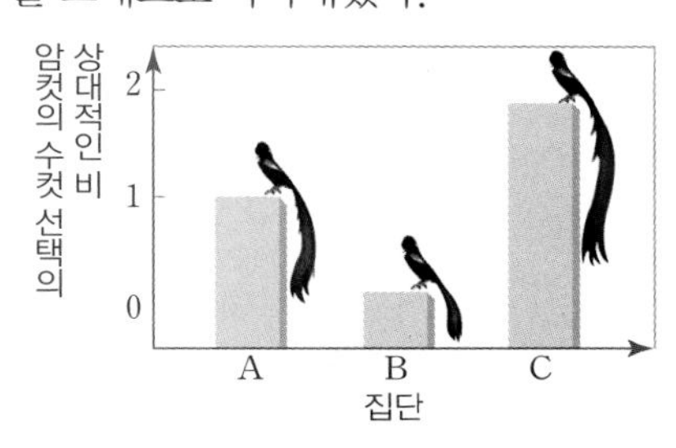

이에 대한 설명으로 옳은 것만을 <보기>에서 있는 대로 고른 것은?

보기
ㄱ. (가)는 가설 설정 단계이다.
ㄴ. A는 대조군으로 설정되었다.
ㄷ. 수컷 천인조의 꼬리 길이를 다르게 처리한 것은 조작 변인에 해당한다.

① ㄴ ② ㄷ ③ ㄱ, ㄴ
④ ㄴ, ㄷ ⑤ ㄱ, ㄴ, ㄷ

해결 Point 문제를 해결하기 위해 의문에 답이 될 수 있는 잠정적인 결론을 가설이라고 한다.

신유형 | 2021년 9월 모평 1번 유사 |

08 다음은 어떤 과학자가 수행한 탐구이다.

(가) 서식 환경과 비슷한 털색을 갖는 생쥐가 포식자의 눈에 잘 띄지 않아 생존에 유리할 것이라고 생각했다.
(나) ㉠ 갈색 생쥐 모형과 ㉡ 흰색 생쥐 모형을 준비하여 지역 A와 B 각각에 두 모형을 설치했다. A와 B는 각각 갈색 모래 지역과 흰색 모래 지역 중 하나이다.
(다) A에서는 ㉠이 ㉡보다, B에서는 ㉡이 ㉠보다 포식자로부터 더 많은 공격을 받았다.
(라) ⓐ 서식 환경과 비슷한 털색을 갖는 생쥐가 생존에 유리하다는 결론을 내렸다.

이에 대한 설명으로 옳은 것만을 〈보기〉에서 있는 대로 고른 것은?

보기
ㄱ. 연역적 탐구 방법이 사용되었다.
ㄴ. A는 흰색 모래 지역이다.
ㄷ. ⓐ는 생물의 특성 중 발생과 생장에 해당한다.

① ㄱ ② ㄷ ③ ㄱ, ㄴ
④ ㄴ, ㄷ ⑤ ㄱ, ㄴ, ㄷ

해결 Point 갈색 생쥐가 공격을 더 받았으므로 A는 흰색 모래 지역이다.

신유형

09 그림은 레디의 실험 과정을 나타낸 것이다.

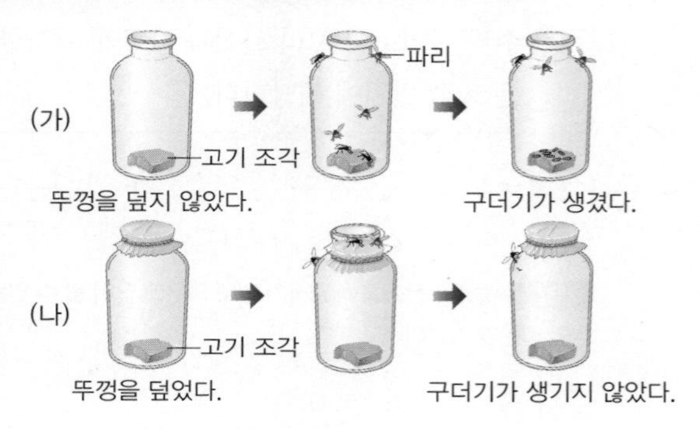

이에 대한 설명으로 옳은 것만을 〈보기〉에서 있는 대로 고른 것은?

보기
ㄱ. (가)는 대조군이다.
ㄴ. 뚜껑의 유무는 종속변인이다.
ㄷ. 레디는 고기 조각에 생긴 구더기는 외부에서 들어온 것임을 확인하였다.

① ㄱ ② ㄴ ③ ㄱ, ㄷ
④ ㄴ, ㄷ ⑤ ㄱ, ㄴ, ㄷ

해결 Point 종속변인은 조작 변인의 영향을 받아 변하는 변인이다.

10 다음은 과학자들의 탐구 사례이다.

(가) 구달은 아프리카의 침팬지 보호 구역에서 10여 년간 침팬지를 관찰한 결과 침팬지는 육식을 즐기고 도구를 사용하는 등 다양한 행동 특성이 있음을 알아냈다.
(나) 에이크만은 닭장에서 기르던 닭이 사람의 각기병과 비슷한 증세를 보이는 것을 관찰하고 이는 먹이와 관련이 있다고 여겼다. 이후 건강한 닭을 두 집단으로 나누어 현미와 백미를 각각 먹여 기른 결과를 관찰하였다.

이에 대한 설명으로 옳은 것만을 〈보기〉에서 있는 대로 고른 것은?

보기
ㄱ. (가)에는 가설 설정 단계가 존재한다.
ㄴ. (나)는 귀납적 탐구 방법을 사용하였다.
ㄷ. (나)에서 대조 실험이 실시되었다.

① ㄱ ② ㄷ ③ ㄱ, ㄴ
④ ㄴ, ㄷ ⑤ ㄱ, ㄴ, ㄷ

해결 Point 대조 실험은 실험군과 대조군을 설정한다.

11 표는 세포에서 일어나는 물질대사 A, B를 나타낸 것이다.

구분	물질의 변화
A	포도당 → 글리코젠
B	포도당 → 물, 이산화 탄소

이에 대한 설명으로 옳은 것만을 〈보기〉에서 있는 대로 고른 것은?

보기
ㄱ. A는 이화 작용이다.
ㄴ. B는 발열 반응이다.
ㄷ. A, B 모두 효소가 관여한다.

① ㄱ ② ㄷ ③ ㄱ, ㄴ
④ ㄴ, ㄷ ⑤ ㄱ, ㄴ, ㄷ

해결 Point 포도당은 단당류이고, 글리코젠은 수많은 포도당이 연결된 다당류이다.

| 2019년 6월 모평 5번 유사 |

12 그림은 세포에서 일어나는 물질대사 과정의 일부를 나타낸 것이다.

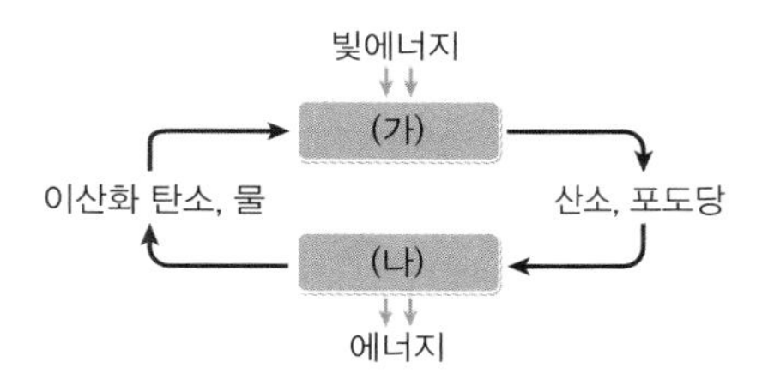

이에 대한 설명으로 옳은 것만을 〈보기〉에서 있는 대로 고른 것은?

보기
ㄱ. (가)는 미토콘드리아에서 진행된다.
ㄴ. (나)는 이화 작용이다.
ㄷ. (가), (나)는 모두 효소가 관여하는 반응이다.

① ㄱ ② ㄴ ③ ㄱ, ㄷ
④ ㄴ, ㄷ ⑤ ㄱ, ㄴ, ㄷ

해결 Point (가)는 광합성, (나)는 세포 호흡이다.

신유형

13 그림은 생명체 내에서 일어나는 어떤 반응의 반응물과 생성물의 에너지 수준 변화를 나타낸 것이다.

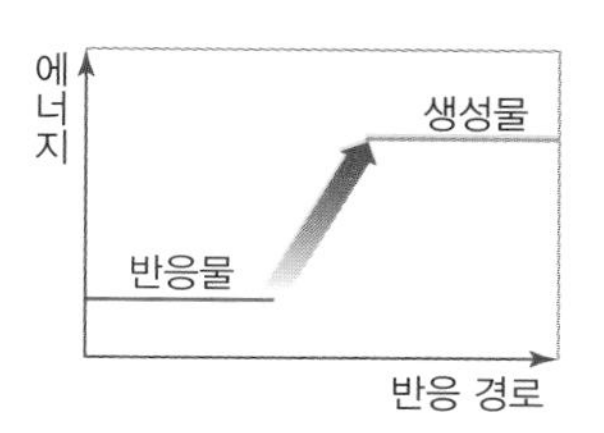

이에 대한 설명으로 옳은 것만을 〈보기〉에서 있는 대로 고른 것은?

보기
ㄱ. 이 반응은 동화 작용이다.
ㄴ. 에너지를 흡수하는 반응이다.
ㄷ. 이와 같은 반응의 예로 세포 호흡이 있다.

① ㄱ ② ㄴ ③ ㄷ
④ ㄱ, ㄴ ⑤ ㄱ, ㄴ, ㄷ

해결 Point 생성물의 에너지 수준이 반응물의 에너지 수준보다 높은 것으로 보아 동화 작용을 나타내는 그래프이다.

14 그림은 물질대사에 대한 철수, 영희, 민수의 대화 내용이다.

제시한 설명이 옳은 학생만을 있는 대로 고른 것은?

① 철수 ② 영희 ③ 민수
④ 철수, 영희 ⑤ 철수, 영희, 민수

해결 Point 물질대사는 생명체 내에서 일어나는 화학 반응으로 효소의 촉매 작용에 의해 일어난다.

15 그림은 세포 소기관 A, B에 의해 일어나는 물질대사를 나타낸 것이다.

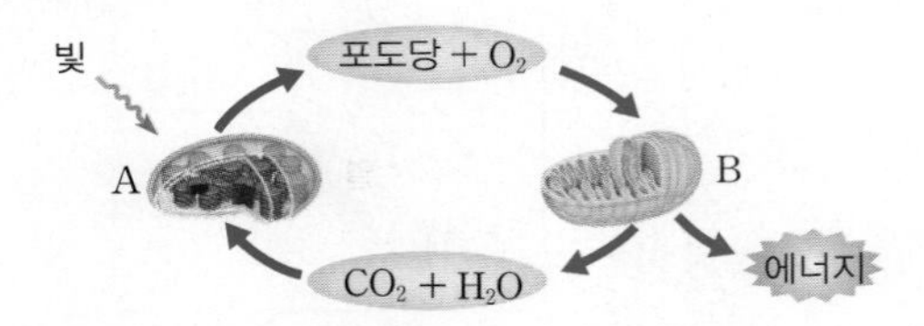

이에 대한 설명으로 옳은 것만을 〈보기〉에서 있는 대로 고른 것은?

보기
ㄱ. A는 엽록체이다.
ㄴ. B에서 동화 작용이 일어난다.
ㄷ. A에서 유기물이 합성되고, B에서 유기물이 분해된다.

① ㄱ ② ㄴ ③ ㄷ
④ ㄱ, ㄷ ⑤ ㄱ, ㄴ, ㄷ

해결 Point A는 엽록체, B는 미토콘드리아이다.

| 2018년 수능 5번 유사 |

16 그림은 세포 호흡을 통해 영양소가 최종 분해 산물로 분해되고, 에너지가 생성되는 과정을 나타낸 것이다.

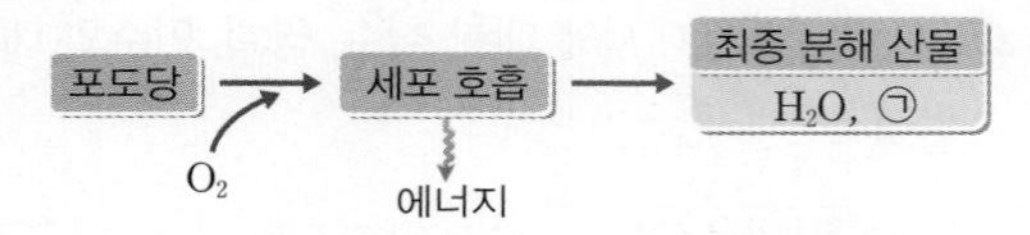

이에 대한 설명으로 옳은 것만을 〈보기〉에서 있는 대로 고른 것은?

보기
ㄱ. ㉠은 이산화 탄소이다.
ㄴ. 이 과정은 식물 세포에서도 일어난다.
ㄷ. 포도당에서 방출된 에너지는 모두 열에너지로 방출되어 체온 유지에 이용된다.

① ㄴ ② ㄷ ③ ㄱ, ㄴ
④ ㄴ, ㄷ ⑤ ㄱ, ㄴ, ㄷ

해결 Point 포도당이 분해되면 물과 이산화 탄소가 생성된다.

(신유형)

17 다음은 효모의 물질대사와 관련된 실험이다.

(가) 발효관 A, B에 그림과 같이 증류수나 5 % 포도당 수용액을 넣은 다음, 효모액을 넣고 따뜻한 곳에 두었다. (이때 맹관부에 공기가 들어가지 않도록 한다.)

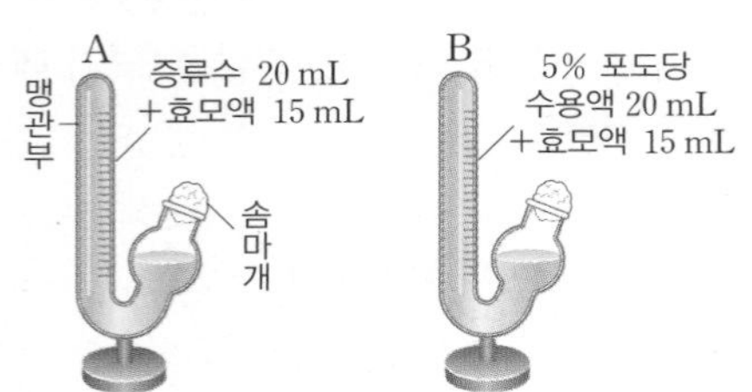

(나) 일정 시간이 지난 후 맹관부에 모인 기체의 양을 측정하였다.

이 실험에 대한 설명으로 옳은 것만을 〈보기〉에서 있는 대로 고른 것은?

보기
ㄱ. B의 맹관부 수면 높이는 A보다 낮다.
ㄴ. 맹관부에 모인 기체는 이산화 탄소이다.
ㄷ. 포도당은 효모의 물질대사에 이용된다.

① ㄱ ② ㄴ ③ ㄷ
④ ㄱ, ㄴ ⑤ ㄱ, ㄴ, ㄷ

해결 Point 효모는 발효 과정을 통해 포도당을 분해하여 이산화 탄소를 발생시킨다.

| 2021년 6월 모평 2번 유사 |

18 그림은 ATP와 ADP 사이의 전환을 나타낸 것이다.

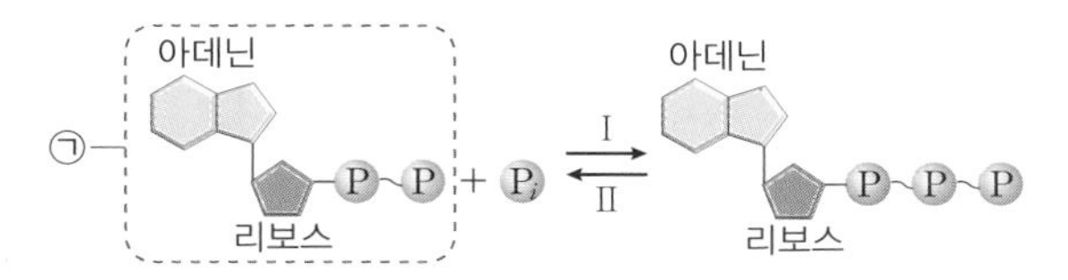

이에 대한 설명으로 옳은 것만을 〈보기〉에서 있는 대로 고른 것은?

보기
ㄱ. ㉠은 ATP이다.
ㄴ. 과정 I은 세포 호흡 과정에서 일어난다.
ㄷ. 과정 II에서 에너지가 방출된다.

① ㄱ ② ㄴ ③ ㄷ
④ ㄱ, ㄴ ⑤ ㄴ, ㄷ

해결 Point I은 ADP+P_i가 결합하여 ATP가 되는 과정이고 II는 ATP가 ADP+P_i로 분해되는 과정이다.

19 그림은 ADP와 ATP 사이의 전환을 나타낸 것이다. ㉠, ㉡은 각각 ADP와 ATP 중 하나이다.

㉠ / ㉡ / I / II / 무기 인산 (P_i) / 무기 인산 (P_i)

이에 대한 설명으로 옳은 것만을 〈보기〉에서 있는 대로 고른 것은?

보기
ㄱ. ㉠은 ADP, ㉡은 ATP이다.
ㄴ. 미토콘드리아에서 과정 I이 일어난다.
ㄷ. 과정 II에서 인산 결합이 끊어진다.

① ㄴ ② ㄷ ③ ㄱ, ㄴ
④ ㄴ, ㄷ ⑤ ㄱ, ㄴ, ㄷ

해결 Point ATP는 아데노신 3인산이고 ADP는 아데노신 2인산이므로 ATP는 ADP보다 인산기가 하나 더 많다.

20 그림은 사람이 세포 호흡을 통해 포도당으로부터 ATP를 생성하고, 이 ATP를 생명 활동에 이용하는 과정을 나타낸 것이다.

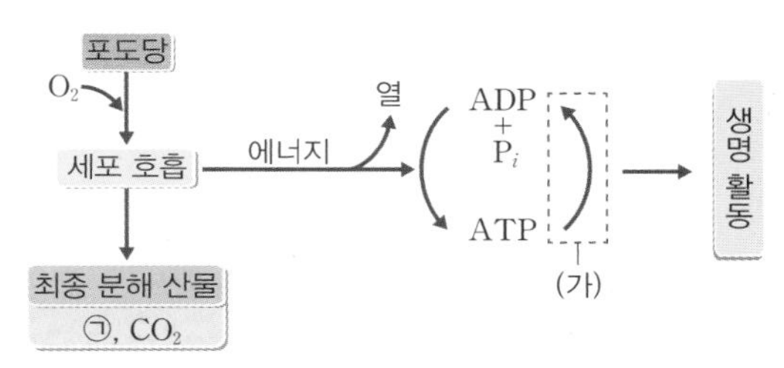

보기
ㄱ. ㉠은 H_2O이다.
ㄴ. (가)는 동화 작용이다.
ㄷ. 포도당의 에너지는 모두 ATP에 저장된다.

① ㄱ ② ㄷ ③ ㄱ, ㄴ
④ ㄴ, ㄷ ⑤ ㄱ, ㄴ, ㄷ

해결 Point 포도당은 수소, 탄소, 산소로 이루어져 있는 화합물로 세포 호흡에 의해 분해되면 물과 이산화 탄소가 생성된다.

02 일차 물질대사와 자극의 전달

오늘 공부할 내용 미리보기

개념 01 기관계의 통합적 작용

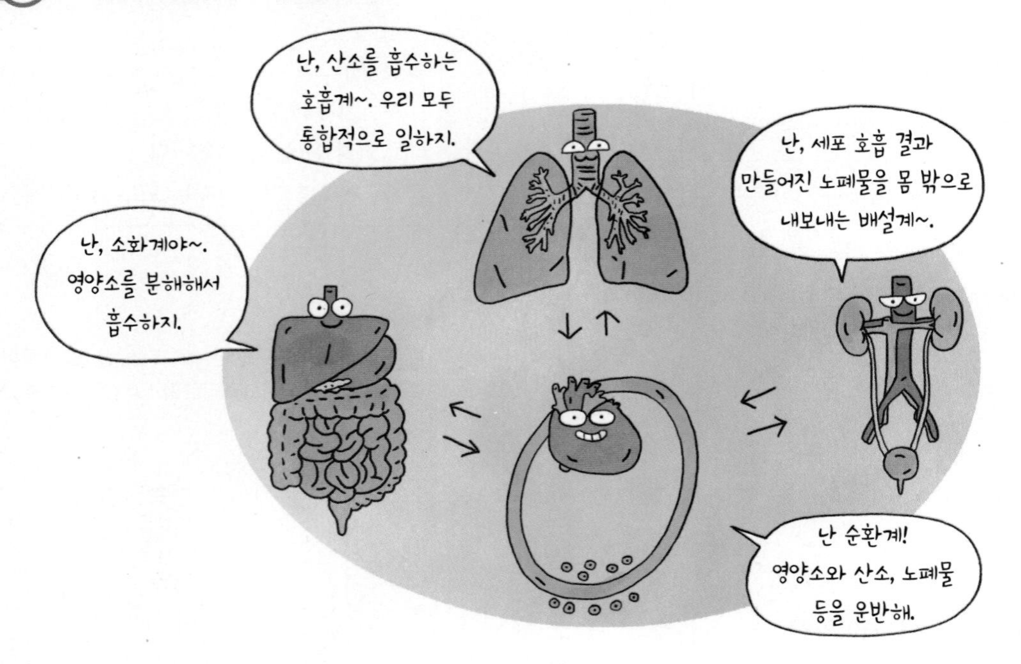

개념 02 대사성 질환과 에너지 균형

공부할 내용

개념 03 흥분의 발생

개념 04 흥분의 전도와 전달

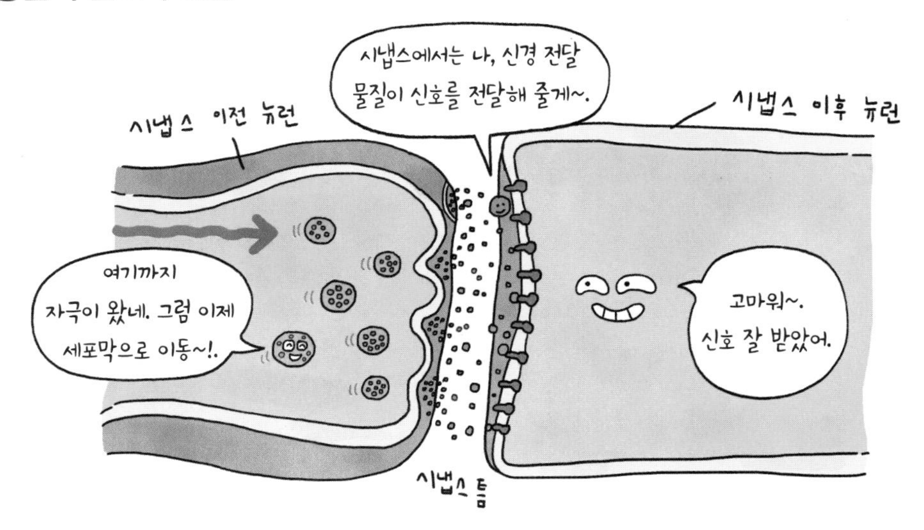

01 핵심 체크 기관계의 통합적 작용

노폐물의 생성과 배설

① 세포 호흡에서 영양소 분해 시 노폐물이 생성된다. 3대 영양소 분해 시 이산화 탄소와 물이 공통적으로 생성되며, 단백질 분해 시 암모니아가 생성된다.

② 이산화 탄소는 호흡계에서 날숨으로, 물은 날숨과 콩팥에서 오줌으로, 암모니아는 간에서 독성이 약한 ❶ [ ] 로 전환된 후 콩팥에서 오줌으로 배설된다.

수능격파 TiP
아미노산의 세포 호흡 결과 발생한 질소 노폐물은 소화계인 간을 거쳐서 배설계에서 배설되는 것을 이해해야 한다.

기관계의 통합적 작용

① 소화계: 음식물 속의 영양소를 작은 영양소로 분해하여 몸속으로 흡수한다.(탄수화물(녹말) → 포도당, 단백질 → 아미노산, 지방 → 지방산, 모노글리세리드)

② 호흡계: 세포 호흡에 필요한 산소를 몸속으로 흡수하고 세포 호흡으로 발생한 ❷ [ ] 를 몸 밖으로 내보낸다. 폐포에서 산소와 이산화 탄소의 기체 교환은 확산에 의해 일어난다.

③ 순환계: 소화계를 통해 흡수된 영양소와 호흡계를 통해 흡수된 산소를 조직 세포로 운반하고, 조직 세포에서 생성된 이산화 탄소와 노폐물을 호흡계와 배설계로 운반한다.

④ 배설계: 노폐물을 걸러 오줌의 형태로 몸 밖으로 내보낸다.

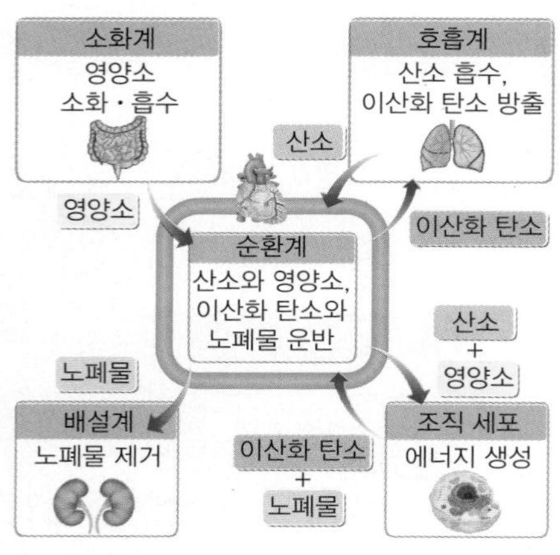

답| ❶ 요소 ❷ 이산화 탄소

01 기출 유형

| 2020년 수능 10번 유사 |

그림은 사람에서 일어나는 기관계의 통합적 작용을 나타낸 것이다. A~C는 각각 배설계, 소화계, 호흡계 중 하나이다.

이에 대한 설명으로 옳은 것만을 〈보기〉에서 있는 대로 고른 것은?

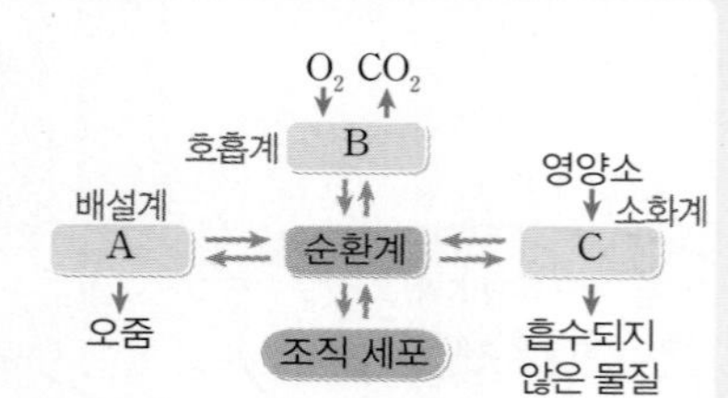

보기
ㄱ. 대장은 A에 속한다. — 대장은 소화계(C)에 속한다.
ㄴ. B는 호흡계이다.
ㄷ. C에서 녹말은 포도당으로 분해된다.
— 소화계에서 다당류인 녹말은 단당류인 포도당으로 분해되어 체내로 흡수된다.

① ㄱ ② ㄷ ③ ㄱ, ㄴ
④ ㄴ, ㄷ ⑤ ㄱ, ㄴ, ㄷ

문제풀이 TiP A는 노폐물을 몸 밖으로 내보내는 배설계이고, B는 산소를 흡수하고 이산화 탄소를 방출하는 호흡계, C는 영양소를 소화·흡수하는 소화계이다.

01 기출 유사

그림은 체내·외에서 일어나는 물질의 이동 과정을 나타낸 것이다. (가)~(다)는 사람의 기관계이다.

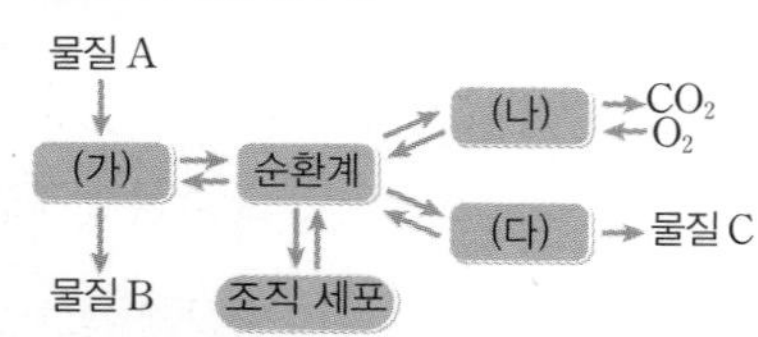

이에 대한 설명으로 옳은 것만을 〈보기〉에서 있는 대로 고른 것은?

보기
ㄱ. (가)는 배설계이다.
ㄴ. 폐는 (나)에 속한다.
ㄷ. 물질 C에는 요소가 포함된다.

① ㄱ ② ㄴ ③ ㄷ
④ ㄱ, ㄷ ⑤ ㄴ, ㄷ

02 핵심 체크 대사성 질환과 에너지 균형

대사성 질환

물질대사에 이상이 생겨 발생하는 질병으로, 과도한 영양 섭취, 운동 부족, 비만 등으로 ❶ [　　] 이 지속될 때 발생하며, 유전, 스트레스 등에 의해서도 발생한다.

고혈압	혈압이 정상 범위보다 높은 상태로 뇌졸중, 심혈관 질환 유발
당뇨병	혈당 수치가 높고, 오줌에 포도당이 섞여 나오며, 심혈관 질환, 만성 콩팥병 등 유발
고지혈증	혈관에 콜레스테롤이나 중성 지방이 과다하게 들어 있는 상태로 동맥 경화, 심장 질환, 뇌졸중 등 유발

에너지 대사량

기초 대사량	심장 박동, 호흡, 물질 합성 등과 같이 생명 유지에 필요한 최소한의 에너지양
활동 대사량	기초 대사량 외에 일상적인 신체 활동을 하는 데 필요한 에너지양
1일 대사량	• 하루 동안 생활하는 데 필요한 총 에너지양 • 1일 대사량＝❷ [　　] ＋활동 대사량＋음식물의 소화·흡수에 필요한 에너지양

수능격파 TiP
체내 물질대사의 장애로 나타나는 질병을 대사성 질환이라고 하며 고혈압, 당뇨병, 고지혈증 등이 있음을 알고 있어야 한다.

영양 부족

영양 실조, 면역력 저하, 체중 감소

영양 과다

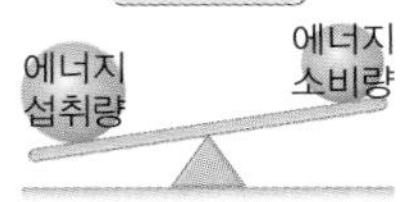

체중 증가, 비만

▲ 에너지 섭취량과 소비량의 균형

답 | ❶ 에너지 불균형 ❷ 기초 대사량

02 기출 유형

| 2021년 수능 2번 유사 |

표는 성인의 체질량 지수에 따른 분류를, 그림은 이 분류에 따른 고지혈증을 나타내는 사람의 비율을 나타낸 것이다.

*체질량 지수	분류
18.5 미만	저체중
18.5 이상 23.0 미만	정상 체중
23.0 이상 25.0 미만	과체중
25.0 이상	비만

$$*체질량 지수 = \frac{몸무게(kg)}{키의 제곱(m^2)}$$

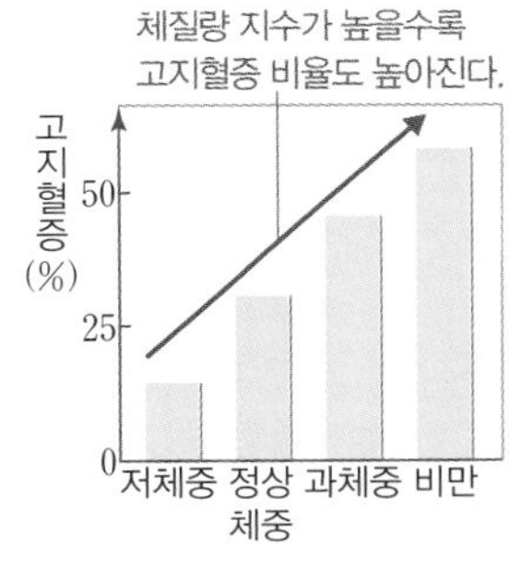

이에 대한 설명으로 옳은 것만을 〈보기〉에서 있는 대로 고른 것은?

보기
ㄱ. 체질량 지수가 20인 성인은 정상 체중에 속한다.
ㄴ. 고지혈증을 나타내는 사람의 비율은 체질량 지수와 관계없이 일정하게 나타난다. — 고지혈증을 나타내는 사람의 비율은 비만인 사람에서가 정상 체중인 사람에서보다 높다.
ㄷ. 고지혈증은 대사성 질환에 속한다.

① ㄱ ② ㄴ ③ ㄱ, ㄷ
④ ㄴ, ㄷ ⑤ ㄱ, ㄴ, ㄷ

문제풀이 TiP 고지혈증은 대사성 질환에 속한다.

02 기출 유사

그래프는 철수가 하루 동안 섭취하는 평균 에너지양을 나타낸 것이고, 표는 한국인의 1일 영양 권장량의 일부이다.

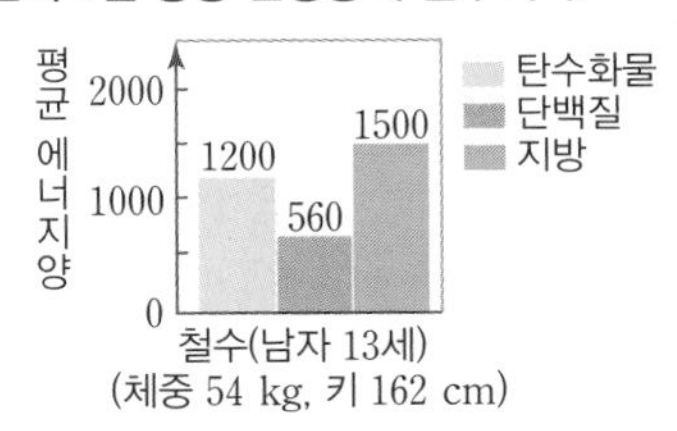

성별	연령 (세)	체중 (kg)	신장 (cm)	에너지양 (kcal)
남	13~15	54	162	2500

이에 대한 설명으로 옳은 것만을 〈보기〉에서 있는 대로 고른 것은?

보기
ㄱ. 철수의 에너지 섭취량은 1일 권장량을 초과한다.
ㄴ. 철수는 비만이 될 가능성이 높다.
ㄷ. 1일 권장 에너지양은 활동 대사량으로만 나타낸다.

① ㄱ ② ㄷ ③ ㄱ, ㄴ
④ ㄴ, ㄷ ⑤ ㄱ, ㄴ, ㄷ

03 핵심 체크 흥분의 발생

뉴런에서의 흥분 발생

① 분극(❶): 자극을 받지 않은 뉴런의 상태로, 세포막 안쪽은 상대적으로 음(−)전하, 바깥쪽은 양(+)전하를 띠며 약 −70 mV의 휴지 전위를 나타낸다. ❶ [   ]에 의해 Na^+은 세포 밖으로, K^+은 세포 안으로 이동(ATP 소모)하여 Na^+의 농도는 세포 밖이, K^+의 농도는 세포 안이 높다.

② 탈분극(❷): 역치 이상의 자극을 받으면 ❷ [   ] 통로가 열려(Na^+의 막 투과성 증가) Na^+이 세포 안으로 확산되어 들어와 막전위가 약 +35 mV까지 상승한다(활동 전위 발생). 세포막 안은 양(+)전하, 밖은 음(−)전하를 띤다.

③ 재분극(❸): Na^+ 통로는 닫히고, K^+ 통로가 열려(K^+의 막 투과성 증가) K^+이 세포 밖으로 확산되어 나가 막전위가 하강한다. K^+ 통로가 천천히 닫혀 막전위가 휴지 전위 아래로 내려가는 과분극(❹)이 일어나며, K^+ 통로가 모두 닫히면 Na^+−K^+ 펌프의 작용으로 분극(❺) 상태를 회복한다.

수능격파 TiP
휴지 전위에서의 이온의 불균형과 활동 전위가 발생할 때 탈분극, 재분극 과정의 이온의 투과성 변화를 이해해야 한다.

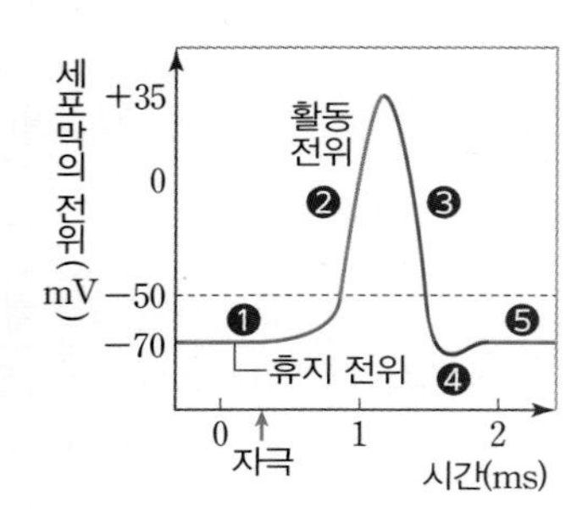

답 | ❶ Na^+−K^+ 펌프 ❷ Na^+

03 기출 유형

| 2019년 9월 모평 15번 유사 |

그림은 어떤 뉴런에 역치 이상의 자극을 주었을 때, 이 뉴런 세포막의 한 지점 P에서 측정한 이온 ㉠과 ㉡의 막 투과도를 시간에 따라 나타낸 것이다. ㉠과 ㉡은 각각 Na^+과 K^+ 중 하나이다.

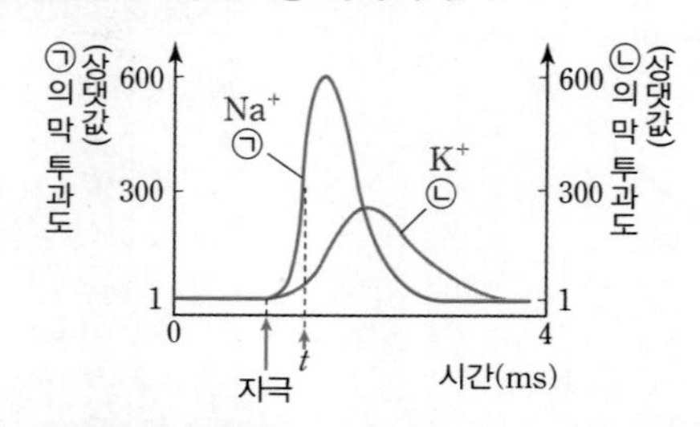

이에 대한 설명으로 옳은 것만을 〈보기〉에서 있는 대로 고른 것은?

보기

ㄱ. ㉡은 ~~Na~~$^+$(K$^+$)이다.

ㄴ. t일 때, P에서 탈분극이 일어나고 있다. ─ Na^+이 세포 밖에서 안으로 확산될 때 탈분극이 진행된다.

ㄷ. 뉴런 세포막을 통한 ㉠의 이동은 차단하고 역치 이상의 자극을 주면 활동 전위가 생성되지 않는다. ─ Na^+이 세포 밖에서 안으로 확산되지 않으면 탈분극이 일어나지 않으므로 활동 전위가 발생하지 않는다.

① ㄱ ② ㄴ ③ ㄷ
④ ㄱ, ㄴ ⑤ ㄴ, ㄷ

문제풀이 TiP 역치 이상의 자극이 주어졌을 때 Na^+의 막 투과도가 먼저 증가한다.

03 기출 유사

그림은 어떤 뉴런에 역치 이상의 자극을 주었을 때, 이 뉴런 세포막의 한 지점에서 이온 ㉠, ㉡의 막 투과도를 시간에 따라 나타낸 것이다. ㉠과 ㉡은 각각 Na^+과 K^+ 중 하나이다.

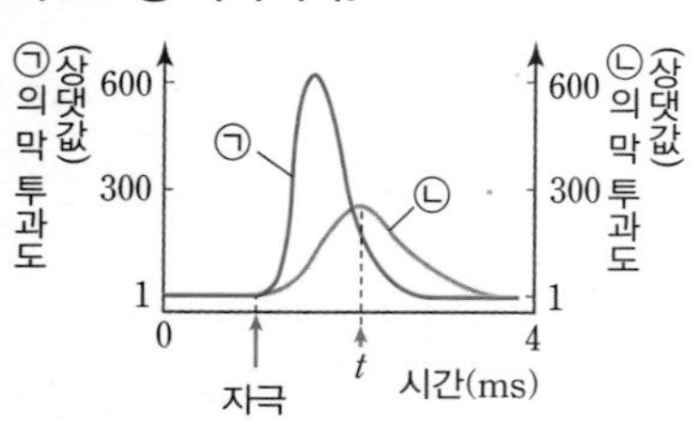

이에 대한 설명으로 옳은 것만을 〈보기〉에서 있는 대로 고른 것은?

보기

ㄱ. ㉠은 K^+이다.

ㄴ. 이온 통로를 통한 ㉡의 이동에는 ATP가 사용된다.

ㄷ. t에서 재분극이 진행된다.

① ㄱ ② ㄴ ③ ㄷ
④ ㄱ, ㄷ ⑤ ㄴ, ㄷ

04 핵심 체크 흥분의 전도와 전달

흥분 전도

① 한 뉴런 내에서 흥분이 이동하는 현상

② 축삭 돌기 가운데에서 시작된 자극은 양 방향으로 전도된다.

③ 말이집 신경에서는 랑비에 결절에서만 활동 전위가 발생하는 ❶ [   ]가 일어나 흥분 전도 속도가 민말이집 신경보다 빠르다.

흥분 전달

① 흥분이 시냅스를 통해 한 뉴런에서 다음 뉴런으로 전달되는 현상

② 축삭 돌기 말단에만 ❷ [   ]이 들어 있는 시냅스 소포가 있으므로 흥분은 시냅스 이전 뉴런의 축삭 돌기 말단에서 시냅스 이후 뉴런의 가지 돌기나 신경 세포체 쪽으로만 전달된다.

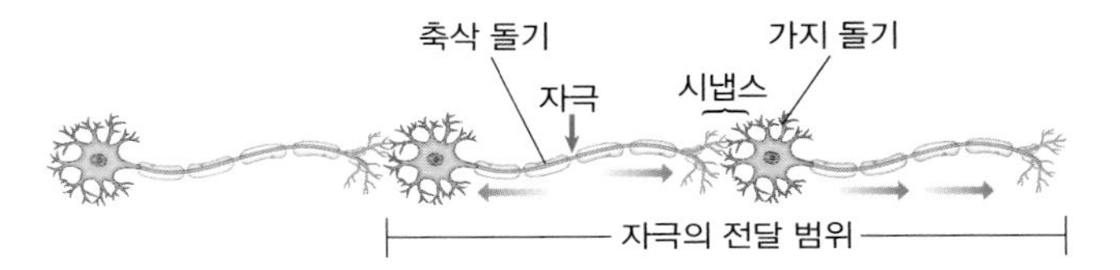

수능격파 TiP

말이집 신경에서는 랑비에 결절에서만 활동 전위가 발생한다는 것과 시냅스 이전 뉴런의 축삭 돌기 말단에서 시냅스 이후 뉴런의 가지 돌기 쪽으로만 흥분 전달이 된다는 것을 이해해야 한다.

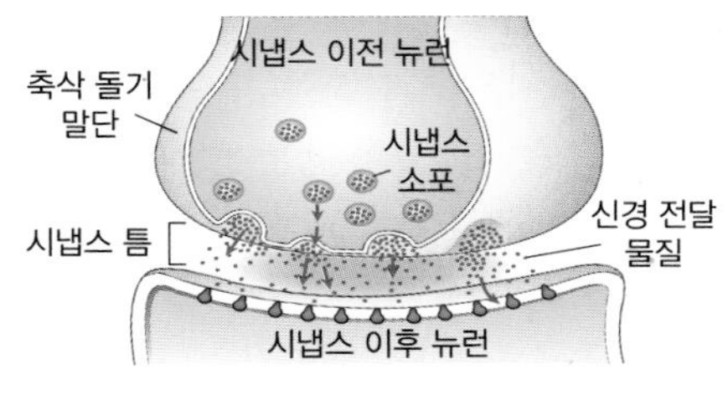

흥분이 시냅스 이전 뉴런의 축삭 돌기 말단까지 도달 → 시냅스 소포에서 신경 전달 물질 방출 → 시냅스 이후 뉴런의 세포막이 탈분극되고 활동 전위 발생

답 | ❶ 도약전도 ❷ 신경 전달 물질

04 기출 유형

| 2015년 4월 학평 10번 유사 |

그림은 시냅스로 연결된 두 뉴런 X, Y 사이의 시냅스에서 일어나는 흥분 전달 과정을 나타낸 것이다.

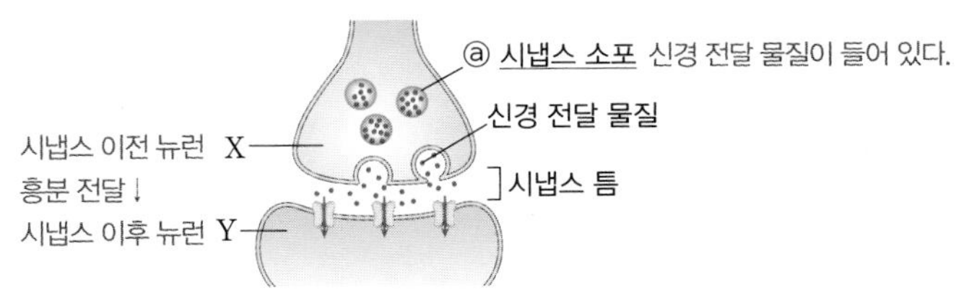

이에 대한 설명으로 옳은 것만을 〈보기〉에서 있는 대로 고른 것은?

보기

ㄱ. ⓐ에는 신경 전달 물질이 들어 있다.

ㄴ. X는 시냅스 이전 뉴런의 가지(→축삭) 돌기 말단이다. ─ 시냅스 소포는 축삭 돌기 말단에 존재한다.

ㄷ. 흥분이 전달되면 Y에서 탈분극이 일어난다. ─ Y에는 신경 전달 물질 수용체가 있어서 신경 전달 물질과 결합하면 탈분극이 진행된다.

① ㄱ　② ㄴ　③ ㄱ, ㄷ　④ ㄴ, ㄷ　⑤ ㄱ, ㄴ, ㄷ

문제풀이 TiP ⓐ는 시냅스 소포로 축삭 돌기 말단에 있으며, 신경 전달 물질이 들어 있다.

04 기출 유사

그림은 시냅스로 연결된 두 뉴런 X, Y 사이의 시냅스에서 일어나는 흥분 전달 과정을 나타낸 것이다.

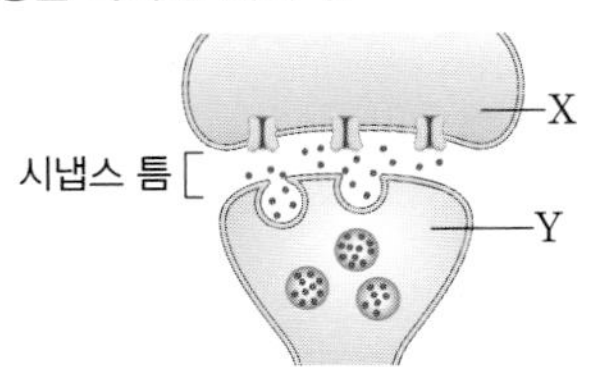

이에 대한 설명으로 옳은 것만을 〈보기〉에서 있는 대로 고른 것은?

보기

ㄱ. X는 축삭 돌기 말단이다.

ㄴ. Y에서 신경 전달 물질이 방출된다.

ㄷ. 흥분의 전달 방향은 X → Y이다.

① ㄱ　② ㄴ　③ ㄷ　④ ㄱ, ㄷ　⑤ ㄴ, ㄷ

기초력 집중드릴

| 2021년 9월 모평 2번 유사 |

01 그림 (가)와 (나)는 각각 사람의 기관계를 나타낸 것이다. A, B는 각각 간과 폐 중 하나이다.

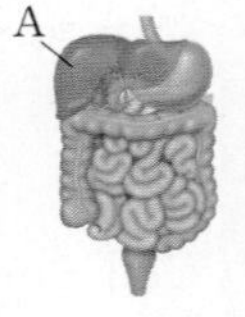

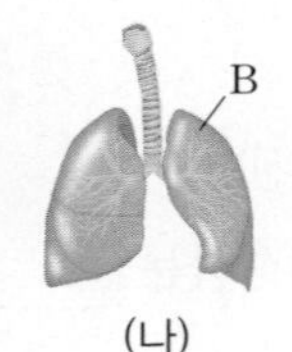

(가) (나)

이에 대한 설명으로 옳은 것만을 〈보기〉에서 있는 대로 고른 것은?

보기
ㄱ. (가)는 배설계이다.
ㄴ. A에서 동화 작용이 일어난다.
ㄷ. B에서 기체 교환이 일어난다.

① ㄴ ② ㄷ ③ ㄱ, ㄴ
④ ㄴ, ㄷ ⑤ ㄱ, ㄴ, ㄷ

해결 Point 간에서 포도당이 글리코젠으로 합성되고, 글리코젠이 포도당으로 분해되기도 한다.

02 그림은 사람에게서 일어나는 에너지 대사 과정의 일부와 물질 ㉠~㉢의 이동을 나타낸 것이다.

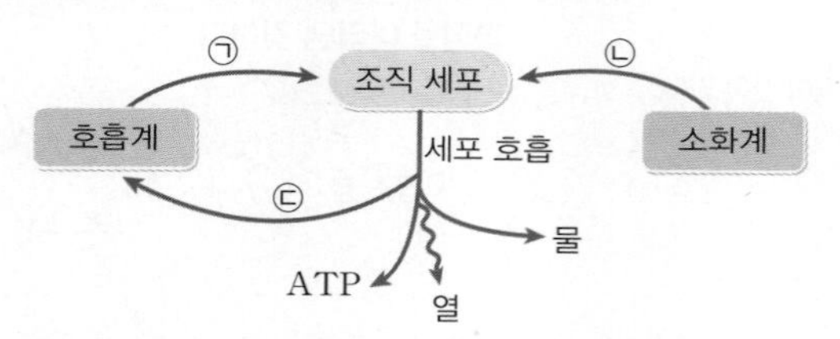

이에 대한 설명으로 옳은 것만을 〈보기〉에서 있는 대로 고른 것은?

보기
ㄱ. ㉠은 산소, ㉢은 이산화 탄소이다.
ㄴ. ㉡에는 포도당이 포함된다.
ㄷ. ㉠, ㉡, ㉢은 순환계를 통해 운반된다.

① ㄱ ② ㄷ ③ ㄱ, ㄴ
④ ㄴ, ㄷ ⑤ ㄱ, ㄴ, ㄷ

해결 Point 산소는 호흡계를 통해, 영양소는 소화계를 통해 흡수되며, 순환계를 통해 운반된다.

03 그림은 사람의 기관계 A~D를 나타낸 것이다. A~D는 각각 배설계, 소화계, 순환계, 호흡계 중 하나이다.

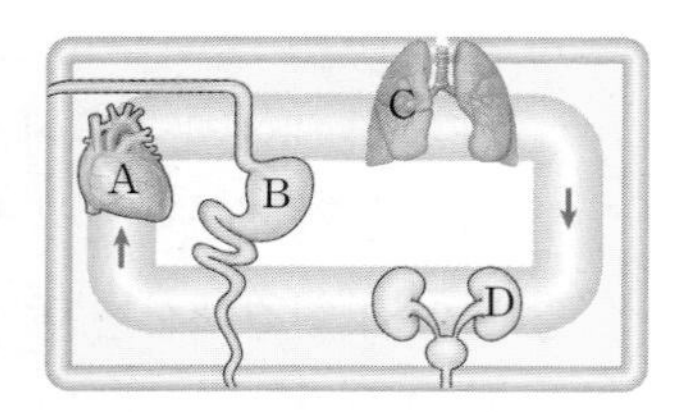

이에 대한 설명으로 옳은 것만을 〈보기〉에서 있는 대로 고른 것은?

보기
ㄱ. B는 배설계이다.
ㄴ. C에서 흡수된 물질은 A를 통해 운반된다.
ㄷ. D를 통해 요소가 배설된다.

① ㄱ ② ㄴ ③ ㄱ, ㄴ
④ ㄴ, ㄷ ⑤ ㄱ, ㄴ, ㄷ

해결 Point B에서 영양소가 분해되어 흡수되고, 흡수되지 않은 나머지 음식물 찌꺼기가 몸 밖으로 배출된다.

04 그림은 체내·외에서 일어나는 물질의 이동 과정을 나타낸 것이다. (가)~(다)는 사람의 기관계이다.

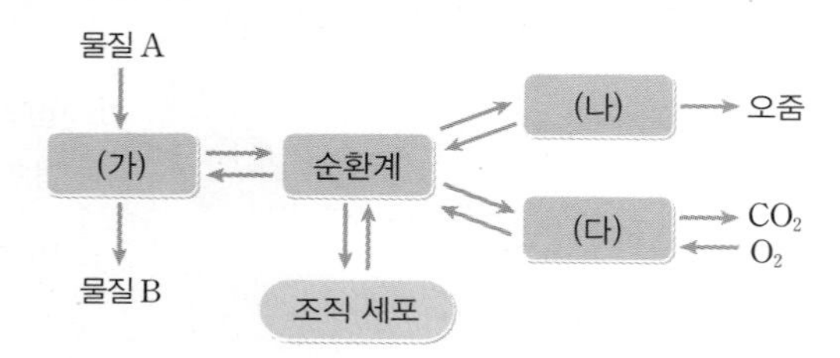

이에 대한 설명으로 옳은 것만을 〈보기〉에서 있는 대로 고른 것은?

보기
ㄱ. (가)에서 이화 작용이 일어난다.
ㄴ. (나)에서 암모니아가 요소로 전환된다.
ㄷ. (다)는 호흡계이다.

① ㄱ ② ㄴ ③ ㄱ, ㄷ
④ ㄴ, ㄷ ⑤ ㄱ, ㄴ, ㄷ

해결 Point 암모니아는 간에서 요소로 전환되며, 간은 소화계에 속하는 기관이다.

| 2021년 수능 1번 유사 |

05 그림은 사람에서 일어나는 영양소의 물질대사 과정 일부를 나타낸 것이다. ㉠과 ㉡은 각각 암모니아와 이산화 탄소 중 하나이다.

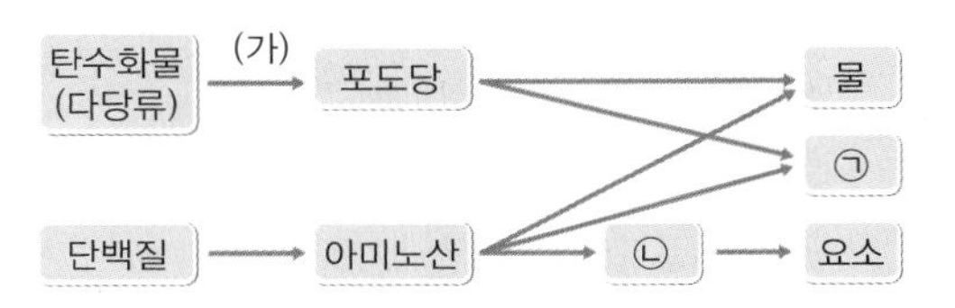

이에 대한 설명으로 옳은 것만을 〈보기〉에서 있는 대로 고른 것은?

보기
ㄱ. (가)는 세포 호흡 과정이다.
ㄴ. ㉠은 배설계를 통해 몸 밖으로 배출된다.
ㄷ. ㉡은 간에서 요소로 전환된다.

① ㄴ ② ㄷ ③ ㄱ, ㄴ
④ ㄴ, ㄷ ⑤ ㄱ, ㄴ, ㄷ

해결 Point 암모니아와 같은 질소 노폐물은 아미노산이 세포 호흡에 이용될 때 발생한다.

06 다음은 대사성 질환에 대한 학생 A~C의 대화 내용이다.

제시한 내용이 옳은 학생만을 있는 대로 고른 것은?

① A ② C ③ A, B
④ B, C ⑤ A, B, C

해결 Point 대사성 질환은 물질대사에 이상이 있는 사람에게서 나타난다.

신유형

07 그림은 어떤 사람의 에너지 섭취량과 소비량을 비교하여 나타낸 것이다.

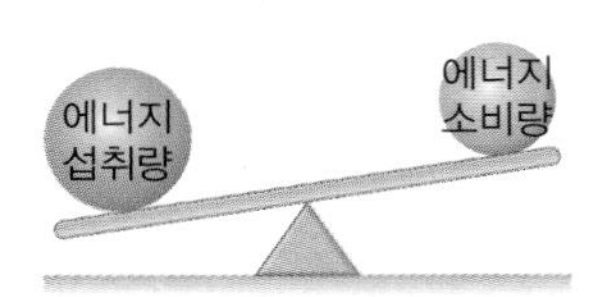

이에 대한 설명으로 옳은 것만을 〈보기〉에서 있는 대로 고른 것은?

보기
ㄱ. 에너지 섭취량이 에너지 소비량보다 많으므로 영양 과다 상태이다.
ㄴ. 이 상태가 지속되면 체중이 감소한다.
ㄷ. 운동 등으로 에너지 소비량을 늘려야 비만을 예방할 수 있다.

① ㄱ ② ㄴ ③ ㄱ, ㄷ
④ ㄴ, ㄷ ⑤ ㄱ, ㄴ, ㄷ

해결 Point 에너지 소비량보다 섭취량이 많으므로 이 상태가 지속되면 비만이 될 가능성이 높다.

신유형

08 그림은 혈관 내 혈액 흐름의 변화 과정을 나타낸 것이다.

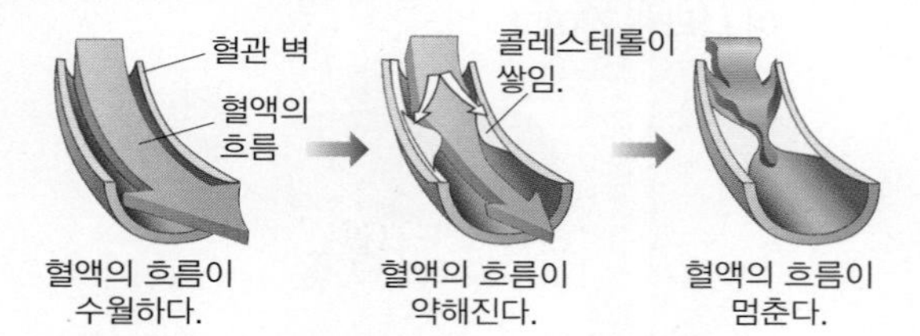

이에 대한 설명으로 옳은 것만을 〈보기〉에서 있는 대로 고른 것은?

보기
ㄱ. 혈액 내 콜레스테롤의 농도가 높을 때 진행될 수 있다.
ㄴ. 대사성 질환에 속한다.
ㄷ. 당뇨병 환자에게서 나타나는 증상이다.

① ㄱ ② ㄴ ③ ㄷ
④ ㄱ, ㄴ ⑤ ㄱ, ㄴ, ㄷ

해결 Point 혈액 속 콜레스테롤이 혈관 벽에 쌓이면 혈액의 흐름을 방해하여 혈액 순환이 잘 이루어지지 않는다.

09 에너지 대사에 관한 내용으로 옳은 것만을 〈보기〉에서 있는 대로 고른 것은?

보기
ㄱ. 기초 대사량은 생명 활동을 유지하는 데 필요한 최소한의 에너지양이다.
ㄴ. 활동 대사량은 다양한 활동을 하면서 소모되는 에너지양이다.
ㄷ. 1일 대사량은 성별, 나이, 체질에 따라 다르다.

① ㄱ ② ㄴ ③ ㄷ
④ ㄱ, ㄴ ⑤ ㄱ, ㄴ, ㄷ

해결 Point 체온 조절, 심장 박동, 혈액 순환, 호흡 활동 등 생명 활동을 유지하는 데 필요한 최소한의 에너지양이 기초 대사량이다.

10 그림은 어느 신경 세포에 역치 이상의 자극을 주었을 때의 막전위 변화를 나타낸 것이다.

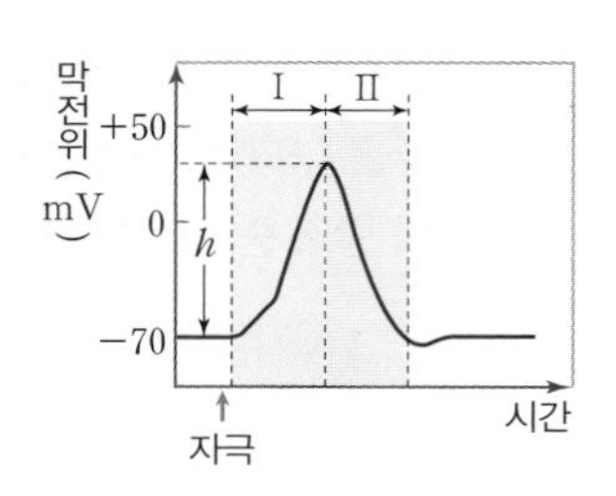

이에 대한 설명으로 옳은 것만을 〈보기〉에서 있는 대로 고른 것은?

보기
ㄱ. 구간 Ⅰ에서 K^+의 유입으로 막전위가 상승한다.
ㄴ. 구간 Ⅱ에서 Na^+의 농도는 세포 안보다 세포 밖이 더 높다.
ㄷ. h값은 자극의 세기에 비례한다.

① ㄱ ② ㄴ ③ ㄷ
④ ㄱ, ㄴ ⑤ ㄱ, ㄴ, ㄷ

해결 Point Na^+-K^+ 펌프가 작동하는 한 Na^+의 농도는 세포 밖이 세포 안보다 높다.

11 그림은 뉴런의 Ⅰ 지점에 자극을 한 번 주었을 때 Ⅱ 지점에서의 막전위 변화를 나타낸 것이다.

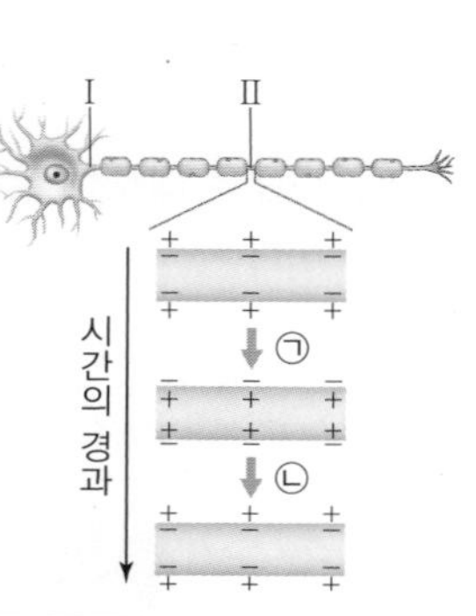

이에 대한 설명으로 옳은 것만을 〈보기〉에서 있는 대로 고른 것은?

보기
ㄱ. 이 뉴런에서는 도약전도가 일어난다.
ㄴ. ㉠에서 탈분극이 일어난다.
ㄷ. ㉡에서 Na^+이 세포 밖으로 유출된다.

① ㄴ ② ㄷ ③ ㄱ, ㄴ
④ ㄴ, ㄷ ⑤ ㄱ, ㄴ, ㄷ

해결 Point 말이집이 있는 신경에서는 랑비에 결절에서만 활동 전위가 발생하는 도약전도가 일어난다.

신유형

12 그림은 뉴런에서 물질 X의 처리 여부에 따른 막전위 변화를 나타낸 것이다. 물질 X는 세포막에 있는 이온 통로를 통한 Na^+과 K^+의 이동 중 하나를 억제한다.

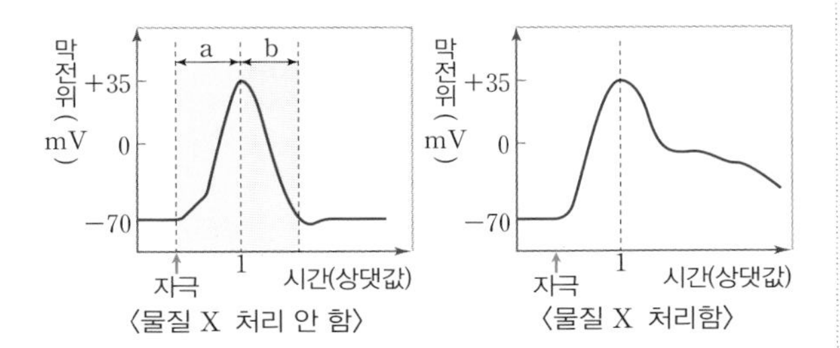

이에 대한 설명으로 옳은 것만을 〈보기〉에서 있는 대로 고른 것은?

보기

ㄱ. a 구간에서 Na^+ 통로는 모두 닫혀 있다.
ㄴ. b 구간에서 K^+ 통로를 통한 K^+의 이동에는 ATP가 소모된다.
ㄷ. 물질 X는 K^+의 확산을 억제한다.

① ㄱ ② ㄴ ③ ㄷ
④ ㄱ, ㄴ ⑤ ㄱ, ㄴ, ㄷ

해결 Point 자극을 받아 막전위가 변할 때 이온 통로를 통해 Na^+과 K^+은 확산에 의해 이동하므로 ATP가 소모되지 않는다.

13 그림은 신경 세포막을 경계로 휴지 전위가 유지될 때의 이온 분포를 나타낸 것이다. (가)에서 ㉠은 Na^+ 통로, ㉡은 K^+ 통로이다.

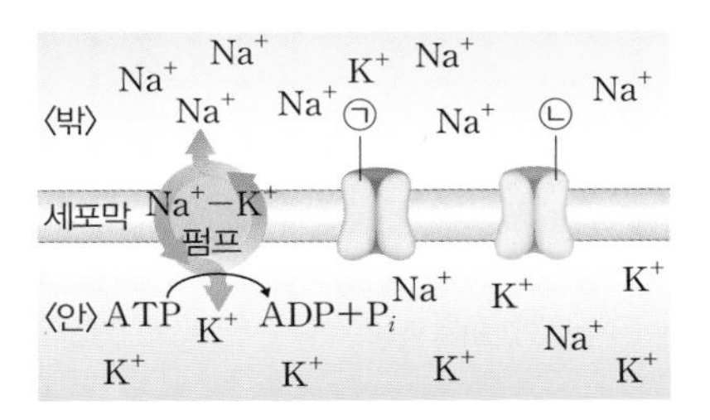

이에 대한 설명으로 옳은 것만을 〈보기〉에서 있는 대로 고른 것은?

보기

ㄱ. 세포막을 경계로 Na^+의 농도는 세포 밖이 세포 안보다 높다.
ㄴ. 탈분극이 진행될 때 ㉠을 통해 Na^+은 세포 안으로 능동 수송된다.
ㄷ. 재분극이 진행될 때 ㉡을 통해 K^+은 세포 밖으로 확산한다.

① ㄴ ② ㄷ ③ ㄱ, ㄴ
④ ㄱ, ㄷ ⑤ ㄴ, ㄷ

해결 Point 탈분극과 재분극 시 통로를 통한 이온의 이동은 확산에 의해 일어나므로 ATP가 소모되지 않는다.

14 그림 (가)는 활동 전위가 발생한 신경 세포의 축삭 돌기의 한 지점 X에서 측정한 막전위 변화를, (나)는 t_2일 때 X에서 K^+ 통로를 통한 K^+의 이동을 나타낸 것이다.

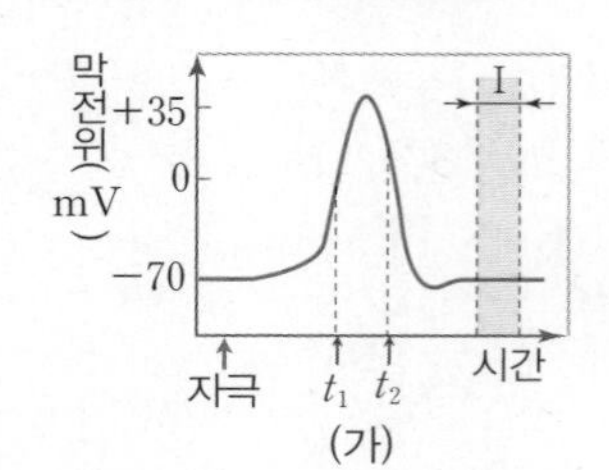

(가)

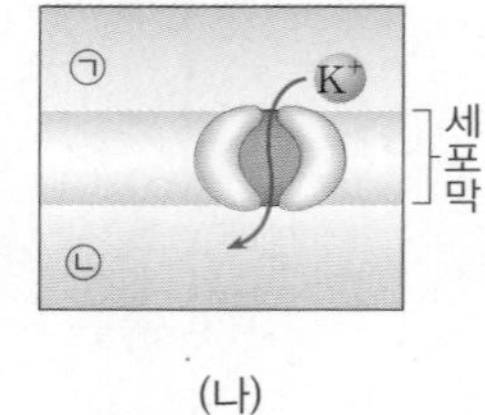

(나)

이에 대한 설명으로 옳은 것만을 〈보기〉에서 있는 대로 고른 것은?

보기
ㄱ. 구간 Ⅰ에서 이온의 이동은 없다.
ㄴ. (나)에서 K^+의 이동에 ATP가 소모된다.
ㄷ. t_1에서 Na^+은 ㉡ → ㉠으로 이동한다.

① ㄱ ② ㄴ ③ ㄷ
④ ㄱ, ㄴ ⑤ ㄱ, ㄴ, ㄷ

해결 Point Na^+-K^+ 펌프는 ATP가 공급되는 한 항상 작동한다.

신유형 | 2020년 4월 학평 6번 유사 |

15 그림은 사람에서 자극에 의한 반사가 일어날 때 흥분 전달 경로를 나타낸 것이다. 이에 대한 설명으로 옳은 것만을 〈보기〉에서 있는 대로 고른 것은?

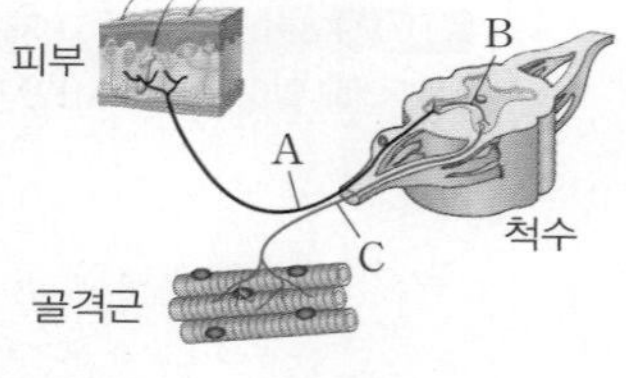

보기
ㄱ. A는 원심성 뉴런이다.
ㄴ. B는 중추 신경계를 구성한다.
ㄷ. C의 축삭 돌기 말단에서는 아세틸콜린이 분비된다.

① ㄱ ② ㄴ ③ ㄱ, ㄷ
④ ㄴ, ㄷ ⑤ ㄱ, ㄴ, ㄷ

해결 Point 감각 신경은 구심성 뉴런이다.

16 그림은 민말이집 신경 세포의 축삭 돌기 일부를, 표는 그림의 두 지점 X나 Y 중 한 곳을 1회 자극하고 일정 시간이 지난 후 네 지점(d_1~d_4)에서 동시에 측정한 막전위를 나타낸 것이다. 휴지 전위는 −70mV이다.

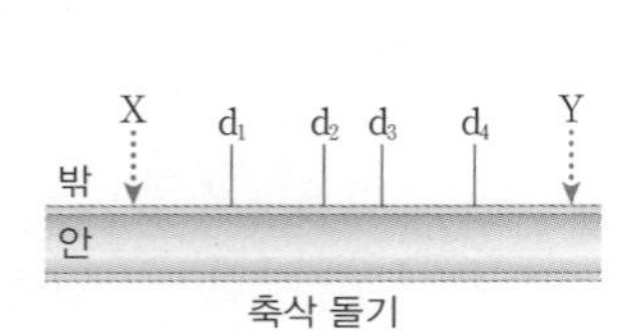

지점	막전위(mV)
d_1	−70
d_2	+35
d_3	−80
d_4	−70

이에 대한 설명으로 옳은 것만을 〈보기〉에서 있는 대로 고른 것은?

보기
ㄱ. 자극을 준 지점은 Y이다.
ㄴ. d_2에서 세포막 안쪽이 바깥쪽에 비해 음(−) 전하를 띤다.
ㄷ. d_3에서 K^+의 농도는 세포 밖이 더 높다.

① ㄱ ② ㄴ ③ ㄷ
④ ㄱ, ㄴ ⑤ ㄱ, ㄴ, ㄷ

해결 Point 재분극이 되고 있는 d_3가 탈분극이 진행되는 d_2보다 흥분이 먼저 도달한 것을 알 수 있다.

| 2021년 6월 모평 4번 유사 |

17 그림은 시냅스로 연결된 뉴런 A와 B를 나타낸 것이다.

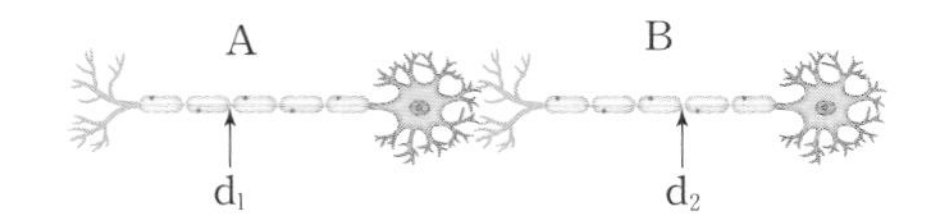

이에 대한 설명으로 옳은 것만을 〈보기〉에서 있는 대로 고른 것은?

보기
ㄱ. d_1에 역치 이상의 자극을 주면 d_2에서 활동 전위가 발생한다.
ㄴ. d_2에 역치 이상의 자극을 주면 d_1에서 활동 전위가 발생한다.
ㄷ. A와 B 사이의 시냅스에서는 전기적 신호에 의해 흥분이 전달된다.

① ㄱ ② ㄴ ③ ㄷ
④ ㄱ, ㄴ ⑤ ㄴ, ㄷ

해결 Point 시냅스에서는 신경 전달 물질을 통한 화학적 신호에 의해 흥분이 전달된다.

18 그림은 시냅스로 연결된 뉴런 (가)~(다)를 나타낸 것이다.

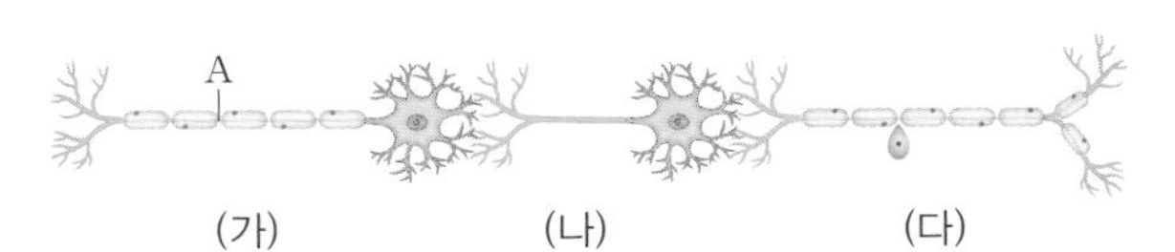

이에 대한 설명으로 옳은 것만을 〈보기〉에서 있는 대로 고른 것은?

보기
ㄱ. (가)는 원심성 뉴런이다.
ㄴ. (나)는 뇌와 척수에 분포한다.
ㄷ. A에 역치 이상의 자극을 주면 (다)에서 활동 전위가 발생한다.

① ㄱ ② ㄷ ③ ㄱ, ㄴ
④ ㄴ, ㄷ ⑤ ㄱ, ㄴ, ㄷ

해결 Point 연합 뉴런은 뇌와 척수 같은 중추 신경을 이룬다.

19 그림은 시냅스로 연결된 두 뉴런을 나타낸 것이다.

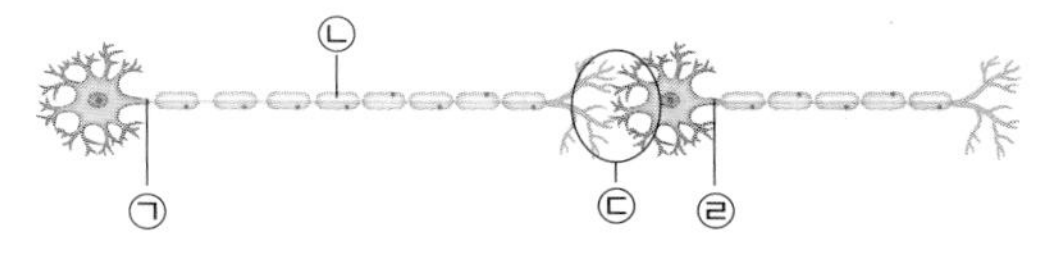

이에 대한 설명으로 옳은 것만을 〈보기〉에서 있는 대로 고른 것은?

보기
ㄱ. ㉠에 역치 이상의 자극을 주면 ㉡에서 활동 전위가 발생한다.
ㄴ. ㉣에 역치 이상의 자극을 주면 ㉢에서 흥분 전달이 일어난다.
ㄷ. 흥분 전달 속도는 흥분 전도 속도보다 느리다.

① ㄱ ② ㄷ ③ ㄱ, ㄷ
④ ㄴ, ㄷ ⑤ ㄱ, ㄴ, ㄷ

해결 Point 말이집에서는 이온의 이동이 없으므로 활동 전위가 발생하지 않는다.

20 그림은 신경 A~C의 P 지점에 역치 이상의 자극을 1회씩 준 것을 나타낸 것이다.
이에 대한 설명으로 옳은 것만을 〈보기〉에서 있는 대로 고른 것은?

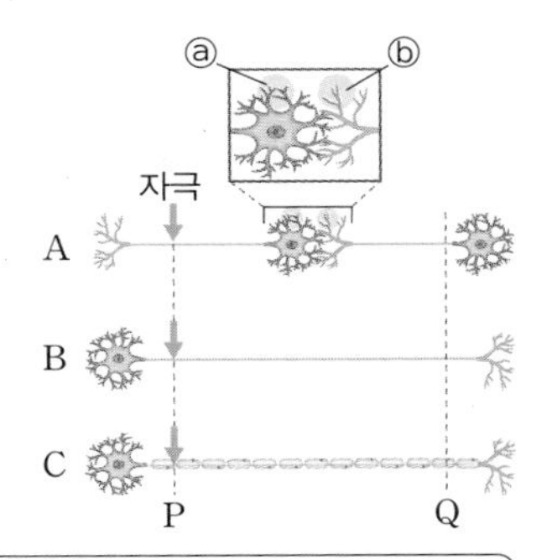

보기
ㄱ. 시냅스 소포는 ⓐ에서가 ⓑ에서보다 많다.
ㄴ. C는 B보다 흥분 전도 속도가 빠르다.
ㄷ. A의 Q 지점에서 활동 전위가 발생한다.

① ㄴ ② ㄷ ③ ㄱ, ㄴ
④ ㄴ, ㄷ ⑤ ㄱ, ㄴ, ㄷ

해결 Point 도약전도를 하는 말이집 신경이 민말이집 신경보다 흥분의 전도 속도가 빠르다.

03 일차

신경계와 호르몬

오늘 공부할 내용 미리보기

개념 01 근육 수축의 원리

개념 02 신경계

공부할 내용

01 근육 수축의 원리
02 신경계
03 호르몬의 특성과 종류
04 항상성 유지

개념 03 호르몬의 특성과 종류

개념 04 항상성 유지

01 핵심 체크 근육 수축의 원리

골격근

① 근육 섬유 다발 ⊃ 근육 섬유(근육 세포) ⊃ 근육 원섬유

② 근육 원섬유: 가는 액틴 필라멘트와 굵은 ❶ ______ 필라멘트로 구성

활주설에 따른 근육 수축 원리

① 액틴 필라멘트가 마이오신 필라멘트 사이로 미끄러져 들어가 근육 원섬유 마디의 길이가 짧아지면서 근육이 수축된다. 이때 ❷ ______ 가 사용된다.

② 근육이 수축할 때 근육 원섬유 마디, H대, I대의 길이는 짧아지고, A대의 길이는 변화 없다.

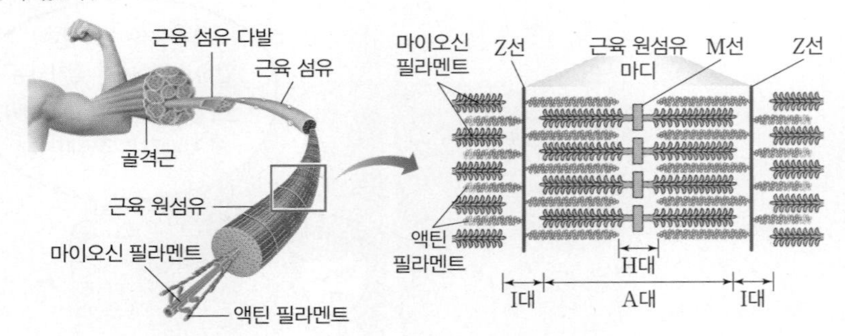

수능격파 TiP
근육 수축이 일어나는 동안 액틴 필라멘트와 마이오신 필라멘트 자체의 길이는 변하지 않는다는 것과 H대, I대, 근육 원섬유 마디의 길이는 짧아진다는 것을 기억해 두어야 한다.

답 | ❶ 마이오신 ❷ ATP

01 기출 유형

| 2019년 6월 학평 11번 유사 |

그림은 근육 원섬유 마디 X의 구조를, 표는 골격근 수축 과정의 두 시점 t_1과 t_2일 때 X의 길이와 ㉠의 길이를 나타낸 것이다. X는 좌우 대칭이다.

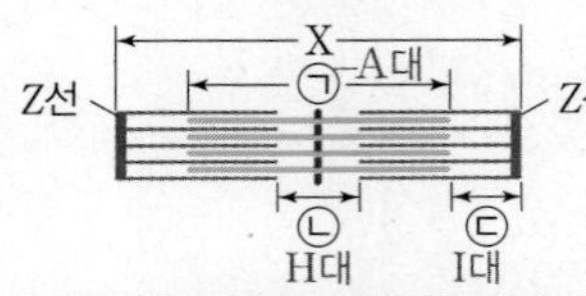

시점	X의 길이	㉠의 길이
이완 t_1	3.0 μm	1.6 μm
수축 t_2	2.6 μm	?

이에 대한 설명으로 옳은 것만을 〈보기〉에서 있는 대로 고른 것은?

보기

ㄱ. t_2에서 ㉠의 길이는 1.6 μm이다. — A대(마이오신 필라멘트) / 마이오신 필라멘트 자체의 길이는 변하지 않는다.

ㄴ. t_1에서 t_2가 될 때 ㉡의 길이는 늘어난다. — 근육이 수축할 때 ㉡의 길이는 짧아진다.

ㄷ. t_1에서 t_2가 될 때 ㉢의 길이는 짧아진다. — 근육이 수축할 때 ㉢의 길이는 짧아진다.

① ㄱ ② ㄴ ③ ㄱ, ㄷ
④ ㄴ, ㄷ ⑤ ㄱ, ㄴ, ㄷ

문제풀이 TiP 근육이 수축할 때 액틴 필라멘트, 마이오신 필라멘트 자체의 길이는 변하지 않는다.

01 기출 유사

그림은 좌우 대칭인 근육 원섬유 마디 X의 구조를, 표는 시점 t_1과 t_2일 때 X와 ㉠의 길이를 나타낸 것이다.

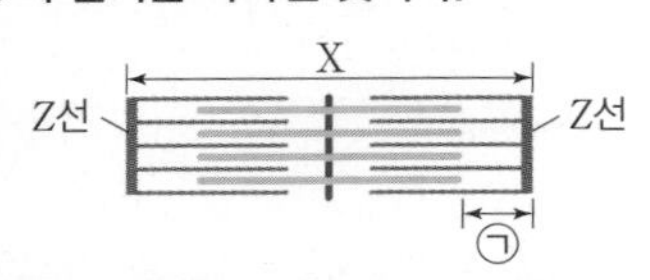

시점	X의 길이	㉠의 길이
t_1	?	0.4 μm
t_2	2.0 μm	0.2 μm

t_2일 때 X의 길이는 몇 μm인가?

① 1.6 ② 1.8 ③ 2.0
④ 2.2 ⑤ 2.4

02 핵심 체크 신경계

수능격파 TiP
교감 신경과 부교감 신경을 구분할 줄 알고, 각 신경 말단에서 분비되는 물질과 각 신경의 작용을 알고 있어야 한다.

중추 신경계

① 뇌: 대뇌, 중간뇌, 소뇌, 간뇌, 뇌교, 연수로 구성

② 척수: 뇌와 척수 신경 사이에서 정보를 전달(구심성 신경은 척수의 ❶ [   ]을 이루며, 원심성 신경은 척수의 ❷ [   ]을 이룬다.)

말초 신경계

① 체성 신경계: 운동 신경으로 이루어져 있으며, 대뇌의 지배를 받아 골격근의 반응을 조절한다. 1개의 뉴런으로 구성되어 있다.

② 자율 신경계: 원심성 뉴런으로만 이루어져 있다. 대뇌의 직접적인 지배를 받지 않고 주로 내장 기관, 혈관, 분비샘에 분포하여 몸의 기능을 조절한다. 2개의 뉴런이 신경절에서 시냅스를 형성한다.

구분	동공	기관지	심장 박동	소화관 운동	방광
교감 신경	확대	확장	촉진	억제	확장
부교감 신경	축소	수축	억제	촉진	수축

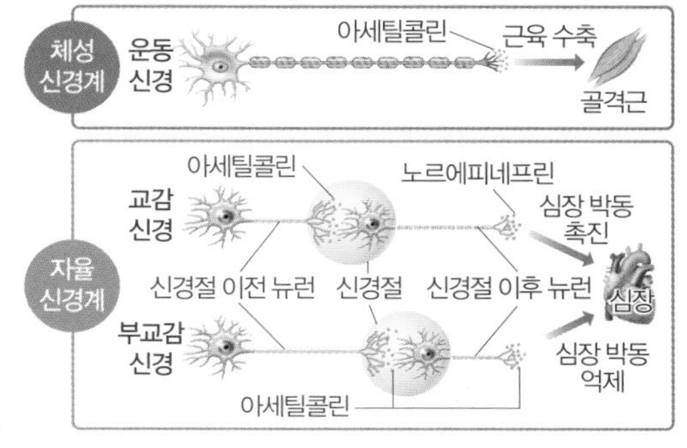

▲ 체성 신경계와 자율 신경계의 비교

답| ❶ 후근 ❷ 전근

02 기출 유형

| 2017년 7월 학평 6번 유사 |

그림은 심장 박동을 조절하는 신경 A와 B를 나타낸 것이다.

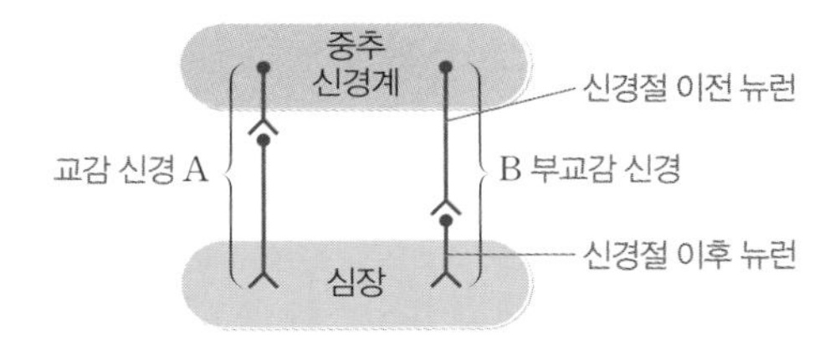

이에 대한 설명으로 옳은 것만을 〈보기〉에서 있는 대로 고른 것은?

보기
ㄱ. A는 체성 신경이다. ― A는 자율 신경 중 교감 신경이다.
ㄴ. B는 심장 박동을 느리게 한다. ― 부교감 신경은 빨라진 심장 박동을 느리게 조절한다.
ㄷ. A, B는 말초 신경계에 속한다. ― 자율 신경계는 말초 신경계에 속한다.

① ㄱ ② ㄴ ③ ㄱ, ㄷ
④ ㄴ, ㄷ ⑤ ㄱ, ㄴ, ㄷ

문제풀이 TiP 신경절 이전 뉴런이 짧으면 교감 신경이고, 길면 부교감 신경이다. 교감 신경은 몸을 긴장 상태로, 부교감 신경은 몸을 안정 상태로 조절한다.

02 기출 유사

그림은 동공의 크기 조절에 관여하는 말초 신경이 중추 신경에 연결된 경로를 나타낸 것이다.

중추 신경계 ㉠ ㉡ 눈

이에 대한 설명으로 옳은 것만을 〈보기〉에서 있는 대로 고른 것은?

보기
ㄱ. ㉠은 부교감 신경이다.
ㄴ. ㉡이 활성화될 때 동공이 확장된다.
ㄷ. ㉠, ㉡의 신경절 이후 뉴런 말단에서 분비되는 신경 전달 물질은 같다.

① ㄱ ② ㄷ ③ ㄱ, ㄴ
④ ㄴ, ㄷ ⑤ ㄱ, ㄴ, ㄷ

03 핵심 체크 호르몬의 특성과 종류

○ 호르몬의 특성

① 특정 조직이나 기관의 생리 작용을 조절하는 화학 물질

② 내분비샘에서 합성되어 ❶ [ ] 으로 분비되어 운반된다.

③ 표적 세포와 표적 기관에만 작용하며, 작용 범위가 넓고 지속적이다.

④ 매우 적은 양으로 생리 작용을 조절하며, 결핍증과 과다증이 나타난다.

○ 호르몬의 종류

내분비샘		호르몬	특징
뇌하수체	전엽	생장 호르몬 갑상샘 자극 호르몬(TSH)	뼈와 근육의 생장 촉진 갑상샘에서 티록신 분비 촉진
	후엽	항이뇨 호르몬(ADH)	콩팥에서 물의 재흡수 촉진
갑상샘		❷ [ ]	물질대사 촉진
부신	속질	에피네프린	혈당량 증가, 심장 박동 촉진, 혈압 상승
이자	α세포	글루카곤	혈당량 증가
	β세포	인슐린	혈당량 감소

수능격파 TiP
내분비샘에서 분비되는 호르몬의 종류와 기능을 알고 있어야 한다.

답| ❶ 혈액 ❷ 티록신

03 기출 유형

| 2015년 3월 학평 7번 유사 |

그림은 이자에서 분비되는 두 호르몬 X, Y를 나타낸 것이다.

이자 —호르몬 X (인슐린)→ 혈당량 감소
이자 —호르몬 Y (글루카곤)→ 혈당량 증가

이에 대한 설명으로 옳은 것만을 〈보기〉에서 있는 대로 고른 것은?

보기
ㄱ. X는 인슐린이다. – 인슐린은 혈당량을 감소시킨다.
ㄴ. Y는 이자의 β세포에서 분비된다. – 혈당량을 증가시키는 글루카곤은 이자의 α세포에서 분비된다.
ㄷ. X, Y는 혈액으로 분비되어 운반된다. – 호르몬은 혈액으로 분비된다.

① ㄱ ② ㄴ ③ ㄱ, ㄷ
④ ㄴ, ㄷ ⑤ ㄱ, ㄴ, ㄷ

문제풀이 TiP 이자에서 분비되는 인슐린과 글루카곤은 간에서 길항 작용을 하여 혈당량을 일정하게 유지한다.

03 기출 유사

그림은 내분비샘 X에서 분비되는 호르몬 A의 작용을 나타낸 것이다.

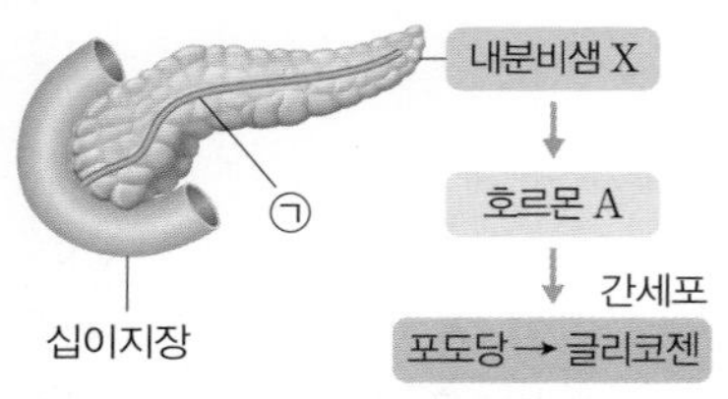

이에 대한 설명으로 옳은 것만을 〈보기〉에서 있는 대로 고른 것은?

보기
ㄱ. 호르몬 A는 ㉠을 통해 십이지장으로 분비된다.
ㄴ. 호르몬 A는 내분비샘 X의 β세포에서 생성된다.
ㄷ. 호르몬 A는 혈당량을 감소시킨다.

① ㄱ ② ㄴ ③ ㄷ
④ ㄱ, ㄷ ⑤ ㄴ, ㄷ

04 핵심 체크 | 항상성 유지

항상성 유지

음성 피드백과 길항 작용에 의해 조절

① 혈당량 조절: 인슐린과 글루카곤의 길항 작용에 의해 조절

- 교감 신경 → 글루카곤, 에피네프린 분비 촉진 → 혈당량 증가
- 부교감 신경 → 인슐린 분비 촉진 → 혈당량 감소

② 체온 조절: 열 발생량과 열 발산량의 조절로 체온 유지(추울 때는 열 발생량 증가, 열 발산량 감소, 더울 때는 열 발생량 감소, 열 발산량 증가)

- 추울 때 신경의 작용: 교감 신경 작용 강화 → 피부 근처 모세혈관과 입모근 수축, 근육 떨림 → ❶ ______ 감소, 열 발생량 증가
- 추울 때 호르몬의 작용: 티록신과 에피네프린 분비량 증가 → 간과 근육에서 물질대사 촉진 → ❷ ______ 증가

③ 삼투압 조절: 콩팥에서의 수분 재흡수 조절로 삼투압 유지

- 물을 많이 마셨을 때: 삼투압 감소 → 항이뇨 호르몬(ADH) 분비량 감소 → 콩팥에서 수분 재흡수 감소 → 삼투압 증가
- 땀을 많이 흘렸을 때: 삼투압 증가 → 항이뇨 호르몬(ADH) 분비량 증가 → 콩팥에서 수분 재흡수 촉진 → 삼투압 감소

수능격파 TiP
혈당량 조절, 체온 조절, 삼투압 조절 과정과 관련된 호르몬을 정확하게 알고 있어야 한다.

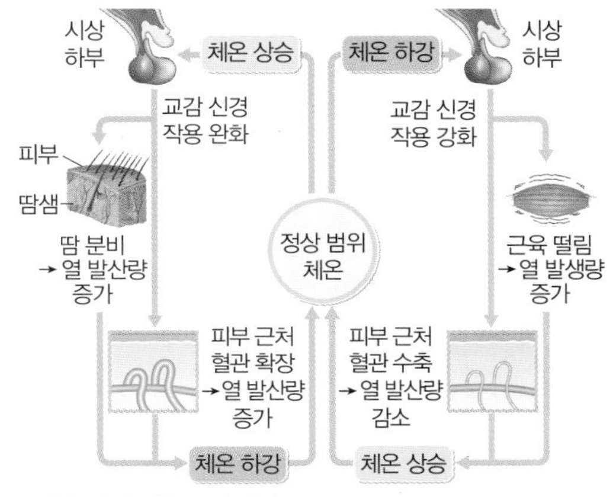

▲ 추울 때의 체온 조절 과정

답 | ❶ 열 발산량 ❷ 열 발생량

04 기출 유형

| 2013년 7월 학평 7번 유사 |

그림은 추울 때 일어나는 체온 조절 과정의 일부를 나타낸 것이다.

저온 자극 → 시상 하부 → 뇌하수체 → 갑상샘 → 호르몬 A 티록신
시상 하부 → 교감 신경 신경 ㉠ → 부신 속질 → 호르몬 B 에피네프린

이에 대한 설명으로 옳은 것만을 〈보기〉에서 있는 대로 고른 것은?

보기

㉠. ㉠은 교감 신경이다. — 부신 속질을 자극하는 신경은 교감 신경이다.
㉡. 호르몬 A는 열 발생량을 증가시킨다. — 티록신은 물질대사를 촉진한다.
ㄷ̸. 호르몬 A와 B는 체온 조절 과정에서 길항 작용을 한다. — 티록신과 에피네프린은 길항 관계는 아니다.

① ㄱ ② ㄴ ③ ㄷ
④ ㄱ, ㄴ ⑤ ㄴ, ㄷ

문제풀이 TiP 갑상샘에서 분비되는 티록신은 물질대사를 촉진하므로 열 발생량을 증가시킨다.

04 기출 유사

그림은 체온 조절 과정의 일부를 나타낸 것이다.

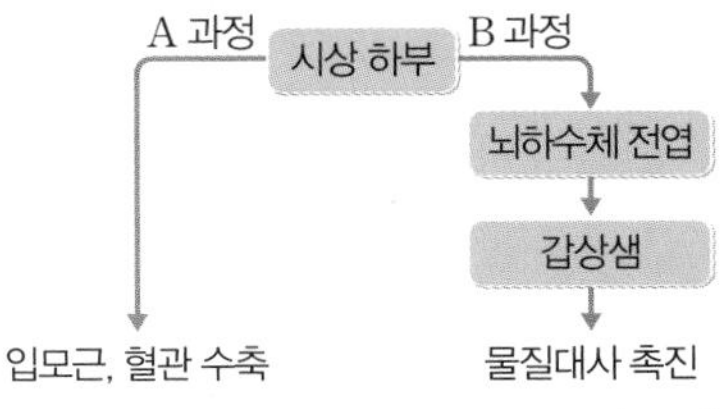

이에 대한 설명으로 옳은 것만을 〈보기〉에서 있는 대로 고른 것은?

보기

ㄱ. A 과정으로 열 발산량이 증가한다.
ㄴ. B 과정으로 열 발생량이 증가한다.
ㄷ. A 과정은 신경이 관여한다.

① ㄱ ② ㄴ ③ ㄷ
④ ㄱ, ㄷ ⑤ ㄴ, ㄷ

기초력 집중드릴

01 그림은 골격근을 구성하는 근육 원섬유의 구조를 나타낸 것이다.

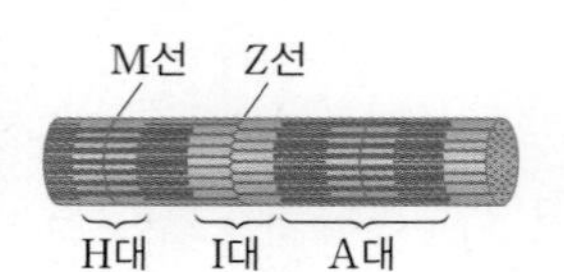

이에 대한 설명으로 옳은 것만을 〈보기〉에서 있는 대로 고른 것은?

보기
ㄱ. 근육 수축 시 A대의 길이는 변함 없다.
ㄴ. 근육 수축 시 I대의 길이는 짧아진다.
ㄷ. 근육 수축 시 H대의 길이는 길어진다.

① ㄱ ② ㄴ ③ ㄱ, ㄴ
④ ㄴ, ㄷ ⑤ ㄱ, ㄴ, ㄷ

해결 Point 근육이 수축할 때 마이오신 필라멘트와 액틴 필라멘트의 겹치는 부위의 길이는 길어진다.

| 2018년 6월 모평 8번 유사 |

02 표는 골격근 수축 과정의 두 시점 ⓐ와 ⓑ일 때 근육 원섬유 마디 X의 길이를, 그림은 ⓑ일 때 X의 구조를 나타낸 것이다. 단, ⓑ일 때 A대의 길이는 1.6 μm이다.

시점	X의 길이(μm)
ⓐ	2.4
ⓑ	3.2

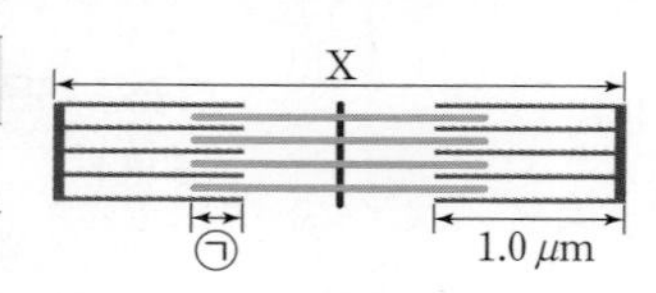

이에 대한 설명으로 옳은 것만을 〈보기〉에서 있는 대로 고른 것은?

보기
ㄱ. ㉠의 길이는 ⓑ일 때 0.2 μm이다.
ㄴ. ⓐ일 때 ㉠은 0.6 μm로 늘어난다.
ㄷ. ⓑ → ⓐ로 될 때 A대의 길이는 1.6 μm보다 짧다.

① ㄱ ② ㄴ ③ ㄱ, ㄴ
④ ㄴ, ㄷ ⑤ ㄱ, ㄴ, ㄷ

해결 Point X의 길이는 'A대의 길이＋한쪽 액틴 필라멘트의 길이×2－㉠의 길이×2'로 구할 수 있다.

03 그림은 골격근을 구성하는 근육 원섬유의 구조를 나타낸 것이다. ㉠과 ㉡은 각각 A대와 I대 중 하나이다.

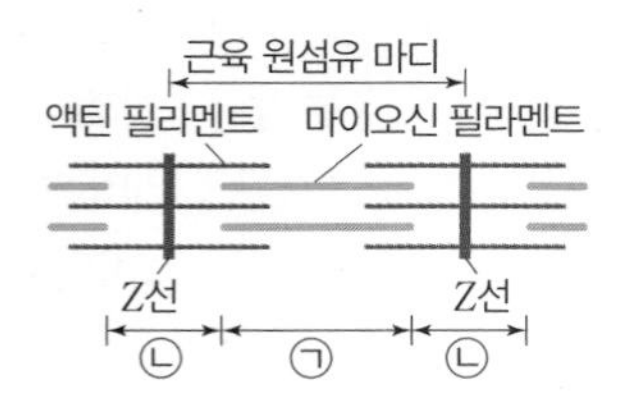

다음은 위 자료에 대한 학생 A~C의 발표 내용이다. 제시한 내용이 옳은 학생만을 있는 대로 고른 것은?

① A ② C ③ A, B
④ B, C ⑤ A, B, C

해결 Point 근육이 수축할 때 H대와 I대의 길이는 줄어들지만 A대와 액틴 필라멘트의 길이는 변하지 않는다.

신유형

04 표는 근육 원섬유 마디 X가 수축 또는 이완했을 때의 길이를, 그림 (가)~(다)는 X의 서로 다른 세 지점의 단면에서 관찰되는 액틴 필라멘트와 마이오신 필라멘트의 분포를 나타낸 것이다.

시점	X의 길이(μm)
㉠	1.7
㉡	2.0

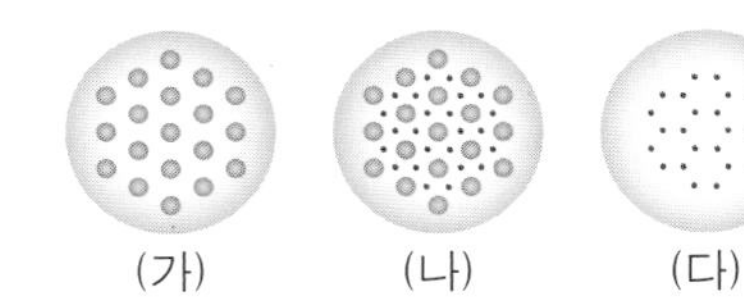

이에 대한 설명으로 옳은 것만을 〈보기〉에서 있는 대로 고른 것은?

보기
ㄱ. ㉡ → ㉠으로 변할 때 ATP가 소모된다.
ㄴ. (가) 구간은 근육 원섬유 마디에서 가장 밝게 보인다.
ㄷ. (다)의 필라멘트는 ㉡보다 ㉠에서가 더 짧다.

① ㄱ　② ㄴ　③ ㄱ, ㄴ
④ ㄴ, ㄷ　⑤ ㄱ, ㄴ, ㄷ

해결 Point (가)는 H대, (나)는 A대에서 액틴 필라멘트와 마이오신 필라멘트가 겹치는 부분, (다)는 I대이다. I대가 가장 밝게 보인다.

신유형

05 그림은 사람의 골격근을 구성하는 근육 원섬유의 구조를 나타낸 것이다.

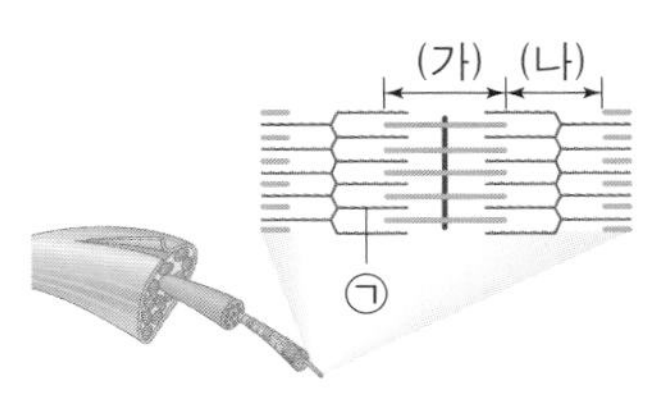

이에 대한 설명으로 옳은 것만을 〈보기〉에서 있는 대로 고른 것은?

보기
ㄱ. ㉠은 마이오신 필라멘트이다.
ㄴ. (가)는 (나)보다 어둡게 보인다.
ㄷ. 근육이 수축할 때 $\frac{\text{(나)의 길이}}{\text{(가)의 길이}}$ 값은 커진다.

① ㄱ　② ㄴ　③ ㄷ
④ ㄱ, ㄴ　⑤ ㄴ, ㄷ

해결 Point 근육이 수축할 때 (가)의 길이는 변하지 않고, (나)의 길이는 짧아진다.

| 2017년 6월 모평 6번 유사 |

06 그림은 무릎 반사가 일어나는 과정에서 흥분이 전달되는 경로를 나타낸 것이다.

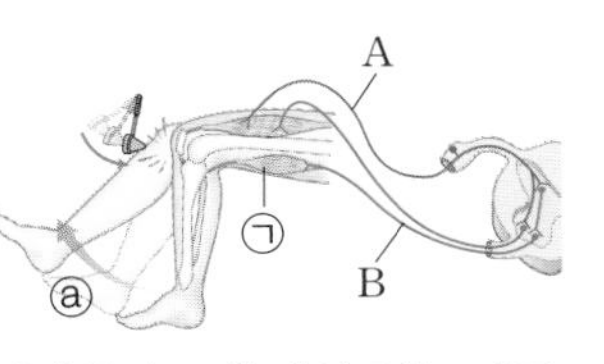

이에 대한 설명으로 옳은 것만을 〈보기〉에서 있는 대로 고른 것은?

보기
ㄱ. A는 말초 신경계에 속한다.
ㄴ. B는 자율 신경이다.
ㄷ. ⓐ가 진행될 때 근육 ㉠의 근육 원섬유 마디의 길이는 짧아진다.

① ㄱ　② ㄷ　③ ㄱ, ㄴ
④ ㄱ, ㄷ　⑤ ㄴ, ㄷ

해결 Point A는 구심성 뉴런, B는 원심성 뉴런으로 모두 말초 신경계에 속하며 B는 골격근의 운동을 조절하는 체성 신경이다.

| 2021년 6월 모평 3번 유사 |

07 그림은 중추 신경계로부터 자율 신경을 통해 심장과 위에 연결된 경로를 나타낸 것이다.

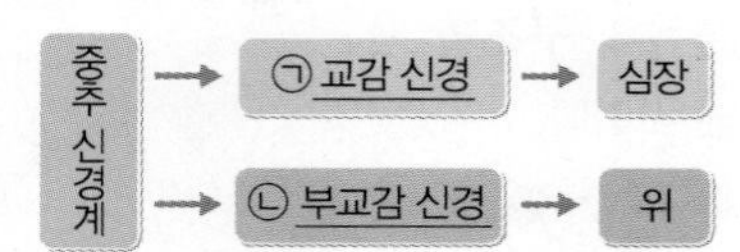

이에 대한 설명으로 옳은 것만을 〈보기〉에서 있는 대로 고른 것은?

보기
ㄱ. ㉠의 신경절 이전 뉴런의 길이는 신경절 이후 뉴런보다 짧다.
ㄴ. ㉡은 구심성 뉴런이다.
ㄷ. ㉡은 위의 소화 작용을 촉진시킨다.

① ㄱ ② ㄴ ③ ㄱ, ㄷ
④ ㄴ, ㄷ ⑤ ㄱ, ㄴ, ㄷ

해결 Point 자율 신경계는 원심성 뉴런으로 구성된다.

| 2020년 수능 9번 유사 |

08 그림은 무릎 반사가 일어날 때 흥분 전달 경로를 나타낸 것이다.

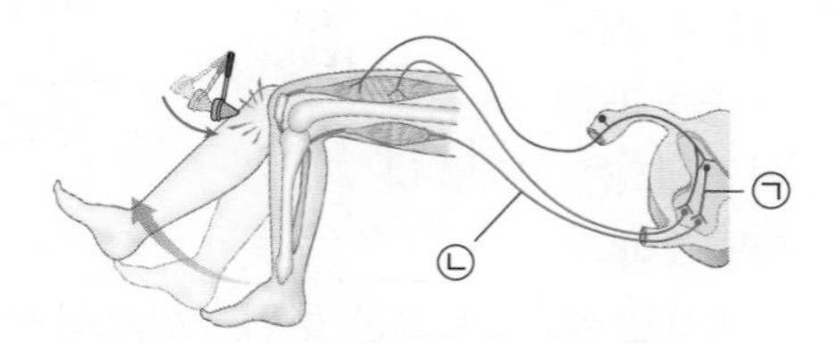

이에 대한 설명으로 옳은 것만을 〈보기〉에서 있는 대로 고른 것은?

보기
ㄱ. ㉠은 척수의 회색질에 있다.
ㄴ. ㉡은 전근을 통해 나온다.
ㄷ. 무릎 반사의 중추는 척수이다.

① ㄱ ② ㄴ ③ ㄱ, ㄴ
④ ㄱ, ㄷ ⑤ ㄱ, ㄴ, ㄷ

해결 Point 척수는 겉질이 백질, 속질이 회색질이다. ㉠은 연합 뉴런, ㉡은 원심성 뉴런이다.

| 2020년 9월 모평 8번 유사 |

09 다음은 사람의 신경계에 대한 학생 A~C의 대화 내용이다.

제시된 내용이 옳은 학생만을 있는 대로 고른 것은?

① A ② C ③ A, B
④ B, C ⑤ A, B, C

해결 Point 뇌와 척수는 중추 신경계로 연합 뉴런으로 구성된다.

신유형 | 2020년 3월 학평 6번 유사 |

10 그림은 사람에서 중추 신경계와 심장이 자율 신경으로 연결된 모습의 일부를 나타낸 것이다. A와 B는 각각 연수와 중간뇌 중 하나이고, ㉠, ㉡ 중 한 부위에 신경절이 있다.

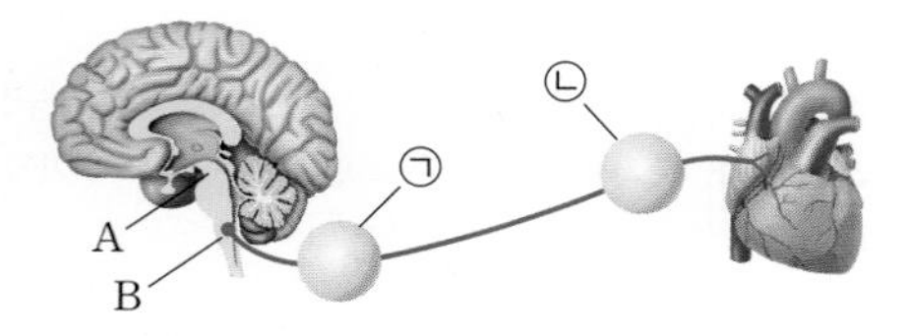

이에 대한 설명으로 옳은 것만을 〈보기〉에서 있는 대로 고른 것은?

보기
ㄱ. A는 항상성 유지의 중추이다.
ㄴ. B는 연수이다.
ㄷ. 신경절은 ㉠에 있다.

① ㄱ ② ㄴ ③ ㄱ, ㄷ
④ ㄴ, ㄷ ⑤ ㄱ, ㄴ, ㄷ

해결 Point A는 중간뇌, B는 연수이다. 교감 신경의 신경절 이전 뉴런의 신경 세포체는 척수에 존재한다.

11 다음은 호르몬의 특성에 대한 학생 A~C의 발표 내용이다.

제시된 내용이 옳은 학생만을 있는 대로 고른 것은?

① A ② C ③ A, B
④ B, C ⑤ A, B, C

해결 Point 호르몬은 종 특이성이 없다.

12 그림은 사람에서 호르몬 A, B의 분비 경로를 나타낸 것이다. ㉠~㉢은 갑상샘, 부신 속질, 뇌하수체 전엽을 순서 없이 나타낸 것이고, A와 B는 각각 티록신과 에피네프린 중 하나이다.

(가) 시상 하부 → 내분비샘(㉠) → 호르몬 A

(나) 시상 하부 → 내분비샘(㉡) → 내분비샘(㉢) → 호르몬 B

이에 대한 설명으로 옳은 것만을 〈보기〉에서 있는 대로 고른 것은?

보기
ㄱ. 호르몬 B는 물질대사를 촉진한다.
ㄴ. ㉡은 다른 내분비샘의 호르몬 분비를 촉진한다.
ㄷ. ㉢은 갑상샘이다.

① ㄴ ② ㄷ ③ ㄱ, ㄴ
④ ㄴ, ㄷ ⑤ ㄱ, ㄴ, ㄷ

해결 Point 에피네프린은 부신 속질에서 분비된다.

신유형

13 다음은 혈당량 조절 과정을 모형으로 나타낸 것이다.

그림과 같이 혈관과 4개의 기관 모형, 사탕, 깃발을 놓는다. 사탕은 포도당, 깃발은 호르몬 X에 해당한다.

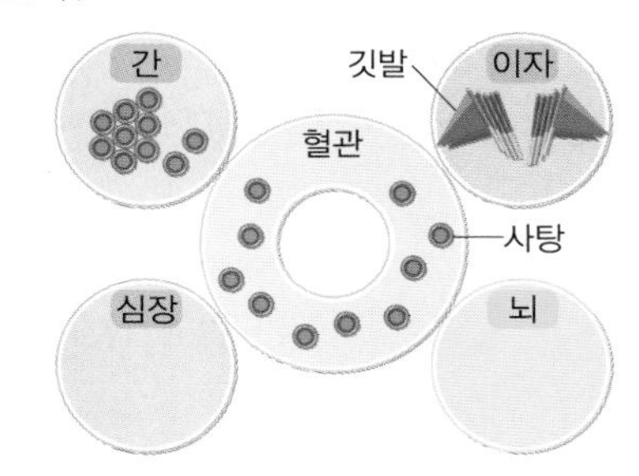

(가) 혈당량 (㉠): 혈관에서 심장으로 3개, 뇌로 2개의 사탕을 옮긴다.
(나) 혈당량 조절 호르몬 작용: 혈관 위의 사탕 수가 적어진 만큼 깃발을 간으로 옮긴다.
(다) 혈당량 (㉡): 간에 있는 깃발의 수만큼 사탕을 간에서 혈관으로 옮긴다.

이에 대한 설명으로 옳은 것만을 〈보기〉에서 있는 대로 고른 것은?

보기
ㄱ. ㉠은 증가, ㉡은 감소이다.
ㄴ. 호르몬 X의 표적 기관은 심장과 뇌이다.
ㄷ. 호르몬 X는 글루카곤이다.

① ㄴ ② ㄷ ③ ㄱ, ㄴ
④ ㄴ, ㄷ ⑤ ㄱ, ㄴ, ㄷ

해결 Point 혈관 내에서 사탕 수가 적어진 만큼 깃발(호르몬 X)을 간으로 옮기는 것으로 보아 호르몬 X의 표적 기관은 간이다.

14 그림은 생쥐의 시상 하부와 주변 조직을 나타낸 것이다. 단, B는 A보다 많은 종류의 호르몬을 분비한다.

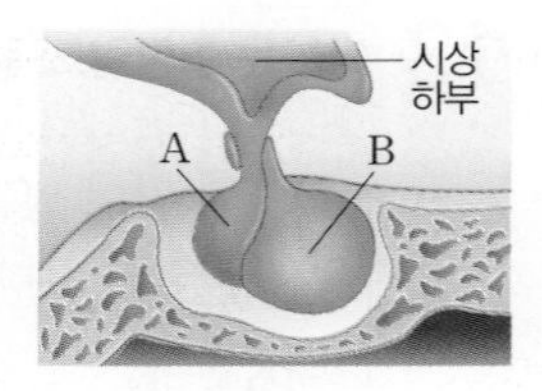

이에 대한 설명으로 옳은 것만을 〈보기〉에서 있는 대로 고른 것은?

보기
ㄱ. A는 뇌하수체 전엽이다. ㄴ. 생장 호르몬은 B에서 분비된다. ㄷ. B가 제거되면 갑상샘에서 티록신 분비가 감소된다.

① ㄱ ② ㄴ ③ ㄷ
④ ㄱ, ㄴ ⑤ ㄴ, ㄷ

해결 Point 뇌하수체 후엽보다 뇌하수체 전엽에서 더 많은 호르몬을 분비한다.

(신유형)

15 그림은 호르몬 X와 Y의 작용을 나타낸 것이다.

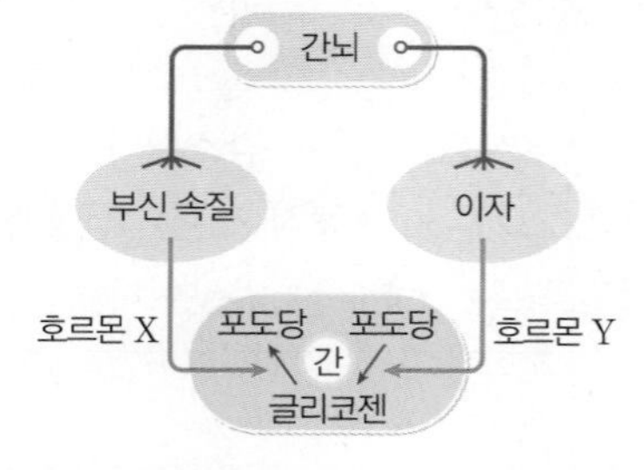

이에 대한 설명으로 옳은 것만을 〈보기〉에서 있는 대로 고른 것은?

보기
ㄱ. 호르몬 X는 티록신이다. ㄴ. 호르몬 Y는 인슐린이다. ㄷ. 호르몬 X와 Y의 표적 기관은 간이다.

① ㄴ ② ㄷ ③ ㄱ, ㄴ
④ ㄴ, ㄷ ⑤ ㄱ, ㄴ, ㄷ

해결 Point 호르몬 X는 에피네프린, 호르몬 Y는 인슐린이다.

| 2020년 10월 학평 9번 유사 |

16 그림은 정상인이 물 1L를 섭취했을 때 단위 시간당 오줌 생성량의 변화를 나타낸 것이다.

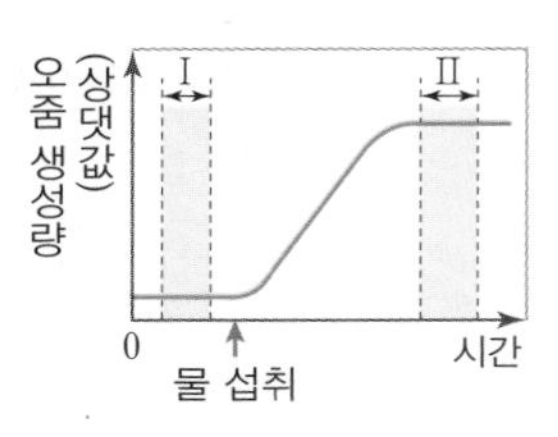

이에 대한 설명으로 옳은 것만을 〈보기〉에서 있는 대로 고른 것은?

보기
ㄱ. 혈장 삼투압은 Ⅰ에서가 Ⅱ에서보다 높다. ㄴ. 오줌 삼투압은 Ⅱ에서가 Ⅰ에서보다 높다. ㄷ. 혈중 항이뇨 호르몬의 농도는 Ⅱ에서가 Ⅰ에서보다 높다.

① ㄱ ② ㄷ ③ ㄱ, ㄴ
④ ㄴ, ㄷ ⑤ ㄱ, ㄴ, ㄷ

해결 Point 오줌 생성량이 많은 구간은 혈장 삼투압이 낮다.

17 그림은 정상인이 운동을 할 때 호르몬 X와 Y의 혈중 농도를 나타낸 것이다. 호르몬 X와 Y는 각각 인슐린과 글루카곤 중 하나이다.

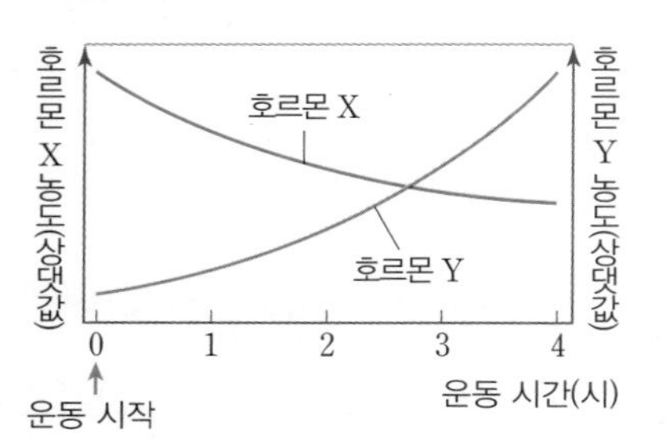

이에 대한 설명으로 옳지 않은 것은?

① X는 글루카곤이다.
② X는 이자의 β세포에서 분비된다.
③ X와 Y는 길항 작용을 한다.
④ Y는 글리코젠 분해를 촉진한다.
⑤ 정상인에서 혈중 포도당 농도가 증가하면 X의 분비가 촉진된다.

해결 Point 운동할 때는 혈액의 포도당을 계속 소모하므로 혈중 포도당 농도가 감소한다.

신유형 | 2021년 6월 모평 6번 유사 |

18 그림은 정상인에게 저온 자극과 고온 자극을 주었을 때 ㉠의 변화를 나타낸 것이다. ㉠은 근육에서의 열 발생량과 피부에서의 열 발산량 중 하나이다.

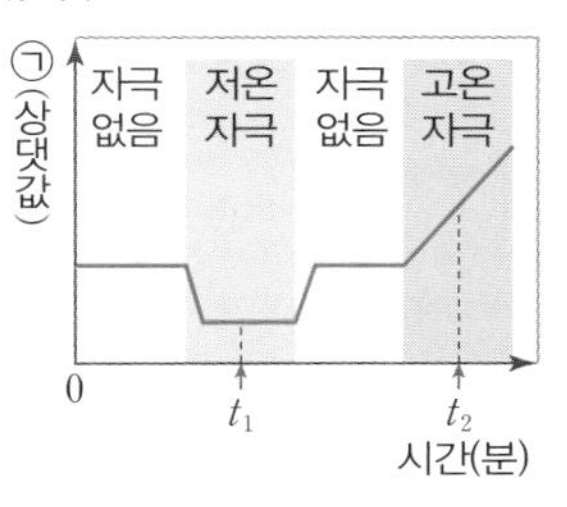

이에 대한 설명으로 옳은 것만을 〈보기〉에서 있는 대로 고른 것은?

보기
ㄱ. ㉠은 피부에서의 열 발산량이다.
ㄴ. t_1에서 피부 근처 모세 혈관은 수축한다.
ㄷ. t_2에서 피부 입모근이 이완한다.

① ㄱ ② ㄴ ③ ㄱ, ㄷ
④ ㄴ, ㄷ ⑤ ㄱ, ㄴ, ㄷ

해결 Point 저온 자극을 받으면 열 발산량은 감소하고, 열 발생량은 증가한다.

19 그림 (가)는 자율 신경 X에 의한 체온 조절 과정을, (나)는 항이뇨 호르몬(ADH)에 의한 체내 삼투압 조절 과정을 나타낸 것이다. ㉠은 피부 근처 혈관 수축 또는 확장 중 하나이다.

(가) 저온 자극 → 조절 중추 —X→ ㉠

(나) 정상 범위보다 높은 혈장 삼투압 → 조절 중추 → 내분비샘 —ADH→ 콩팥에서의 수분 재흡수량 증가

이에 대한 설명으로 옳지 않은 것은?

① ㉠은 피부 근처 혈관 수축이다.
② X는 교감 신경이다.
③ (가)의 조절 중추는 간뇌의 시상 하부이다.
④ (나)의 조절 중추는 연수이다.
⑤ 혈중 ADH의 농도가 증가하면 오줌의 생성량은 감소한다.

해결 Point 항상성 조절 중추는 간뇌의 시상 하부이다.

| 2021년 수능 7번 유사 |

20 그림은 당뇨병 환자 A와 B가 탄수화물을 섭취한 후 인슐린을 주사하였을 때 시간에 따른 혈중 포도당 농도를, 표는 당뇨병 (가)와 (나)의 원인을 나타낸 것이다. A, B의 당뇨병은 각각 (가)와 (나) 중 하나에 해당한다.

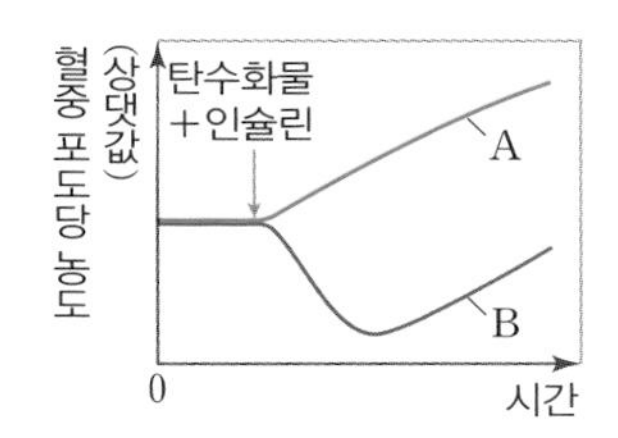

당뇨병	원인
(가)	이자의 ㉠이 파괴되어 인슐린이 생성되지 못함
(나)	인슐린의 표적 세포가 인슐린에 반응하지 못함

이에 대한 설명으로 옳은 것만을 〈보기〉에서 있는 대로 고른 것은?

보기
ㄱ. ㉠은 α세포이다.
ㄴ. A의 당뇨병은 (가)에 해당한다.
ㄷ. 정상인은 혈중 포도당 농도가 증가하면 인슐린 분비가 촉진된다.

① ㄴ ② ㄷ ③ ㄱ, ㄴ
④ ㄴ, ㄷ ⑤ ㄱ, ㄴ, ㄷ

해결 Point 인슐린을 주사했을 때 반응이 없는 A가 (나)형이고, 인슐린을 주사했을 때 혈당량이 떨어지는 B가 (가)형이다.

04 일차 방어 작용과 염색체

오늘 공부할 내용 미리보기

개념 01 질병과 병원체

개념 02 우리 몸의 방어 작용

공부할 내용

개념 03 혈액의 응집 반응과 혈액형

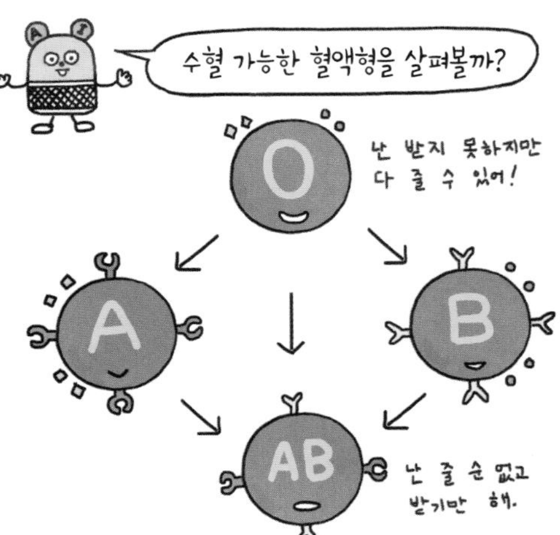

개념 04 유전 정보와 염색체

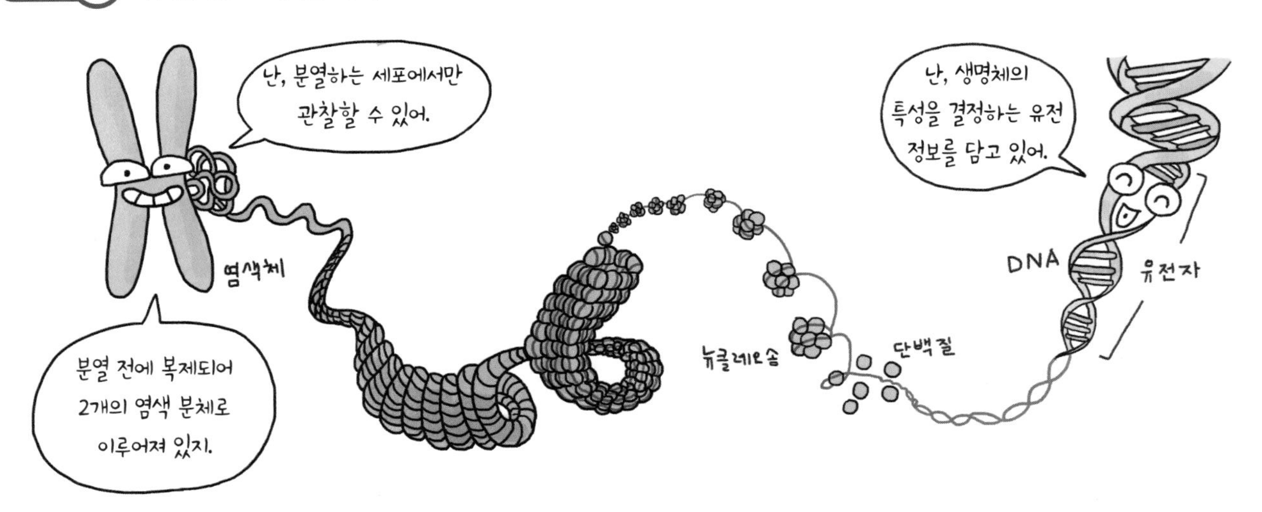

01 핵심 체크 질병과 병원체

질병의 구분

감염성 질병	• 병원체에 감염되어 발생하는 질병으로, 다른 사람에게 ❶ ________ 될 수 있다. • 독감, 감기, 결핵, 콜레라, 무좀
비감염성 질병	• 병원체 없이 발생하는 질병 • 환경, 유전, 생활 방식 등의 영향으로 발병 • 고혈압, 당뇨병, 혈우병

수능격파 TiP
감염성 질병과 비감염성 질병을 구분할 줄 알고 각 병원체의 특징에 대해 알고 있어야 한다.

병원체의 종류

세균	바이러스	원생생물	곰팡이
• 단세포 원핵생물 • 분열법으로 번식 • ❷ ________ 로 치료 • 결핵, 파상풍, 세균성 식중독	• 핵산과 단백질 껍질로 구성(비세포 구조) • 숙주 세포에서만 증식 • 항바이러스제로 치료 • 감기, 독감, 홍역, 후천성 면역 결핍증(AIDS)	• 진핵생물 • 매개 생물(모기, 쥐 등)을 통해 감염 • 말라리아, 수면병	• 몸이 균사로 이루어진 다세포 진핵생물 • 항진균제로 치료 • 무좀, 습진, 칸디다증
변형 프라이온	단백질 입자로 광우병, 크로이츠펠트·야코프병을 일으킨다.		

DNA
리보솜
세포벽
세포막
편모

▲ 세균

답 | ❶ 전염 ❷ 항생제

01 기출 유형

| 2019년 3월 학평 14번 유사 |

표 (가)는 사람의 5가지 질병을 A~C로 구분하여 나타낸 것이고, (나)는 병원체의 3가지 특징을 나타낸 것이다.

구분	질병
원생생물 A	말라리아
바이러스 B	독감, 홍역
세균 C	결핵, 탄저병

(가)

특징
• 유전 물질을 갖는다. • 세포 구조로 되어 있다. • 독립적으로 물질대사를 한다.

(나)

이에 대한 설명으로 옳은 것만을 ⟨보기⟩에서 있는 대로 고른 것은?

보기
ㄱ. 질병 A의 병원체는 균류이다. – 말라리아의 병원체인 말라리아 원충은 원생생물에 속한다.
ㄴ. 질병 B의 병원체는 세포 구조이다. – 바이러스는 비세포 구조이다.
ㄷ. 질병 C의 병원체는 (나)의 특징을 모두 갖는다. – 질병 A와 C의 병원체는 (나)의 특징을 모두 갖는다.

① ㄱ ② ㄷ ③ ㄱ, ㄴ
④ ㄴ, ㄷ ⑤ ㄱ, ㄴ, ㄷ

문제풀이 TiP 바이러스는 유전 물질(핵산)을 갖고 있지만 비세포 구조이며 효소가 없어 독립적으로 물질대사를 하지 못한다.

01 기출 유사

표는 사람의 4가지 질병을 A와 B로 구분하여 나타낸 것이다.

구분	질병
A	천연두, 홍역
B	결핵, 콜레라

이에 대한 설명으로 옳은 것만을 ⟨보기⟩에서 있는 대로 고른 것은?

보기
ㄱ. A와 B는 감염성 질병에 속한다.
ㄴ. A의 병원체는 세포 구조이다.
ㄷ. B의 치료에 항바이러스제가 사용된다.

① ㄱ ② ㄴ ③ ㄷ
④ ㄱ, ㄷ ⑤ ㄴ, ㄷ

02 핵심 체크 우리 몸의 방어 작용

비특이적 방어 작용 병원체의 종류를 구분하지 않고 반응(선천적 면역)

피부와 점막	눈물, 콧물, 침, 점액 등에 세균의 세포벽을 분해하는 효소인 ❶ ______ 이 들어 있다.
식균 작용	백혈구가 병원체를 세포 안으로 끌어들여 분해한다.
염증 반응	비만 세포에서 히스타민 방출 → 백혈구와 혈장이 상처 부위로 이동 → 백혈구의 식균 작용으로 세균 제거

특이적 방어 작용 항원의 종류를 인식하여 제거하는 과정(후천적 면역)

① 세포성 면역: 세포독성 ❷ ______ 가 감염된 세포를 직접 제거한다.

② 체액성 면역: B 림프구가 분화한 형질 세포에서 생성·분비된 ❸ ______ 가 항원과 결합하여(항원 항체 반응) 병원체를 제거한다.

③ 1차 면역 반응과 2차 면역 반응: 처음 침입한 항원에 대해 1차 면역 반응이 일어나며, 항원의 재침입 시 1차 면역 반응에서 만들어진 기억 세포가 빠르게 형질 세포로 분화하여 다량의 항체를 생산하는 2차 면역 반응이 일어난다.

수능격파 TiP 비특이적 방어 작용과 특이적 방어 작용의 개념과 원리를 정확히 알고 있어야 한다.

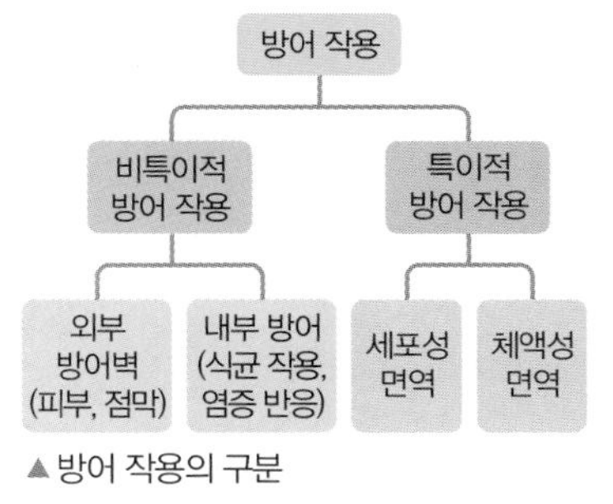

▲ 방어 작용의 구분

답| ❶ 라이소자임 ❷ T 림프구 ❸ 항체

02 기출 유형

| 2015년 7월 학평 6번 유사 |

그림 (가)와 (나)는 사람의 면역 반응을 나타낸 것이다.

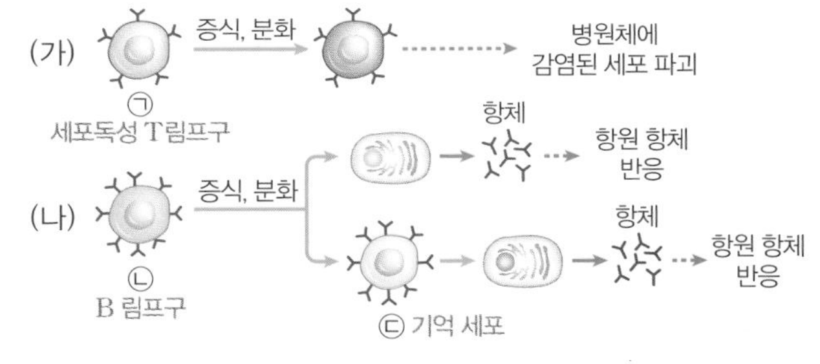

이에 대한 설명으로 옳은 것만을 〈보기〉에서 있는 대로 고른 것은?

> 보기
> ㄱ. (가)는 체액성(→세포성) 면역, (나)는 세포성(→체액성) 면역이다.
> ㄴ. ㉠, ㉡의 증식, 분화는 보조 T 림프구에 의해 활성화된다. — 보조 T 림프구는 ㉠, ㉡의 분화를 촉진한다.
> ㄷ. ㉢은 형질 세포(→기억 세포)이다.

① ㄴ ② ㄷ ③ ㄱ, ㄴ
④ ㄴ, ㄷ ⑤ ㄱ, ㄴ, ㄷ

문제풀이 TiP 병원체에 감염된 세포를 직접 공격하여 파괴하는 작용은 세포성 면역, 항체 생산으로 항원을 불활성화시키는 작용은 체액성 면역이다.

02 기출 유사

그림은 어떤 사람의 체내에 병원균 X가 침입했을 때 일어나는 방어 작용을 나타낸 것이다.

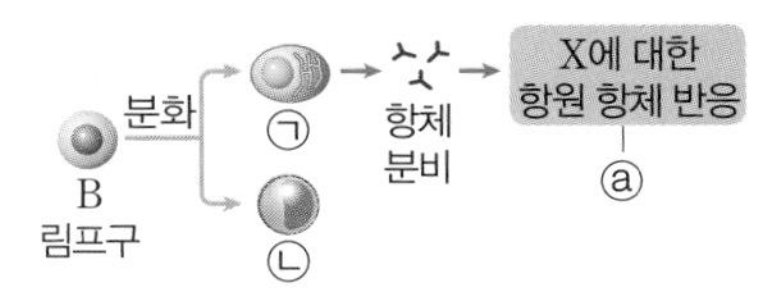

이에 대한 설명으로 옳은 것만을 〈보기〉에서 있는 대로 고른 것은?

> 보기
> ㄱ. ⓐ는 체액성 면역이다.
> ㄴ. ㉠은 ㉡으로 분화된다.
> ㄷ. ㉡은 기억 세포이다.

① ㄱ ② ㄴ ③ ㄱ, ㄷ
④ ㄴ, ㄷ ⑤ ㄱ, ㄴ, ㄷ

03 핵심 체크 혈액의 응집 반응과 혈액형

혈액의 응집 반응

적혈구 막의 ❶ (항원)과 혈장의 응집소(항체)가 반응하는 일종의 ❷

① ABO식 혈액형과 Rh식 혈액형의 응집원과 응집소

구분	ABO식 혈액형				Rh식 혈액형	
혈액형	A형	B형	AB형	O형	Rh^+형	Rh^-형
응집원	A	B	AB	없음	있음	없음
응집소	β	α	없음	α, β	없음	생성될 수 있음

② ABO식 혈액형의 판정

구분	A형	B형	AB형	O형
항 A 혈청 (응집소 α 포함)	응집 ○	응집 ×	응집 ○	응집 ×
항 B 혈청 (응집소 β 포함)	응집 ×	응집 ○	응집 ○	응집 ×

③ Rh식 혈액형의 판정

구분	항 Rh 혈청 (응집소 포함)
Rh^+형	응집 ○
Rh^-형	응집 ×

수능격파 TiP
혈액의 응집 반응이 일어나는 원리를 이해하고, 각 혈액형의 응집원과 응집소의 종류를 기억해야 한다.

답 | ❶ 응집원 ❷ 항원 항체 반응

03 기출 유형

| 2013년 4월 학평 13번 유사 |

그림은 철수의 혈액을 항 A 혈청과 항 B 혈청에 각각 섞었을 때 일어나는 응집원과 응집소의 반응을 나타낸 것이다.

구분	항 A 혈청	항 B 혈청
응집원과 응집소의 반응	응집원 B, ㉠ 응집소 α	응집소 β, 응집원 B, 응집소 α

이에 대한 설명으로 옳은 것만을 〈보기〉에서 있는 대로 고른 것은?

보기
ㄱ. ㉠은 응집소 α이다.
ㄴ. 철수는 응집소 α를 가진다. ─ 철수는 B형이므로 응집소 α를 가진다.
ㄷ. 철수는 A형인 사람에게 수혈할 수 있다. ─ B형은 A형에게 수혈할 수 없다.

① ㄱ ② ㄴ ③ ㄱ, ㄴ
④ ㄴ, ㄷ ⑤ ㄱ, ㄴ, ㄷ

문제풀이 TiP 항 A 혈청에서는 응집 반응이 일어나지 않고 항 B 혈청에서만 응집 반응이 일어났으므로 철수는 B형이다.

03 기출 유사

표는 철수와 영희의 혈액을 3종류 혈청 Ⅰ~Ⅲ과 섞은 결과를 나타낸 것이다. 단, 영희의 혈액형은 Rh^+ O형이다.

혈청	Ⅰ	Ⅱ	Ⅲ
철수의 혈액	응집	응집	응집 안됨
영희의 혈액	응집 안됨	응집 안됨	응집

이에 대한 설명으로 옳은 것만을 〈보기〉에서 있는 대로 고른 것은?

보기
ㄱ. Ⅲ은 항 Rh 혈청이다.
ㄴ. 철수의 혈액형은 Rh^-AB형이다.
ㄷ. 철수의 혈액은 영희에게 소량 수혈 가능하다.

① ㄱ ② ㄴ ③ ㄷ
④ ㄱ, ㄴ ⑤ ㄴ, ㄷ

04 핵심 체크 유전 정보와 염색체

염색체, DNA, 유전자

염색체	세포 분열 시 막대 모양으로 관찰되는 구조물로 ❶ [ ] 를 저장하고 전달하는 역할을 하며, DNA와 히스톤 단백질이 결합하여 형성된 뉴클레오솜으로 구성된다.
DNA	유전 정보를 담고 있는 유전 물질, 이중 나선 구조
유전자	유전 정보가 염기 서열의 형태로 저장되어 있는 DNA의 특정 부분 → 하나의 염색체에는 많은 수의 유전자가 있다.

수능격파 TiP
상동 염색체와 염색 분체, 대립유전자의 개념을 정확히 알고, 핵상 분석을 할 줄 알아야 한다.

사람의 염색체

① 상동 염색체: 체세포에 들어 있는 크기와 모양이 같은 한 쌍의 염색체. 사람의 체세포에는 23쌍의 상동 염색체가 있다.

② 대립유전자: 상동 염색체의 같은 위치에 있으며, 한 가지 형질에 대해 대립 형질을 나타내는 1쌍의 유전자

③ 상염색체: 남녀가 공통으로 갖는 염색체로, 사람은 22쌍이 있다.

④ 성염색체: 남녀에 따라 구성이 다른 염색체로, 사람은 X 염색체와 ❷ [ ] 염색체가 있다. (남자: XY, 여자: XX)

⑤ 핵형: 체세포에 들어 있는 염색체의 수, 모양, 크기와 같은 염색체의 외형적 특징

⑥ 핵상: 세포 하나에 들어 있는 염색체의 상대적 수로, 상동 염색체가 쌍으로 들어 있는 체세포는 $2n$, 생식세포는 n으로 표시한다.

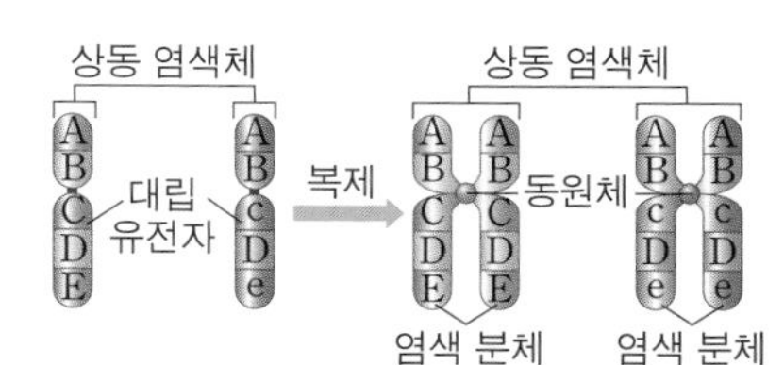

▲ 상동 염색체와 대립유전자

$n=3$ $2n=6$

▲ 핵상

답 | ❶ 유전 정보 ❷ Y

04 기출 유형

| 2017년 9월 모평 5번 유사 |

그림은 염색체의 구조를 나타낸 것이다.
이에 대한 설명으로 옳은 것만을 <보기>에서 있는 대로 고른 것은?

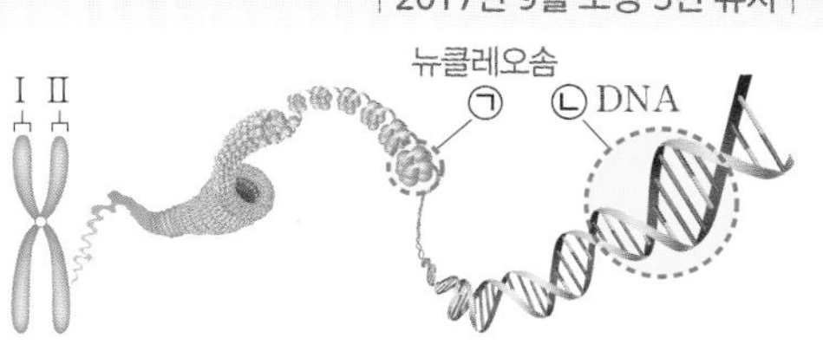

보기
ㄱ. Ⅰ과 Ⅱ는 부모로부터 각각 1개씩 물려받았다. – 염색 분체는 복제되어 형성된 것이다.
ㄴ. ㉠에 단백질이 포함된다. – 뉴클레오솜은 DNA와 히스톤 단백질로 구성된다.
ㄷ. ㉡의 기본 단위는 뉴클레오타이드이다. – DNA는 뉴클레오타이드로 구성된다.

① ㄱ ② ㄴ ③ ㄷ
④ ㄱ, ㄴ ⑤ ㄴ, ㄷ

문제풀이 TiP 분열 중인 세포에서 관찰되는 염색체는 2가닥의 염색 분체로 구성된다. 염색 분체는 복제 과정을 거쳐 형성된다.

04 기출 유사

그림은 어떤 사람의 체세포에 있는 염색체의 구조를 나타낸 것이다. 이 사람의 어떤 형질에 대한 유전자형은 Aa이다.

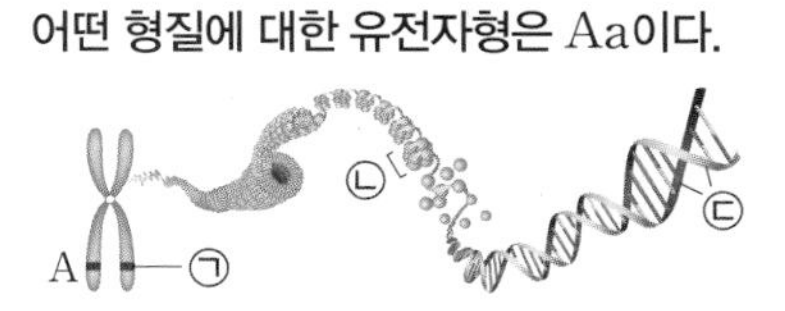

이에 대한 설명으로 옳은 것만을 <보기>에서 있는 대로 고른 것은?

보기
ㄱ. ㉠의 유전자는 A이다.
ㄴ. ㉡은 뉴클레오솜이다.
ㄷ. ㉢은 DNA이다.

① ㄱ ② ㄴ ③ ㄱ, ㄷ
④ ㄴ, ㄷ ⑤ ㄱ, ㄴ, ㄷ

기초력 집중드릴

01 다음은 사람의 질병에 대한 학생 A~C의 대화 내용이다.

제시한 내용이 옳은 학생만을 있는 대로 고른 것은?

① A ② C ③ A, B
④ B, C ⑤ A, B, C

해결 Point 곰팡이는 균류에 속하며 항생제가 아닌 항진균제로 치료할 수 있다.

(신유형)

02 표는 사람의 6가지 질병을 Ⅰ~Ⅲ으로 구분하여 나타낸 것이다. Ⅰ~Ⅲ은 세균성 질병, 바이러스성 질병, 비감염성 질병을 순서없이 나타낸 것이다.

구분	질병
Ⅰ	당뇨병, 고혈압
Ⅱ	독감, 홍역
Ⅲ	결핵, 파상풍

이에 대한 설명으로 옳은 것만을 〈보기〉에서 있는 대로 고른 것은?

보기
ㄱ. Ⅰ은 대사성 질환이다.
ㄴ. Ⅱ의 병원체는 핵이 있다.
ㄷ. Ⅲ의 병원체는 항생제에 의해 제거된다.

① ㄱ ② ㄴ ③ ㄱ, ㄷ
④ ㄴ, ㄷ ⑤ ㄱ, ㄴ, ㄷ

해결 Point Ⅰ은 비감염성 질병으로 대사성 질환에 해당된다. Ⅱ는 바이러스성 질병, Ⅲ은 세균성 질병이다.

03 그림은 사람의 6가지 질병을 (가), (나), (다)로 구분하여 나타낸 것이다.

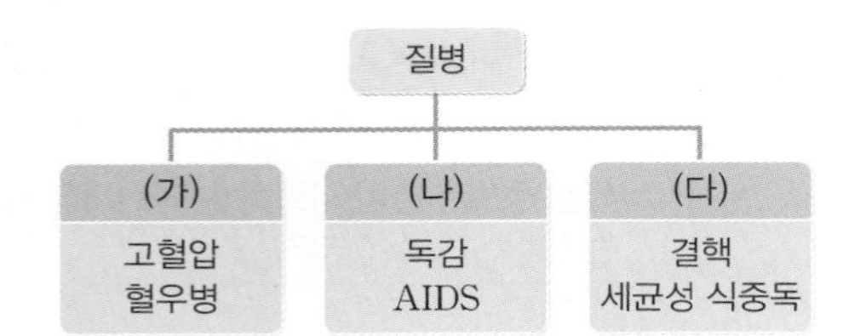

이에 대한 설명으로 옳은 것만을 〈보기〉에서 있는 대로 고른 것은?

보기
ㄱ. (가)는 타인에게 전염된다.
ㄴ. (나)의 병원체는 바이러스이다.
ㄷ. (다)는 항생제로 치료할 수 있다.

① ㄱ ② ㄴ ③ ㄱ, ㄴ
④ ㄴ, ㄷ ⑤ ㄱ, ㄴ, ㄷ

해결 Point (가)는 병원체가 없는 비감염성 질병이다.

| 2020년 3월 학평 3번 유사 |

04 표는 3가지 감염성 질병의 병원체를 나타낸 것이다. A와 B는 무좀과 결핵을 순서 없이 나타낸 것이다. 이에 대한 설명으로 옳은 것만을 〈보기〉에서 있는 대로 고른 것은?

질병	병원체
A	곰팡이
B	세균
독감	?

보기
ㄱ. A는 무좀이다.
ㄴ. B의 치료에 항바이러스제가 사용된다.
ㄷ. 독감의 병원체는 세포 구조로 되어 있다.

① ㄱ ② ㄷ ③ ㄱ, ㄴ
④ ㄴ, ㄷ ⑤ ㄱ, ㄴ, ㄷ

해결 Point 무좀의 병원체는 곰팡이, 결핵의 병원체는 세균, 독감의 병원체는 바이러스이다.

05 그림은 구분 기준 (가)~(다)를 이용하여 4가지 질병을 구분하는 과정을 나타낸 것이다. A~C는 각각 혈우병, 결핵, 독감 중 하나이다.

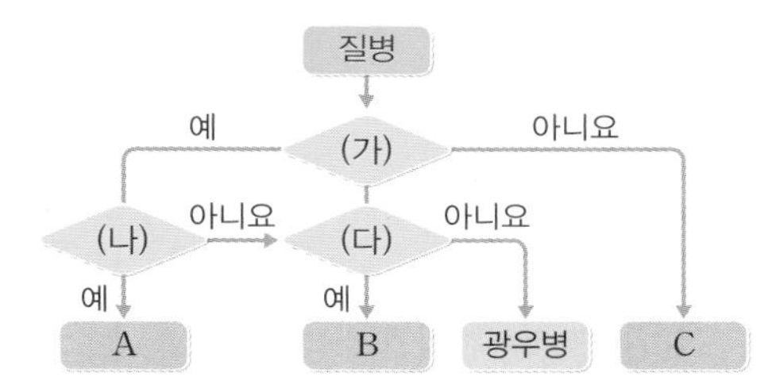

구분 기준
(가) 감염성 질병인가?
(나) 병원체가 세포 구조로 되어 있는가?
(다) 병원체가 핵산을 가지는가?

이에 대한 설명으로 옳은 것만을 〈보기〉에서 있는 대로 고른 것은?

보기
ㄱ. A의 병원체는 핵막이 있다.
ㄴ. B의 병원체는 스스로 증식할 수 있다.
ㄷ. C는 혈우병이다.

① ㄱ ② ㄴ ③ ㄷ
④ ㄱ, ㄷ ⑤ ㄴ, ㄷ

해결 Point A는 결핵, B는 독감, C는 혈우병이다.

신유형 | 2020년 10월 학평 7번 유사 |

06 표는 세균 X가 사람에 침입했을 때 방어 작용에 관여하는 세포 Ⅰ~Ⅲ의 특징을 나타낸 것이다. Ⅰ~Ⅲ은 각각 대식세포, 형질 세포, 보조 T 림프구 중 하나이다.

세포	특징
Ⅰ	㉠ X에 대한 항체를 분비한다.
Ⅱ	B 림프구의 분화를 촉진한다.
Ⅲ	X를 세포 안으로 끌어들여 분해한다.

이에 대한 설명으로 옳은 것만을 〈보기〉에서 있는 대로 고른 것은?

보기
ㄱ. ㉠에 의한 방어 작용은 체액성 면역이다.
ㄴ. Ⅱ는 보조 T 림프구이다.
ㄷ. Ⅲ과 항원 X는 특이적으로 반응한다.

① ㄱ ② ㄴ ③ ㄷ
④ ㄱ, ㄴ ⑤ ㄴ, ㄷ

해결 Point 대식세포의 식균 작용은 비특이적으로 진행된다.

07 그림은 어떤 사람의 체내에서 항원 X의 침입에 의해 생성되는 X에 대한 혈중 항체의 농도 변화를 나타낸 것이다.

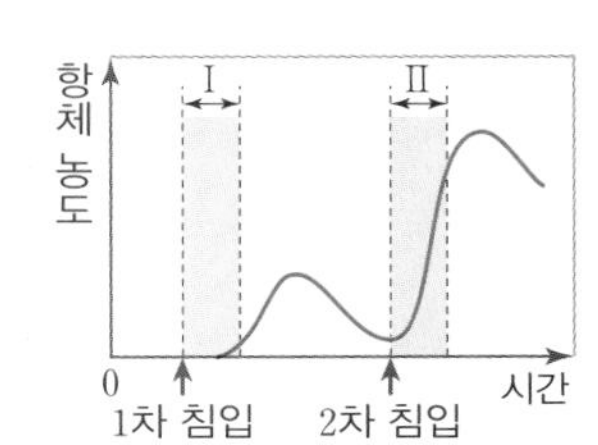

이에 대한 설명으로 옳은 것만을 〈보기〉에서 있는 대로 고른 것은?

보기
ㄱ. Ⅰ에서 비특이적 방어 작용이 일어난다.
ㄴ. Ⅱ에서 체액성 면역 반응이 일어난다.
ㄷ. Ⅱ에서 형질 세포는 기억 세포로 분화한다.

① ㄱ ② ㄴ ③ ㄱ, ㄴ
④ ㄴ, ㄷ ⑤ ㄱ, ㄴ, ㄷ

해결 Point 형질 세포는 분화가 끝난 세포로 더는 분화하지 않는다.

08 그림은 어떤 생쥐에 항원 A를 1차 주사하였을 때 일어나는 면역 반응을 나타낸 것이다. ㉠~㉢은 각각 기억 세포, 형질 세포, 보조 T 림프구 중 하나이다.

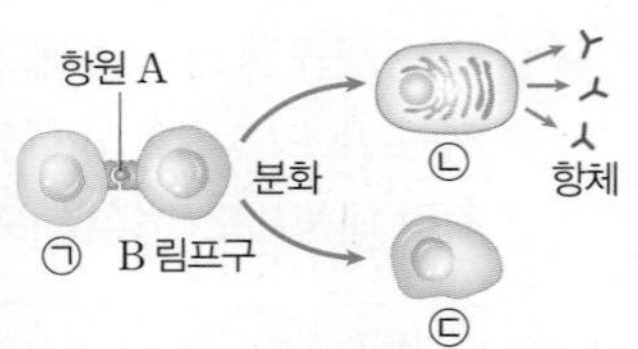

이에 대한 설명으로 옳은 것만을 〈보기〉에서 있는 대로 고른 것은?

보기
ㄱ. ㉠은 골수에서 성숙된다.
ㄴ. ㉡은 항체를 생산한다.
ㄷ. A의 재침입 시 ㉢은 ㉡으로 분화한다.

① ㄱ ② ㄴ ③ ㄱ, ㄷ
④ ㄴ, ㄷ ⑤ ㄱ, ㄴ, ㄷ

해결 Point ㉠은 보조 T 림프구, ㉡은 형질 세포, ㉢은 기억 세포이다.

| 2020년 6월 모평 9번 유사 |

09 그림 (가)와 (나)는 어떤 사람이 세균 X에 처음 감염된 후 나타나는 면역 반응을 순차적으로 나타낸 것이다.

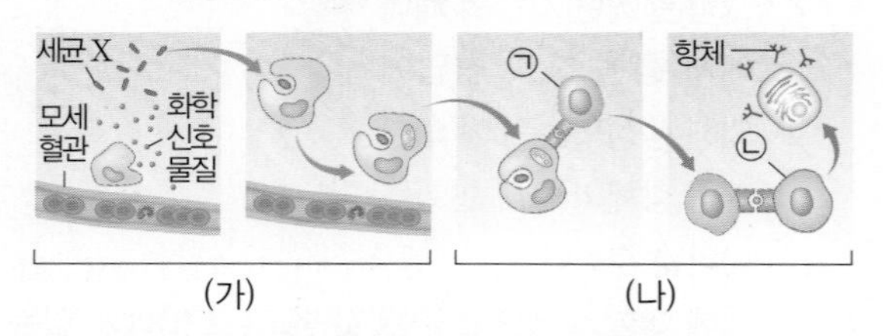

이에 대한 설명으로 옳은 것만을 〈보기〉에서 있는 대로 고른 것은?

보기
ㄱ. (가)는 병원체의 종류와 상관없이 일어난다.
ㄴ. (나)의 ㉠, ㉡은 모두 골수에서 성숙한다.
ㄷ. (나)는 특이적 방어 작용이다.

① ㄱ ② ㄴ ③ ㄱ, ㄷ
④ ㄱ, ㄷ ⑤ ㄱ, ㄴ, ㄷ

해결 Point (가)는 염증 반응, (나)는 체액성 면역 반응이다.

10 다음은 항원 X에 대한 생쥐의 방어 작용 실험이다.

[실험 과정]
(가) 유전적으로 동일하고 X에 노출된 적이 없는 생쥐 A와 B를 준비한다.
(나) A에게 X를 2회에 걸쳐 주사한다.
(다) 1주 후, (나)의 A에서 ㉠ 혈청을 분리하여 B에게 주사한다.
(라) 일정 시간이 지난 후, (다)의 B에게 X를 1차 주사한다.
(마) 일정 시간이 지난 후, (라)의 B에게 X를 2차 주사한다.

[실험 결과]
B의 X에 대한 혈중 항체 농도 변화는 그림과 같다.

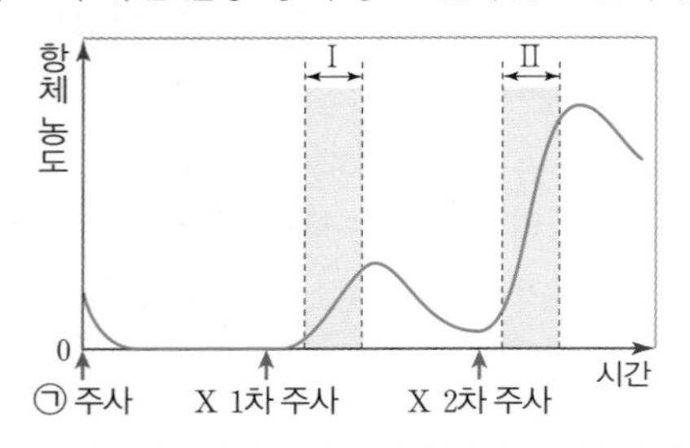

이에 대한 설명으로 옳은 것만을 〈보기〉에서 있는 대로 고른 것은?

보기
ㄱ. ㉠에는 X에 대한 기억 세포가 들어 있다.
ㄴ. 구간 Ⅰ에서 X에 대한 항원 항체 반응이 일어났다.
ㄷ. 구간 Ⅱ에서 X에 대한 2차 면역 반응이 일어났다.

① ㄱ ② ㄴ ③ ㄱ, ㄷ
④ ㄴ, ㄷ ⑤ ㄱ, ㄴ, ㄷ

해결 Point ㉠은 혈청이므로 세포 성분은 없고 항체만 들어 있다.

(신유형)

11 다음은 백신에 대한 학생 A, B, C의 대화를 나타낸 것이다.

제시된 의견이 옳은 학생만을 있는 대로 고른 것은?

① A ② B ③ C
④ A, B ⑤ B, C

해결 Point 홍역과 풍진은 항원이 다르다.

12 그림은 혈액형이 A형인 영희의 혈액과 철수의 혈액을 섞은 결과를 나타낸 것이다.

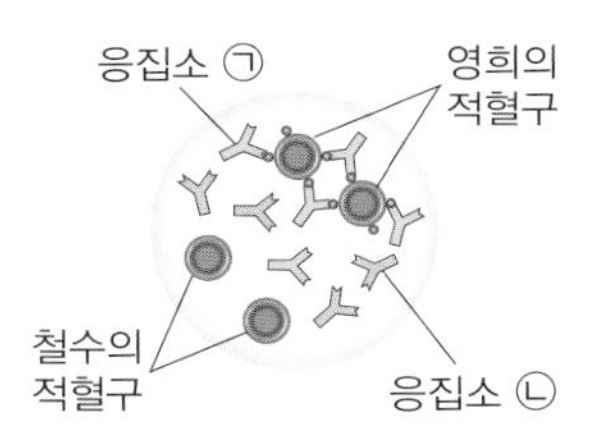

이에 대한 설명으로 옳은 것만을 〈보기〉에서 있는 대로 고른 것은? (단, ABO식 혈액형만을 고려한다.)

보기
ㄱ. 철수는 응집원 A를 가진다.
ㄴ. 영희의 응집원은 철수의 응집소와 항원 항체 반응을 일으킨다.
ㄷ. 철수는 응집소 ㉠, ㉡을 모두 가진다.

① ㄱ ② ㄴ ③ ㄱ, ㄷ
④ ㄴ, ㄷ ⑤ ㄱ, ㄴ, ㄷ

해결 Point 철수의 적혈구에는 응집원이 없다.

| 2015년 3월 학평 14번 유사 |

13 그림은 혈액 ㉠~㉢을 응집 여부에 따라 구분하는 과정을 나타낸 것이다. ㉠~㉢의 ABO식 혈액형은 각각 AB형, B형, O형 중 하나이다.

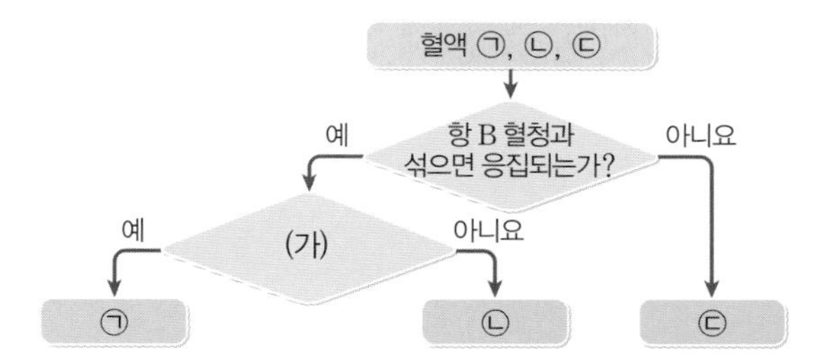

이에 대한 설명으로 옳은 것만을 〈보기〉에서 있는 대로 고른 것은? (단, ABO식 혈액형만을 고려한다.)

보기
ㄱ. ㉢은 AB형이다.
ㄴ. ㉠과 ㉡의 혈장에는 공통된 응집소가 존재한다.
ㄷ. '항 A 혈청과 섞으면 응집되는가?'는 (가)에 해당한다.

① ㄱ ② ㄴ ③ ㄷ
④ ㄱ, ㄷ ⑤ ㄴ, ㄷ

해결 Point 항 B 혈청에는 응집소 β가, 항 A 혈청에는 응집소 α가 들어 있다.

신유형

14 다음은 Rh식 혈액형 판정에 대한 실험이다.

[실험 과정]

(가) 붉은털원숭이의 혈액에서 ⓐ 적혈구를 분리하여 토끼에게 주사한다.

(나) 1주 후, (가)의 토끼에서 혈액을 채취하여 ⓑ 적혈구와 ⓒ 혈청을 각각 분리하여 얻는다.

(다) (나)에서 얻은 ㉠ 을/를 사람 A, B의 혈액에 각각 섞었을 때의 응집 여부에 따라 Rh식 혈액형을 판정한다.

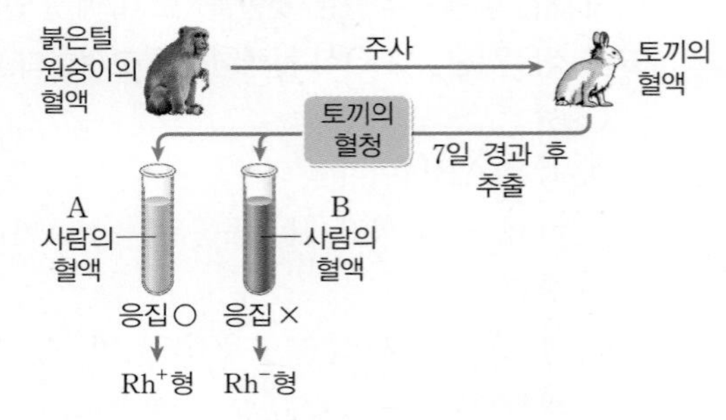

[실험 결과]

구분	응집 여부	Rh식 혈액형
사람 A	응집됨	Rh^+형
사람 B	응집 안 됨	Rh^-형

이에 대한 설명으로 옳은 것만을 〈보기〉에서 있는 대로 고른 것은?

보기

ㄱ. ㉠은 ⓑ이다.

ㄴ. ⓐ와 ⓒ를 섞으면 항원 항체 반응이 일어난다.

ㄷ. A는 Rh 응집원을 가지고 있다.

① ㄱ ② ㄴ ③ ㄷ ④ ㄱ, ㄴ ⑤ ㄴ, ㄷ

해결 Point 붉은털원숭이의 적혈구 ⓐ를 토끼의 혈액에 주사하면 ⓐ와 항원 항체 반응을 일으키는 Rh 응집소가 ⓒ에 생긴다.

15 그림은 어느 부부의 혈액형 판정 결과이다. 이에 대한 설명으로 옳은 것만을 〈보기〉에서 있는 대로 고른 것은?

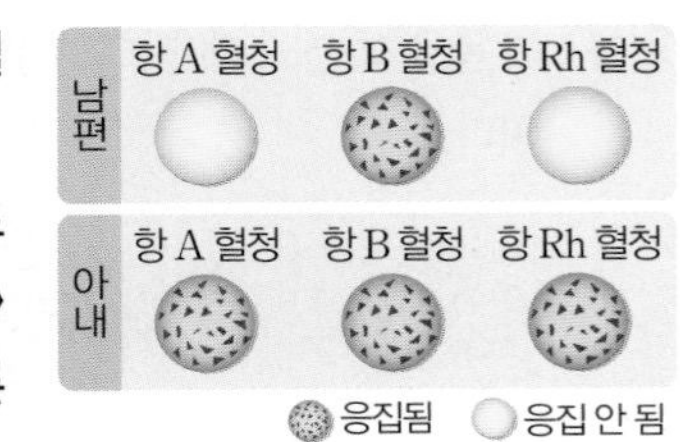

보기

ㄱ. 남편의 적혈구에는 응집원 A가 있다.

ㄴ. 남편의 혈장과 아내의 적혈구를 섞으면 항원 항체 반응이 일어난다.

ㄷ. 아내의 혈장에는 Rh 응집소가 있다.

① ㄴ ② ㄷ ③ ㄱ, ㄴ ④ ㄴ, ㄷ ⑤ ㄱ, ㄴ, ㄷ

해결 Point 남편은 Rh^-B형, 아내는 Rh^+AB형이다.

| 2021년 9월 모평 6번 유사 |

16 그림은 어떤 사람의 핵형 분석 결과를 나타낸 것이다. ⓐ는 세포 분열 시 방추사가 부착되는 부분이다.

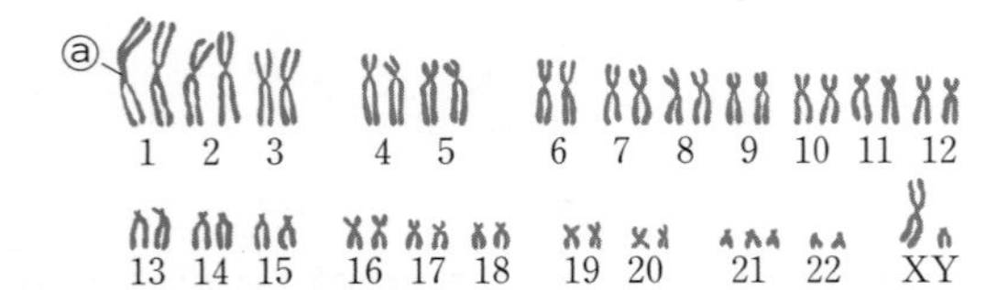

이에 대한 설명으로 옳은 것만을 〈보기〉에서 있는 대로 고른 것은?

보기

ㄱ. ⓐ는 동원체이다.

ㄴ. 이 사람의 상염색체 염색 분체 수는 45이다.

ㄷ. 이 사람의 성별은 남성이다.

① ㄱ ② ㄴ ③ ㄱ, ㄷ ④ ㄴ, ㄷ ⑤ ㄱ, ㄴ, ㄷ

해결 Point 동원체는 세포 분열 시 방추사가 부착되는 부분이다.

17 그림은 염색체의 구조를 나타낸 것이다.

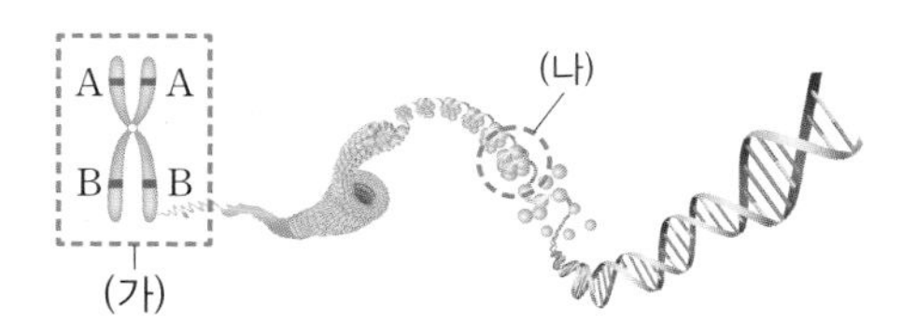

이에 대한 설명으로 옳은 것만을 〈보기〉에서 있는 대로 고른 것은? (단, A와 B는 유전자를 나타낸다.)

보기
ㄱ. (가)는 2개의 상동 염색체로 구성된다.
ㄴ. (나)에는 단백질이 있다.
ㄷ. A와 B는 대립유전자이다.

① ㄱ ② ㄴ ③ ㄱ, ㄷ
④ ㄴ, ㄷ ⑤ ㄱ, ㄴ, ㄷ

해결 Point 대립유전자는 하나의 형질을 나타내는 유전자로 상동 염색체의 같은 위치에 존재한다.

18 그림 (가)와 (나)는 각각 동물 A($2n=6$)와 B($2n=?$)의 어떤 세포에 들어 있는 모든 염색체를 나타낸 것이다. A와 B의 성염색체는 XY이다. 이에 대한 설명으로 옳은 것만을 〈보기〉에서 있는 대로 고른 것은? (단, 돌연변이는 고려하지 않는다.)

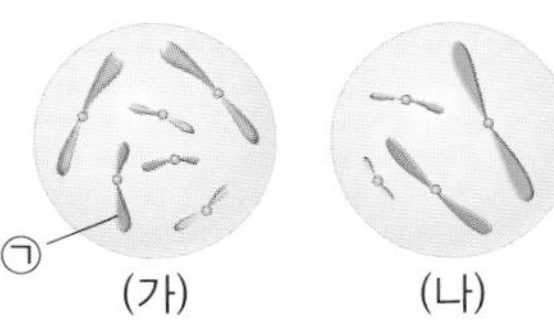

보기
ㄱ. ㉠은 상염색체이다.
ㄴ. (가), (나)의 핵상은 같다.
ㄷ. (나)의 체세포 분열 중기의 염색 분체 수는 16이다.

① ㄱ ② ㄴ ③ ㄷ
④ ㄱ, ㄴ ⑤ ㄴ, ㄷ

해결 Point (가)의 핵상은 $2n=6$이고, (나)의 핵상은 $n=4$이다.

19 그림은 염색체의 구조를 나타낸 것이다.

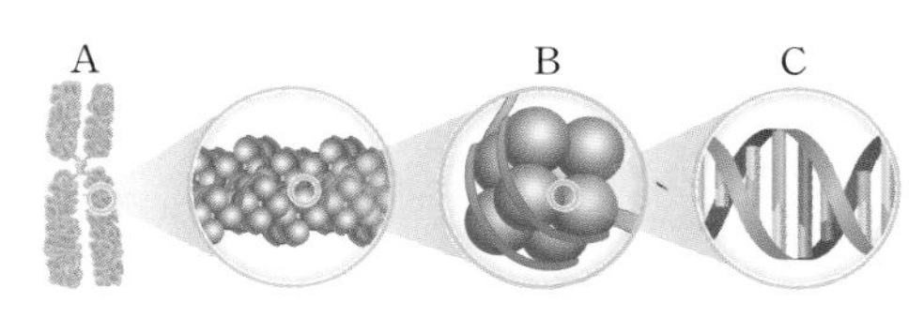

이에 대한 설명으로 옳은 것만을 〈보기〉에서 있는 대로 고른 것은?

보기
ㄱ. A는 간기에 관찰된다.
ㄴ. B는 뉴클레오솜이다.
ㄷ. C는 유전 정보를 저장한다.

① ㄱ ② ㄴ ③ ㄱ, ㄷ
④ ㄴ, ㄷ ⑤ ㄱ, ㄴ, ㄷ

해결 Point A는 염색체, B는 뉴클레오솜, C는 DNA이다.

| 2021년 수능 6번 유사 |

20 그림은 같은 종인 동물의 생식세포가 형성되는 과정에서 나타나는 세포 (가)~(다)에 들어 있는 모든 염색체를 나타낸 것이다. 이 동물의 성염색체는 암컷이 XX, 수컷이 XY이다.

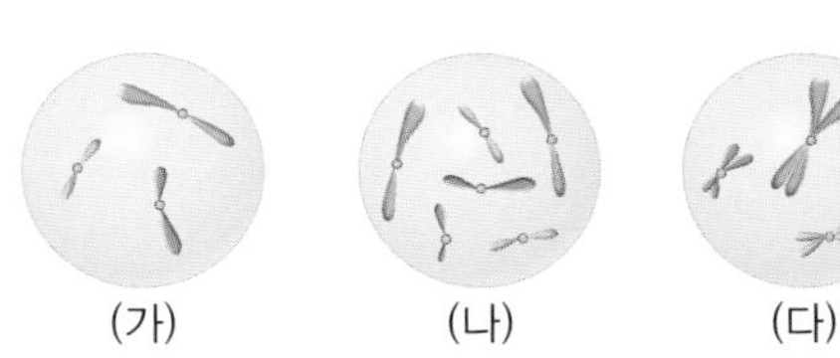

이에 대한 설명으로 옳은 것만을 〈보기〉에서 있는 대로 고른 것은? (단, 돌연변이는 고려하지 않는다.)

보기
ㄱ. 이 동물은 수컷이다.
ㄴ. (가)와 (다)의 핵상은 같다.
ㄷ. (가)는 생식세포이다.

① ㄱ ② ㄷ ③ ㄱ, ㄴ
④ ㄴ, ㄷ ⑤ ㄱ, ㄴ, ㄷ

해결 Point (가)는 생식세포, (나)는 G_1기 세포, (다)는 감수 2분열 중인 세포이다.

05 일차 세포 분열과 유전 ❶

오늘 공부할 내용 미리보기

개념 01 세포 주기와 체세포 분열

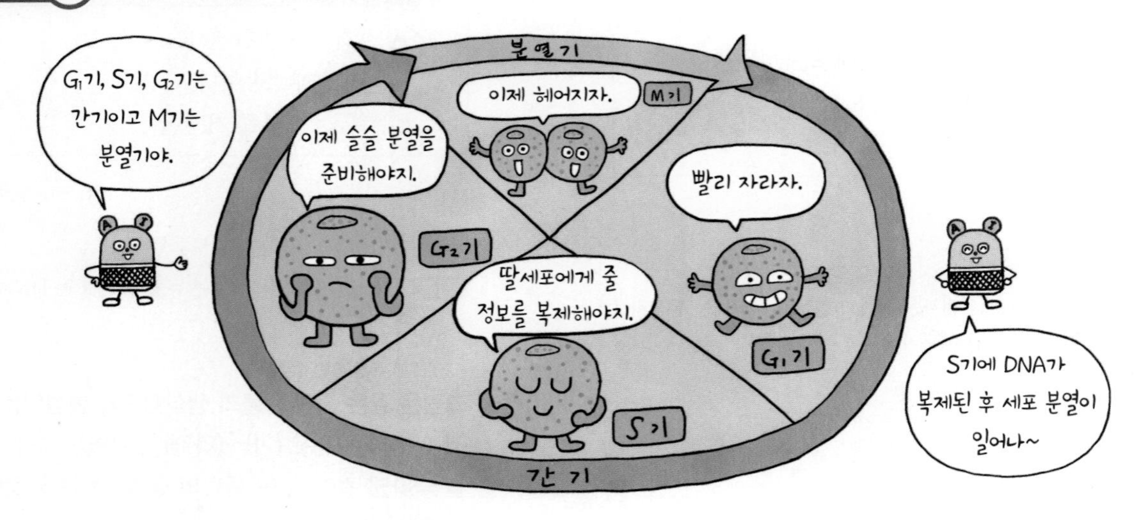

개념 02 생식세포 형성과 유전적 다양성

공부할 내용	
01 세포 주기와 체세포 분열	03 상염색체 유전
02 생식세포 형성과 유전적 다양성	04 성염색체 유전

개념 03 상염색체 유전

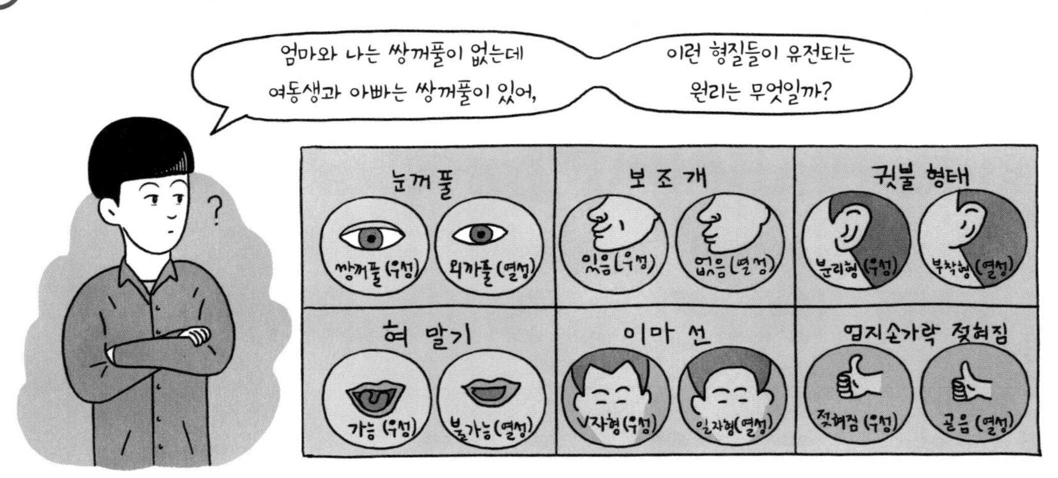

개념 04 성염색체 유전

01 핵심 체크 세포 주기와 체세포 분열

◎ 세포 주기

분열을 마친 세포가 생장하여 다시 분열을 끝마칠 때까지의 과정

간기	G_1기	세포의 구성 물질 합성, 세포 소기관의 수 증가
	S기	❶ [ ] 복제(DNA양 2배로 증가)
	G_2기	방추사 구성 단백질 합성, 세포 분열 준비
분열기(M기)		핵분열로 유전 물질이 나누어진 후 세포질 분열로 딸세포 형성

◎ 체세포 분열

① 간기에 DNA 복제 후 핵분열 후기에 염색 분체가 분리된다.

② 2개의 딸세포 형성 → 염색체 수와 DNA양은 모세포와 같다($2n \rightarrow 2n$).

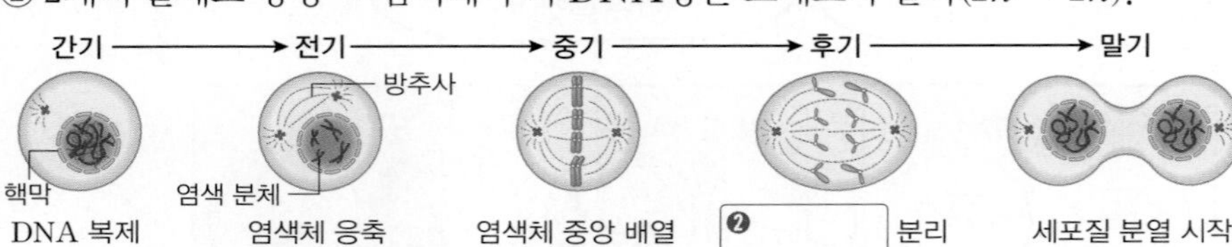

DNA 복제 | 염색체 응축 핵막 소실 | 염색체 중앙 배열 | ❷ [ ] 분리 | 세포질 분열 시작

수능격파 TiP
세포 주기의 순서와 시기별 특징뿐만 아니라 세포 분열 시 DNA양, 핵상 등과 연계하여 알아 두어야 한다.

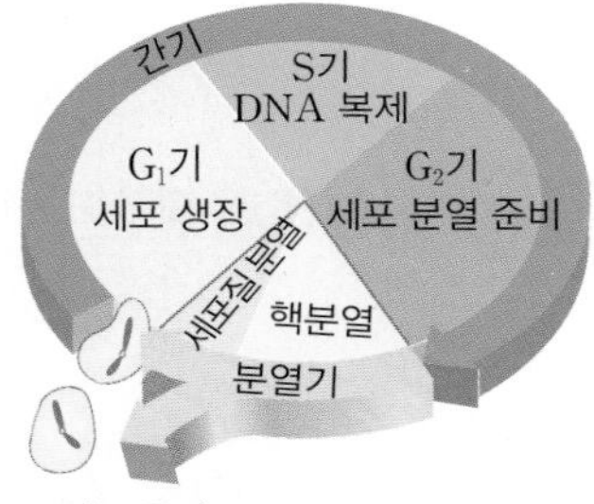

▲ 세포 주기

답 | ❶ DNA ❷ 염색 분체

01 기출 유형

| 2020년 9월 모평 12번 유사 |

그림은 사람 체세포의 세포 주기를 나타낸 것이다. ㉠~㉢은 각각 G_2기, M기(분열기), S기 중 하나이다.

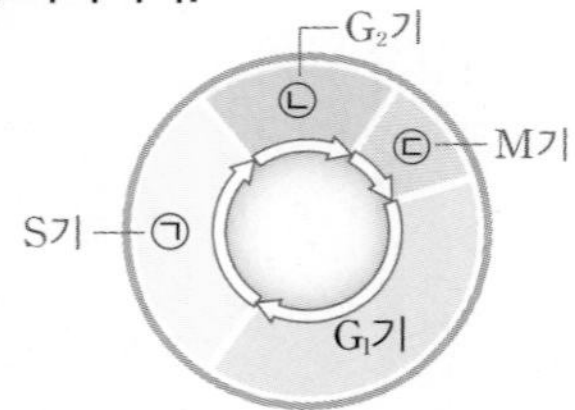

이에 대한 설명으로 옳은 것만을 〈보기〉에서 있는 대로 고른 것은?

보기
- ㄱ. ㉠ 시기에 DNA가 복제된다. – DNA는 S기에 복제된다.
- ㄴ. ㉡의 DNA양은 G_1기의 2배이다. – 복제가 끝난 G_2기의 DNA양은 G_1기의 2배가 된다.
- ㄷ. ㉢은 간기에 속한다. – ㉢은 분열기이다.

① ㄱ ② ㄷ ③ ㄱ, ㄴ
④ ㄴ, ㄷ ⑤ ㄱ, ㄴ, ㄷ

문제풀이 TiP 세포 주기에서 G_1기, S기, G_2기는 간기에 속하고 M기는 분열기이다.

01 기출 유사

그림은 어떤 동물 체세포의 세포 주기를 나타낸 것이다. ㉠~㉢은 각각 G_1기, S기, G_2기 중 하나이다.

이에 대한 설명으로 옳은 것만을 〈보기〉에서 있는 대로 고른 것은?

보기
- ㄱ. ㉠ 시기에 핵막이 있다.
- ㄴ. ㉡ 시기에 방추사가 나타난다.
- ㄷ. 핵 1개당 DNA양은 ㉢ 시기 세포가 ㉠ 시기 세포의 2배이다.

① ㄱ ② ㄴ ③ ㄷ
④ ㄱ, ㄷ ⑤ ㄴ, ㄷ

02 핵심 체크 생식세포 형성과 유전적 다양성

감수 분열(생식세포 분열)

생식세포를 형성하기 위해 일어나는 세포 분열로, DNA 복제 1회 후 2회 연속 분열하여 염색체 수와 DNA양이 모세포의 절반인 4개의 딸세포 형성

① 감수 1분열: ❶ [　　] 가 분리되어 염색체 수, DNA양이 절반인 세포 형성(핵상 변화: $2n \rightarrow n$).

② 감수 2분열: DNA 복제 없이 ❷ [　　] 가 분리되므로 감수 1분열을 마친 세포와 비교하여 DNA양은 절반이고 염색체 수는 같은 딸세포 형성(핵상 변화 없음: $n \rightarrow n$)

유전적 다양성

감수 분열 시 상동 염색체의 무작위 분리로 형성된 대립유전자 조합이 다양한 생식세포들이 무작위로 수정되어 다양한 자손이 태어난다.

수능격파 TIP
생식세포 분열 과정별 염색체의 모습, DNA양, 염색체 수의 변화를 잘 파악하고 있어야 한다.

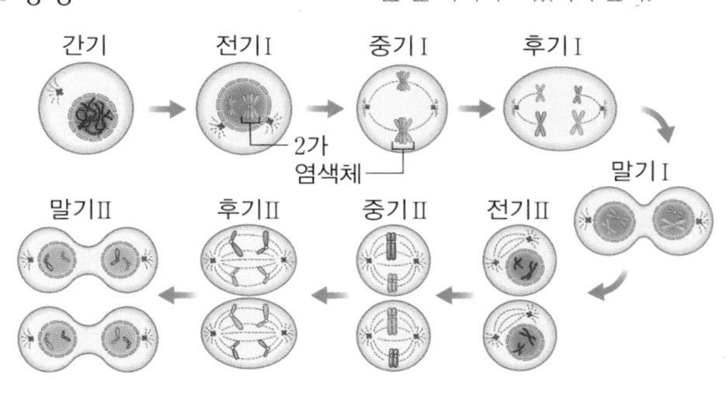

▲ 감수 분열 과정

답 | ❶ 상동 염색체 ❷ 염색 분체

02 기출 유형

| 2018년 9월 모평 7번 유사 |

그림은 유전자형이 Aa인 어떤 동물($2n=10$)의 G_1기 세포 I 로부터 생식세포가 형성되는 과정을, 표는 세포 ㉠~㉣의 상염색체 수와 대립유전자 A와 a의 DNA 상대량을 더한 값을 나타낸 것이다. ㉠~㉣은 I ~IV를 순서 없이 나타낸 것이고 이 동물의 성염색체는 XX이다.)

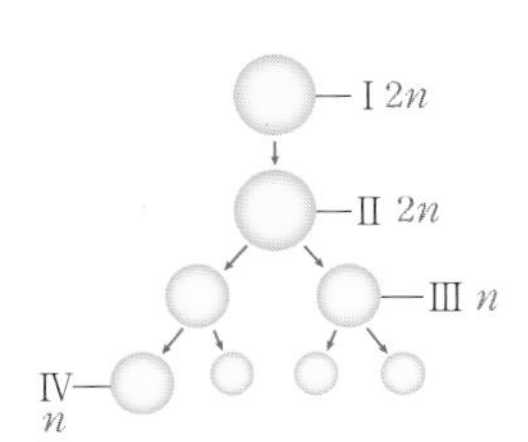

세포	상염색체 수	A와 a의 DNA 상대량을 더한 값
㉠	8	?
㉡	4	2
㉢	ⓐ	1
㉣	8	4

이에 대한 설명으로 옳은 것만을 〈보기〉에서 있는 대로 고른 것은?

보기

ㄱ. II는 ㉣이다. — II는 핵상이 $2n$이고 복제되었으므로 A와 a의 DNA 상대량을 더한 값은 4이다.

ㄴ. ⓐ는 8이다. — ⓐ는 4이다.

ㄷ. III의 염색 분체 수는 10이다. — III의 핵상은 n이므로 염색체 수는 5이다.

① ㄴ ② ㄷ ③ ㄱ, ㄷ
④ ㄴ, ㄷ ⑤ ㄱ, ㄴ, ㄷ

문제풀이 TIP I, II, III, IV의 A와 a의 DNA 상대량을 더한 값은 각각 2, 4, 2, 1이다.

02 기출 유사

그림은 핵상이 $2n$인 어떤 동물에서 G_1기의 세포 ㉠으로부터 정자가 형성되는 과정을 나타낸 것이다.

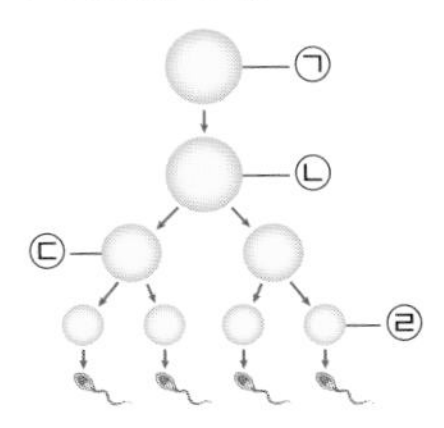

이에 대한 설명으로 옳은 것만을 〈보기〉에서 있는 대로 고른 것은?

보기

ㄱ. ㉠과 ㉡의 핵상은 같다.

ㄴ. ㉢과 ㉣의 염색체 수는 다르다.

ㄷ. ㉣의 DNA양은 ㉠의 $\frac{1}{4}$배이다.

① ㄱ ② ㄴ ③ ㄱ, ㄷ
④ ㄴ, ㄷ ⑤ ㄱ, ㄴ, ㄷ

03 핵심 체크 상염색체 유전

○ 상염색체에 의한 유전

① 상염색체에 존재하는 유전자에 의해 형질이 결정된다.

② 형질의 발현 빈도는 성별과 관계없이 남녀에서 동일하게 나타난다.

○ 형질 결정 대립유전자가 2가지인 경우(단일 대립 유전)

① 하나의 형질을 결정하는 데 1쌍의 ❶ [   ] 가 관여하는 경우(단일 인자 유전)

② 대립 형질이 뚜렷하게 구분되며, 멘델 법칙에 따라 유전된다.

예 이마선 모양, 보조개 유무, 혀 말기 여부

○ 형질 결정 대립유전자가 3가지 이상인 경우(복대립 유전)

① 하나의 형질을 결정하는 데 3가지 이상의 대립유전자가 관여하는 경우

② 대립유전자는 3가지 이상이지만, 개체의 형질은 ❷ [   ] 의 대립유전자에 의해 형질이 결정된다(단일 인자 유전).

③ 유전자형과 표현형이 단일 대립 유전보다 다양하게 나타난다.

예 ABO식 혈액형 유전

수능격파 TiP

유전 형질에 대한 자료나 가계도를 통해 열성 형질과 우성 형질을 구별할 줄 알아야 하며, 유전자형이 동형 접합성인지, 이형 접합성인지 파악하고, 유전병 자녀가 나타날 확률을 구할 수 있어야 한다.

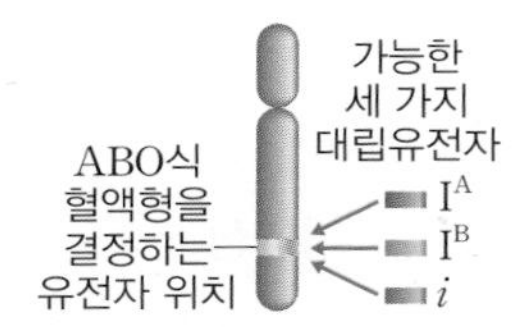

▲ ABO식 혈액형의 유전자 위치

답 | ❶ 대립유전자 ❷ 1쌍

03 기출 유형

| 2014년 9월 모평 17번 유사 |

그림은 어떤 유전병에 대한 가계도이다. 이 유전병은 대립유전자 A와 A′에 의해 결정되며, A는 A′에 대해 완전 우성이다.

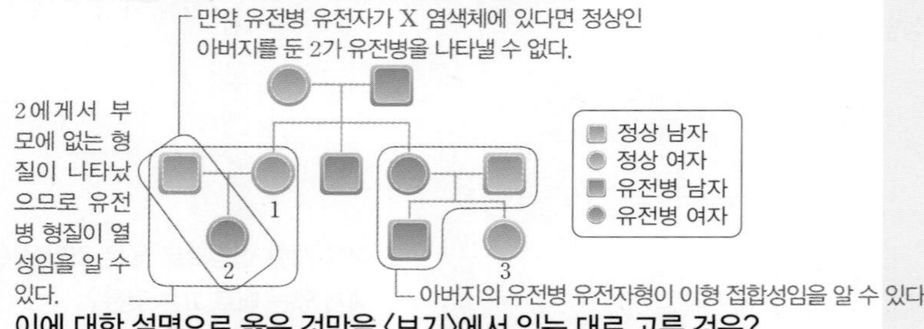

이에 대한 설명으로 옳은 것만을 〈보기〉에서 있는 대로 고른 것은?

보기

ㄱ. 유전병을 나타내는 유전자는 A′이다.

ㄴ. 유전병 유전자는 상염색체에 있다.

ㄷ. 3의 동생이 태어날 때 유전병을 가질 확률은 $\frac{1}{4}$이다.

아버지가 이형 접합성이므로 유전병을 가질 확률은 $\frac{1}{2}$이다.

① ㄱ ② ㄷ ③ ㄱ, ㄴ

④ ㄴ, ㄷ ⑤ ㄱ, ㄴ, ㄷ

문제풀이 TiP 표현형이 같은 부모에게서 부모와 다른 형질의 자손이 나온 경우 부모의 형질이 우성, 자손의 형질이 열성이다.

03 기출 유사

그림은 어느 가족의 혈액형 가계도를 나타낸 것이다.

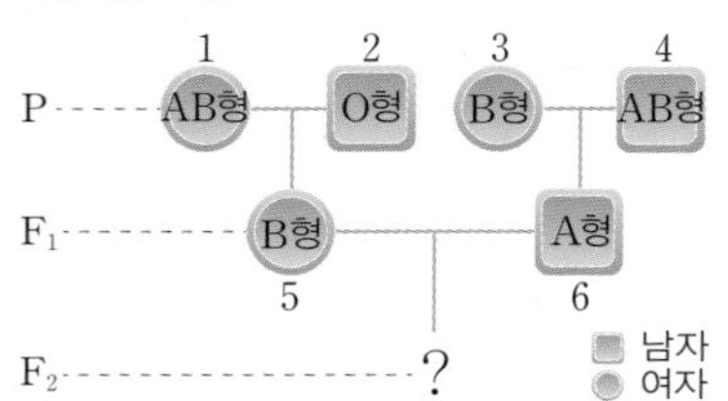

이에 대한 설명으로 옳은 것만을 〈보기〉에서 있는 대로 고른 것은?

보기

ㄱ. 3, 5의 혈액형 유전자형은 동일하다.

ㄴ. 6의 혈액형 유전자형은 이형 접합성이다.

ㄷ. ?가 AB형이면서 아들일 확률은 $\frac{1}{4}$이다.

① ㄱ ② ㄴ ③ ㄷ

④ ㄱ, ㄴ ⑤ ㄴ, ㄷ

04 핵심 체크 성염색체 유전

사람의 성 결정

감수 분열 시 난자는 X 염색체를 가진 것만 생성되고, 정자는 X 염색체나 Y 염색체를 가진 것이 생성된다. 자녀의 성별은 난자와 수정되는 정자의 성염색체에 의해 결정된다.

성염색체에 의한 유전

형질을 결정하는 유전자가 성염색체에 있는 유전 현상으로, 남녀에 따라 성염색체가 다르므로 성별에 따라 형질이 나타나는 빈도가 다르다. → 반성유전

① X 염색체 유전: 특정 형질을 결정하는 유전자가 ❶ ______ 에 있는 유전 현상 → 아버지의 X 염색체는 ❷ ______ 에게 전달되고, 아들의 X 염색체는 어머니에게서 전달된다. 예 적록 색맹, 혈우병 등

② 적록 색맹 유전: 정상 대립유전자가 우성, 적록 색맹 대립유전자는 열성이다. 남자는 적록 색맹 대립유전자가 1개(X′Y)만 있어도 적록 색맹이 되지만, 여자는 적록 색맹 대립유전자가 2개(X′X′)인 경우에만 적록 색맹이 된다. → 적록 색맹은 여자보다 남자에서 더 많이 나타난다.

수능격파 TiP

적록 색맹 유전에 대해 잘 알아두어야 한다. 특히 가계도에서 대립유전자의 전달 과정을 파악할 수 있어야 한다.

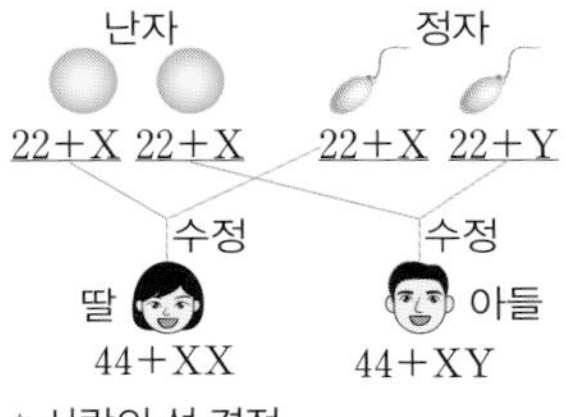

▲ 사람의 성 결정

답 | ❶ X 염색체 ❷ 딸

04 기출 유형

| 2017년 3월 학평 19번 유사 |

그림은 어떤 집안의 적록 색맹 유전에 대한 가계도이다.

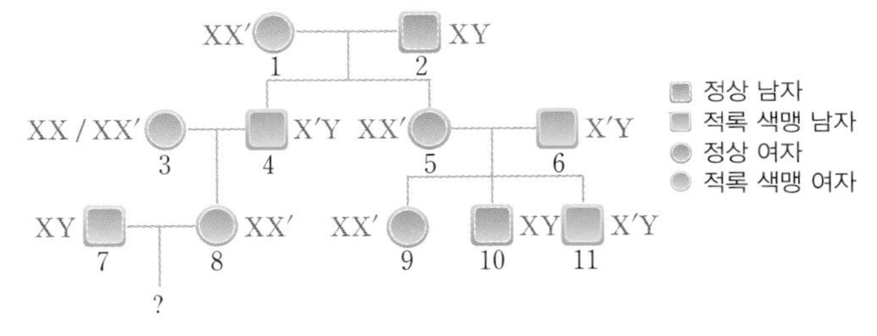

이에 대한 설명으로 옳은 것만을 〈보기〉에서 있는 대로 고른 것은?

보기

ㄱ. 3은 보인자이다. — 3의 유전자형은 정확하게 알 수 없다.

ㄴ. 11의 적록 색맹 대립유전자는 6으로부터 물려받았다. — 아버지의 X 염색체는 아들에게 전달되지 않는다.

ㄷ. 7과 8 사이에서 적록 색맹인 자녀가 태어날 확률은 $\frac{1}{4}$이다.

① ㄱ ② ㄴ ③ ㄷ ④ ㄱ, ㄴ ⑤ ㄴ, ㄷ

문제풀이 TiP 부모가 정상인데 아들이 적록 색맹이면 어머니는 적록 색맹 보인자이다.

04 기출 유사

그림은 어떤 집안의 적록 색맹에 대한 가계도를 나타낸 것이다.

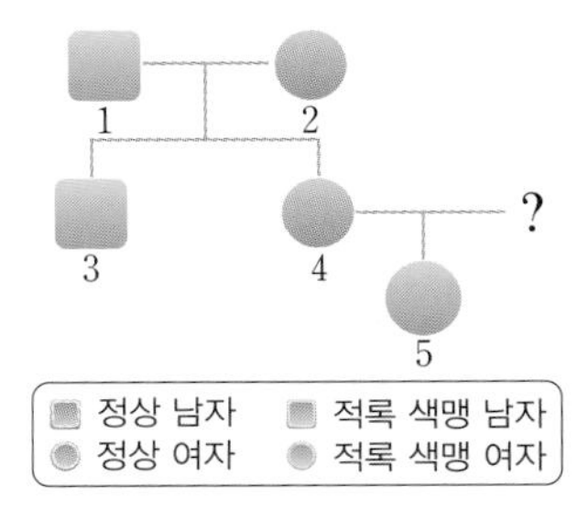

이에 대한 설명으로 옳은 것만을 〈보기〉에서 있는 대로 고른 것은?

보기

ㄱ. 3의 적록 색맹 대립유전자는 1로부터 물려받았다.

ㄴ. 4는 보인자이다.

ㄷ. 5의 아버지는 적록 색맹이다.

① ㄱ ② ㄴ ③ ㄱ, ㄷ ④ ㄴ, ㄷ ⑤ ㄱ, ㄴ, ㄷ

기초력 집중드릴

(신유형) | 2020년 3월 학평 13번 유사 |

01 그림 (가)는 어떤 동물($2n=4$)의 세포 주기를, (나)는 이 동물의 분열 중인 세포를 나타낸 것이다. 이 동물의 특정 형질에 대한 유전자형은 Rr이다.

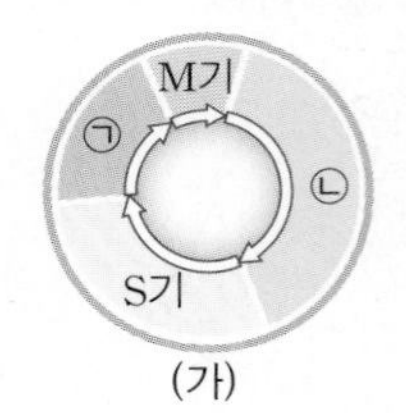

(가)

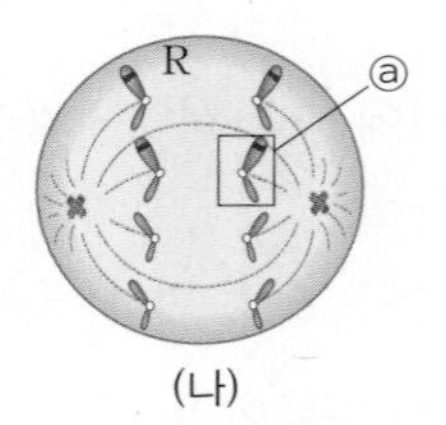

(나)

이에 대한 설명으로 옳은 것만을 〈보기〉에서 있는 대로 고른 것은?

보기
ㄱ. ㉠은 G_1기, ㉡은 G_2기이다. ㄴ. (나)는 ㉠ 시기에 관찰된다. ㄷ. ⓐ에는 대립유전자 r가 있다.

① ㄱ ② ㄴ ③ ㄷ
④ ㄱ, ㄴ ⑤ ㄱ, ㄴ, ㄷ

해결 Point 세포 주기는 M기 → G_1기 → S기 → G_2기 순이다.

02 그림은 사람의 어떤 체세포를 배양하여 얻은 세포 집단에서 세포당 DNA양에 따른 세포 수를 나타낸 것이다.

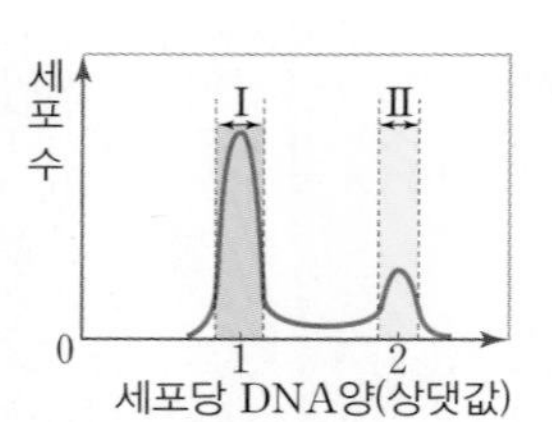

이에 대한 설명으로 옳은 것만을 〈보기〉에서 있는 대로 고른 것은?

보기
ㄱ. 이 세포의 세포 주기에서 G_2기가 G_1기보다 길다. ㄴ. 구간 Ⅰ에서 막대 모양의 염색체가 관찰된다 ㄷ. 구간 Ⅱ에는 핵막이 없는 세포가 있다.

① ㄱ ② ㄷ ③ ㄱ, ㄴ
④ ㄴ, ㄷ ⑤ ㄱ, ㄴ, ㄷ

해결 Point 세포 수가 많을수록 세포 주기가 더 길다.

(신유형)

03 그림 (가)는 염색체의 구조를, (나)는 체세포의 세포 주기를 나타낸 것이다.

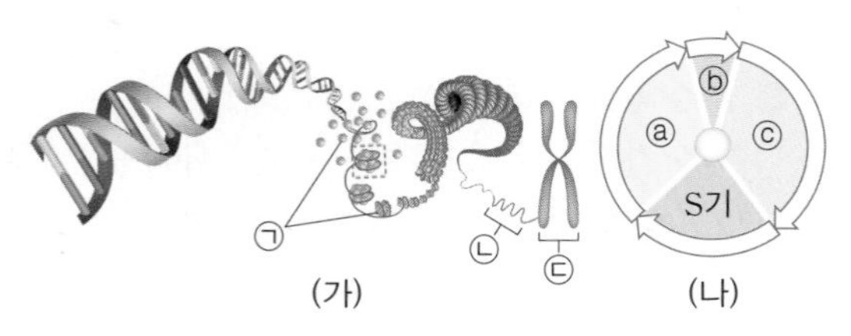

이에 대한 설명으로 옳은 것만을 〈보기〉에서 있는 대로 고른 것은?

보기
ㄱ. ㉠의 기본 단위는 뉴클레오타이드이다. ㄴ. ⓑ 시기에 ㉡은 ㉢으로 응축된다. ㄷ. 세포 1개당 DNA양은 ⓐ 시기의 세포가 ⓒ 시기 세포의 2배이다.

① ㄱ ② ㄴ ③ ㄱ, ㄷ
④ ㄴ, ㄷ ⑤ ㄱ, ㄴ, ㄷ

해결 Point 염색체는 분열기에 응축한다.

04 그림은 사람 체세포의 세포 주기를 나타낸 것이다.
이에 대한 설명으로 옳은 것만을 〈보기〉에서 있는 대로 고른 것은?

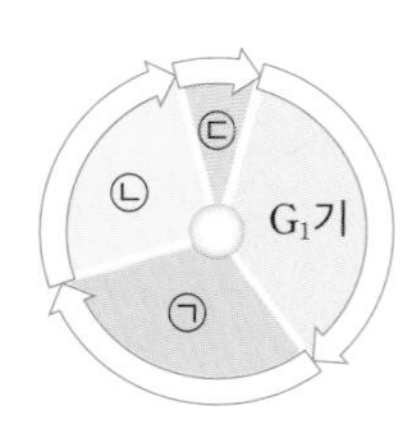

보기
ㄱ. ㉠ 시기에 DNA가 복제된다. ㄴ. ㉡은 간기에 속한다. ㄷ. ㉢ 시기에 2가 염색체를 관찰할 수 있다.

① ㄱ ② ㄷ ③ ㄱ, ㄴ
④ ㄴ, ㄷ ⑤ ㄱ, ㄴ, ㄷ

해결 Point ㉠은 S기, ㉡은 G_2기, ㉢은 M기이다.

| 2019년 9월 모평 12번 유사 |

05 그림은 어떤 동물의 체세포를 배양한 후 세포당 DNA양에 따른 세포 수를 나타낸 것이다.

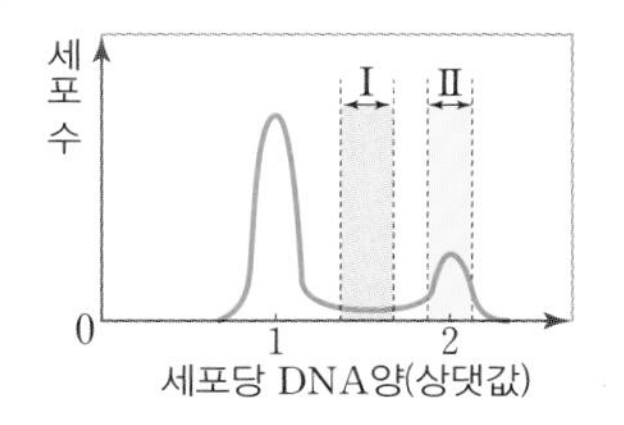

이에 대한 설명으로 옳은 것만을 〈보기〉에서 있는 대로 고른 것은?

보기
ㄱ. 구간 Ⅰ에서 DNA가 복제되는 세포가 있다.
ㄴ. 구간 Ⅱ의 세포에서 방추사가 관찰된다.
ㄷ. $\frac{G_1\text{기 세포 수}}{G_2\text{기 세포 수}}$의 값은 1보다 작다.

① ㄱ ② ㄴ ③ ㄷ
④ ㄱ, ㄴ ⑤ ㄴ, ㄷ

해결 Point G_1기 세포의 DNA 상대량은 1이고, G_2기 세포의 DNA 상대량은 2이다.

06 그림 (가)는 어떤 동물($2n=4$)의 생식세포가 정상적으로 형성될 때의 세포 주기를, (나)는 이 동물의 감수 분열 중인 세포를 나타낸 것이다.

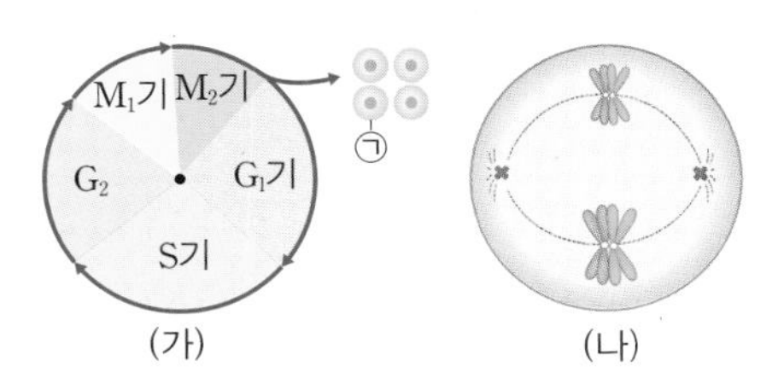

(가) (나)

이에 대한 설명으로 옳은 것은?

① (나)의 핵상은 n이다.
② (나)의 염색체 수는 2이다.
③ (나)는 M_2기에서 관찰된다.
④ M_1기에서 2가 염색체가 관찰된다.
⑤ 세포 1개당 DNA양은 ㉠이 (나)의 $\frac{1}{2}$이다.

해결 Point (나)에서는 2가 염색체가 관찰된다.

07 표는 어떤 동물($2n=4$)의 모세포 1개로부터 생식세포가 형성될 때 서로 다른 세 시기 A, B, C에서 관찰된 세포 1개당 염색체 수와 핵 1개당 DNA 상대량을 나타낸 것이다. 그림은 A, B, C 중 한 시기에서 관찰된 세포의 염색체를 나타낸 것이다.

시기	세포 1개당 염색체 수	핵 1개당 DNA 상대량
A	2	1
B	4	4
C	2	2

이에 대한 설명으로 옳은 것만을 〈보기〉에서 있는 대로 고른 것은?

보기
ㄱ. 그림은 C의 염색체이다.
ㄴ. A는 복제 과정을 거쳐 C가 된다.
ㄷ. B에서 2가 염색체가 관찰된다.

① ㄱ ② ㄴ ③ ㄱ, ㄷ
④ ㄴ, ㄷ ⑤ ㄱ, ㄴ, ㄷ

해결 Point A는 분열이 끝난 딸세포, B는 감수 1분열 중인 세포로 2가 염색체가 관찰된다. C는 감수 2분열 중인 세포이다.

08 그림은 어떤 동물의 체세포 분열(가)과 감수분열(나) 과정 중 어느 한 시기의 염색체를 나타낸 것이다. (가)와 (나)에는 1번 염색체만 나타냈다.

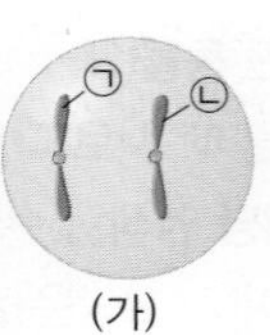

(가)

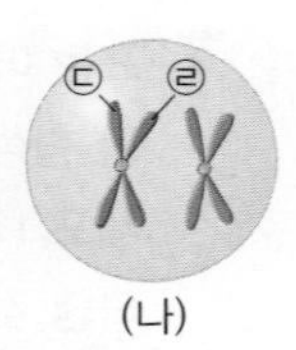

(나)

이에 대한 설명으로 옳은 것만을 〈보기〉에서 있는 대로 고른 것은?

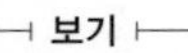

ㄱ. ㉠과 ㉡의 유전자 구성은 같다.
ㄴ. ㉢과 ㉣은 감수 1분열 시 분리된다.
ㄷ. (가)와 (나)의 염색체 수는 같다.

① ㄱ ② ㄷ ③ ㄱ, ㄴ
④ ㄴ, ㄷ ⑤ ㄱ, ㄴ, ㄷ

해결 Point ㉠과 ㉡은 상동 염색체, ㉢과 ㉣은 염색 분체이다.

09 그림 (가)는 어떤 동물의 정상적인 세포 분열 과정에서 핵 1개당 DNA양을, (나)는 이 세포 분열 과정의 어느 한 시기에서 관찰되는 세포를 나타낸 것이다.

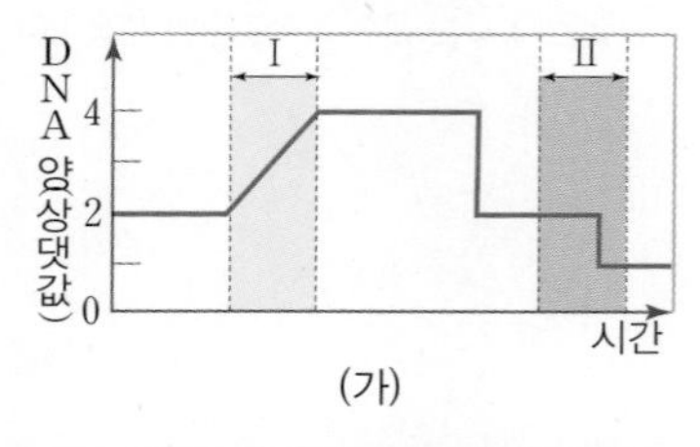

(가)

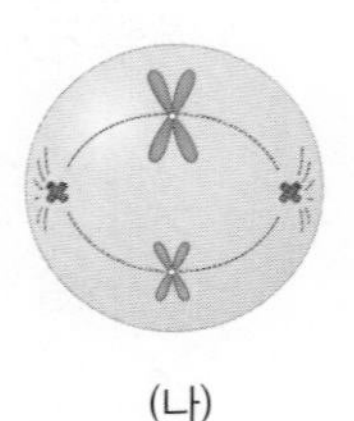
(나)

이에 대한 설명으로 옳은 것만을 〈보기〉에서 있는 대로 고른 것은?

보기

ㄱ. 구간 Ⅰ에서 DNA가 복제된다.
ㄴ. 구간 Ⅱ에서 상동 염색체가 분리된다.
ㄷ. (나)는 (가)의 구간 Ⅱ에서 관찰된다.

① ㄱ ② ㄴ ③ ㄱ, ㄷ
④ ㄱ, ㄷ ⑤ ㄱ, ㄴ, ㄷ

해결 Point (나)는 핵상이 n이므로 감수 2분열 중기 세포이다.

| 2018년 9월 모평 7번 유사 |

10 그림은 핵상이 $2n$인 어떤 동물의 G_1기 세포 Ⅰ로부터 정자가 형성되는 과정을, 표는 세포 ㉠~㉣의 세포 1개당 대립유전자 H와 t의 DNA 상대량을 나타낸 것이다. H는 h와, T는 t와 대립유전자이며 Ⅰ~Ⅳ는 각각 ㉠~㉣ 중 하나이다.

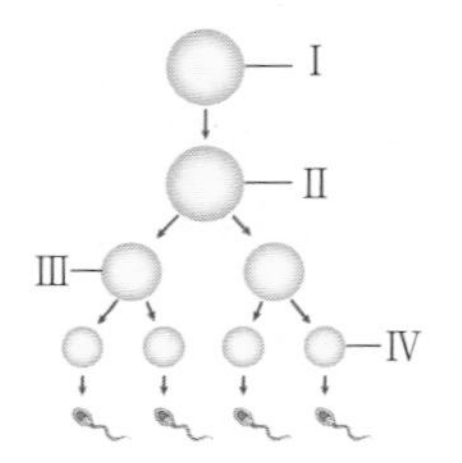

세포	DNA 상대량	
	H	t
㉠	2	0
㉡	2	2
㉢	ⓐ	?
㉣	1	1

이에 대한 설명으로 옳은 것만을 〈보기〉에서 있는 대로 고른 것은?

보기

ㄱ. Ⅱ는 ㉡이다.
ㄴ. ⓐ=0이다.
ㄷ. 세포의 핵상은 ㉠과 ㉣에서 같다.

① ㄱ ② ㄷ ③ ㄱ, ㄴ
④ ㄴ, ㄷ ⑤ ㄱ, ㄴ, ㄷ

해결 Point Ⅰ과 Ⅱ에는 H와 t가 모두 있고, Ⅱ는 DNA가 복제되었으므로 DNA양이 Ⅰ의 2배이다.

11 다음은 사람의 유전 형질 A의 특성을 나타낸 것이다.

- A를 나타내는 남녀의 비율은 비슷하다.
- 자녀는 A를 나타내지만 부모 모두 A를 나타내지 않을 수 있다.

이에 대한 설명으로 옳은 것만을 〈보기〉에서 있는 대로 고른 것은?

보기
ㄱ. A의 유전자는 상염색체에 존재한다.
ㄴ. A는 열성으로 유전된다.
ㄷ. 이형 접합성인 부모에서 A를 나타내는 자녀가 태어날 확률은 $\frac{1}{4}$이다.

① ㄱ ② ㄴ ③ ㄱ, ㄷ
④ ㄴ, ㄷ ⑤ ㄱ, ㄴ, ㄷ

해결 Point 부모가 A를 나타내지 않는데 자녀에서 A가 나타났다면 A는 열성으로 유전된다.

12 그림은 1쌍의 대립유전자에 의해 결정되는 이마선 유전에 대한 가계도를 나타낸 것이다. B의 이마선 유전자형은 이형 접합성이다.

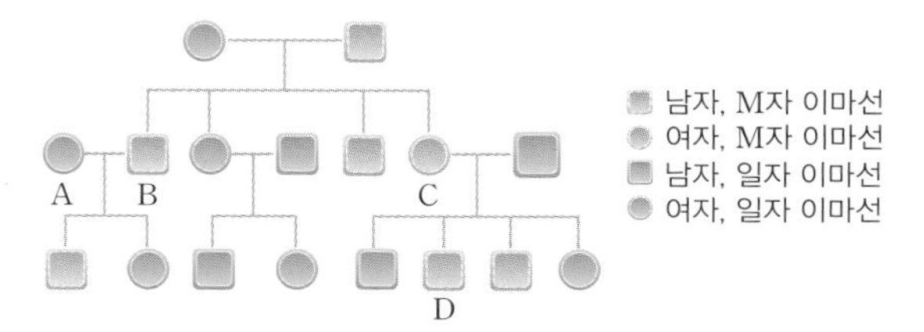

이에 대한 설명으로 옳지 않은 것은?

① 이마선 유전은 단일 인자 유전이다.
② 이마선의 유전자는 상염색체에 있다.
③ M자형이 열성, 일자형이 우성으로 유전된다.
④ C, D는 일자형 대립유전자를 가진다.
⑤ A, B 사이에 셋째 아이가 태어날 때 이 아이가 M자형 이마선을 가질 확률은 $\frac{1}{2}$이다.

해결 Point 이마선 형질은 단일 인자 상염색체 유전을 한다.

신유형

13 그림은 어떤 유전병 유전에 대한 가계도를 나타낸 것이다. (단, 돌연변이와 교차는 고려하지 않는다.)

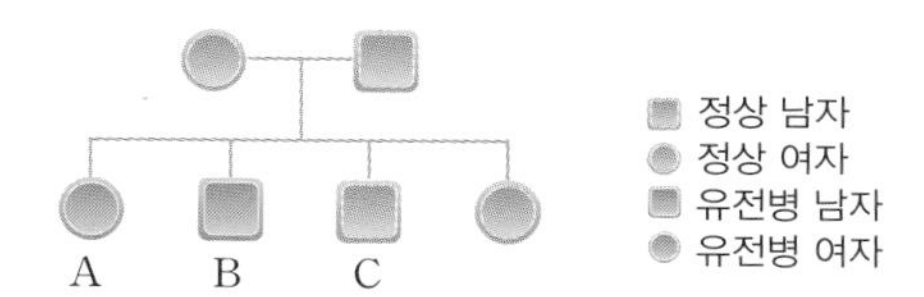

이 가계도에 대한 학생 A, B, C의 의견으로 옳은 것만을 있는 대로 고른 것은?

① A ② B ③ A, C
④ B, C ⑤ A, B, C

해결 Point 형질이 같은 부모 사이에서 부모에 없는 형질의 자녀가 태어났으므로 유전병 유전자는 정상에 대해 열성으로 유전된다.

| 2013년 3월 학평 17번 유사 |

14 그림은 ABO식 혈액형이 모두 다른 가족의 가계도를 나타낸 것이다. 1의 ABO식 혈액형 유전자형은 동형 접합성이다.

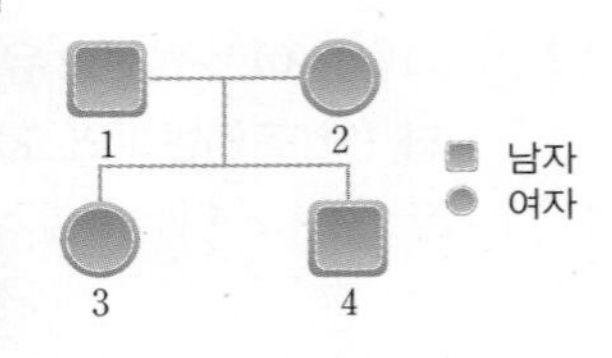

이에 대한 설명으로 옳은 것만을 〈보기〉에서 있는 대로 고른 것은?

보기
ㄱ. 2는 AB형이다.
ㄴ. 3의 유전자형은 동형 접합성이다.
ㄷ. 4가 O형인 여자와 결혼하면 자손에서 O형의 아이가 태어날 확률은 $\frac{1}{4}$이다.

① ㄱ ② ㄴ ③ ㄷ
④ ㄱ, ㄴ ⑤ ㄴ, ㄷ

해결 Point 유전자형이 동형 접합성인 것은 O형이다.

15 그림은 어떤 유전병에 대한 가계도를 나타낸 것이다.

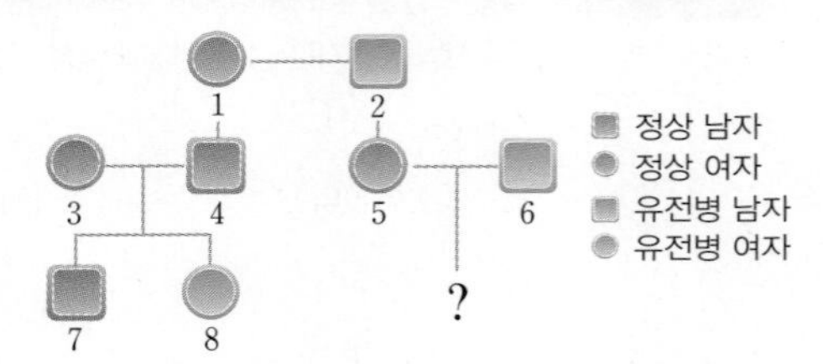

이에 대한 설명으로 옳은 것만을 〈보기〉에서 있는 대로 고른 것은?

보기
ㄱ. 유전자의 발현 빈도는 성별에 따라 다르다.
ㄴ. 3, 4, 5의 유전자형은 이형 접합성이다.
ㄷ. 5와 6 사이에 태어나는 자녀가 정상일 확률은 $\frac{1}{4}$이다.

① ㄴ ② ㄷ ③ ㄱ, ㄴ
④ ㄴ, ㄷ ⑤ ㄱ, ㄴ, ㄷ

해결 Point 아버지가 정상인데 딸이 열성 유전병이므로 상염색체 유전이다.

16 그림은 갑상샘 위축증 유전의 가계도를 나타낸 것이다. 갑상샘 위축증 유전자는 X 염색체에 존재한다.

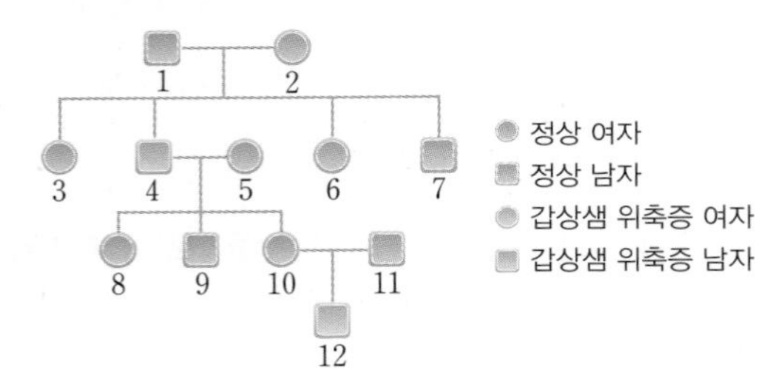

이에 대한 설명으로 옳은 것만을 〈보기〉에서 있는 대로 고른 것은?

보기
ㄱ. 갑상샘 위축증은 열성 형질이다.
ㄴ. 아버지가 정상이면 딸은 갑상샘 위축증을 나타내지 않는다.
ㄷ. 2, 8, 10은 보인자이다.

① ㄱ ② ㄴ ③ ㄱ, ㄷ
④ ㄴ, ㄷ ⑤ ㄱ, ㄴ, ㄷ

해결 Point 형질이 겉으로 드러나지 않지만, 형질을 나타내는 대립유전자를 가지고 있는 사람을 보인자라고 한다.

17 사람의 성 결정에 대한 설명으로 옳은 것만을 〈보기〉에서 있는 대로 고른 것은?

보기
ㄱ. 난자는 X 염색체만 가진다.
ㄴ. 정자는 X 염색체를 가진 것과 Y 염색체를 가진 것이 생성된다.
ㄷ. 아들의 X 염색체는 부모로부터 각각 1개씩 물려받는다.

① ㄱ ② ㄷ ③ ㄱ, ㄴ
④ ㄴ, ㄷ ⑤ ㄱ, ㄴ, ㄷ

해결 Point 딸의 성염색체는 XX이고, 아들의 성염색체는 XY이다.

18 그림은 어느 집안의 구루병 유전에 대한 자료이다. 구루병 유전자는 성염색체에 존재한다.

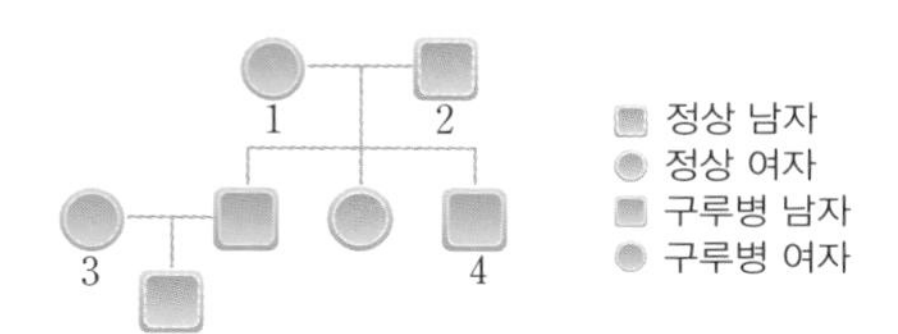

이에 대한 설명으로 옳은 것만을 〈보기〉에서 있는 대로 고른 것은?

보기
ㄱ. 구루병은 열성 형질이다.
ㄴ. 1과 2 사이에서 구루병 자녀가 태어날 확률은 $\frac{1}{4}$이다.
ㄷ. 4가 정상인 여자와 결혼하여 태어난 딸은 모두 구루병을 나타낸다.

① ㄱ ② ㄴ ③ ㄷ
④ ㄱ, ㄴ ⑤ ㄴ, ㄷ

해결 Point 구루병은 정상에 대해 우성으로 유전된다.

19 그림은 어느 집안의 적록 색맹 유전에 대한 가계도를 나타낸 것이다.

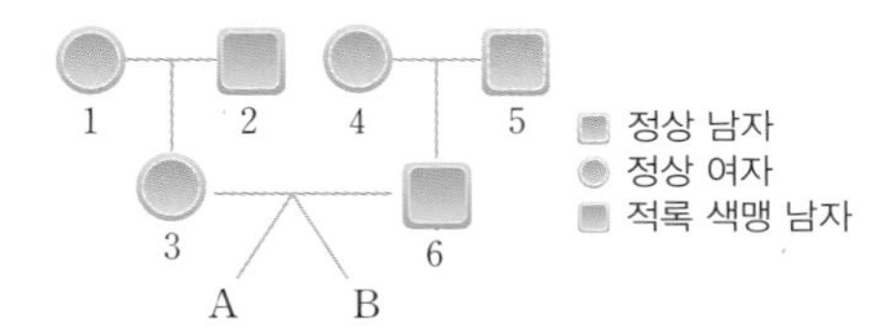

이에 대한 설명으로 옳지 않은 것은?

① 적록 색맹 유전자는 성염색체에 존재한다.
② 1은 적록 색맹 보인자임이 확실하다.
③ 3의 적록 색맹 유전자는 2에게서 전달받았다.
④ 4는 적록 색맹 유전자를 가진다.
⑤ A와 B가 모두 적록 색맹일 확률은 $\frac{1}{4}$이다.

해결 Point 적록 색맹은 열성 반성유전 형질이다.

신유형

20 그림 (가)는 어느 가족의 유전병에 대한 가계도를, (나)는 2의 유전병에 관계된 대립유전자를 염색체에 나타낸 것이다. 정상 대립유전자는 A, 유전병 대립유전자는 a이다.

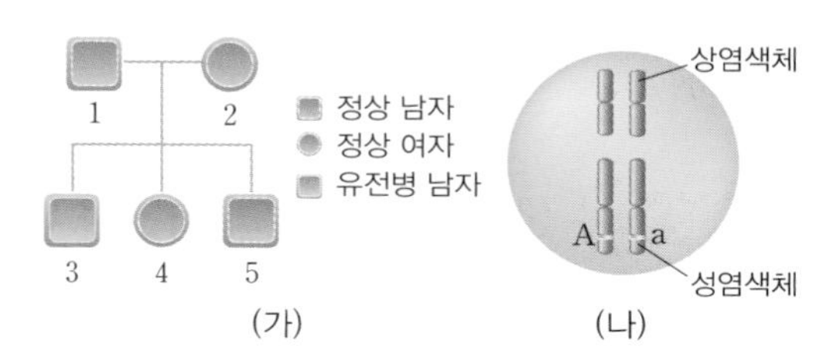

이에 대한 설명으로 옳은 것만을 〈보기〉에서 있는 대로 고른 것은?

보기
ㄱ. 유전병은 열성 형질이다.
ㄴ. 3의 유전병 대립유전자는 2로부터 물려받았다.
ㄷ. 5의 여동생이 태어날 경우 유전병이 나타날 확률은 $\frac{1}{4}$이다.

① ㄱ ② ㄷ ③ ㄱ, ㄴ
④ ㄴ, ㄷ ⑤ ㄱ, ㄴ, ㄷ

해결 Point 열성 반성유전의 경우 아버지가 정상이면 딸은 항상 정상이다.

06 일차 유전 ❷와 생태계의 구성

오늘 공부할 내용 미리보기

개념 01 단일 인자 유전과 다인자 유전

키의 유전은 여러 쌍의 대립유전자가 관여해서 표현형이 아주 다양해. 또 환경의 영향도 많이 받아.

개념 02 염색체 이상 유전병

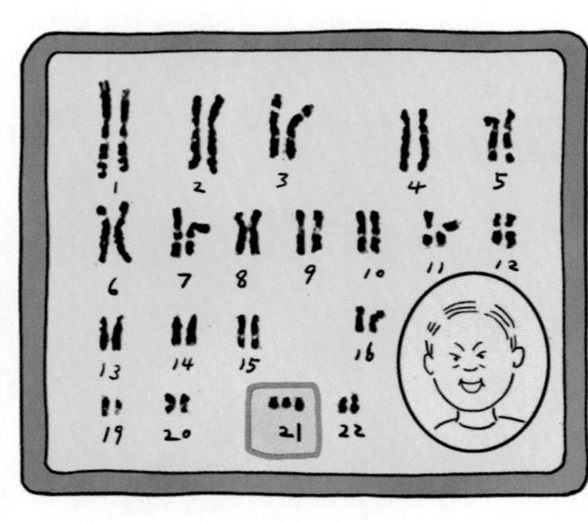

공부할 내용

01 단일 인자 유전과 다인자 유전
02 염색체 이상 유전병
03 유전자 이상 유전병
04 생태계의 구성

개념 03 유전자 이상 유전병

개념 04 생태계의 구성

01 핵심 체크 단일 인자 유전과 다인자 유전

◎ 단일 인자 유전

형질을 결정하는 데 ❶ [　　　] 의 대립유전자가 관여하는 유전 현상 예 귓불 모양, 적록 색맹, ABO식 혈액형

◎ 다인자 유전

① 형질을 결정하는 데 여러 쌍의 대립유전자가 관여하는 유전 현상 예 키, 몸무게, 피부색

② 대립 형질이 뚜렷하지 않고 연속적인 변이로 나타난다.

③ 표현형이 다양하며, 형질 발현에 ❷ [　　　] 의 영향을 받는다.

◎ 사람의 피부색 유전 모델

① 서로 다른 상염색체에 있는 3쌍의 대립유전자(A와 a, B와 b, C와 c)에 의해 결정되고 피부색을 검게 만드는 대립유전자 A, B, C의 개수가 많을수록 검다고 가정한다.

② 유전자형이 AaBbCc인 두 사람 사이에서 자손이 태어날 경우 피부색은 대립유전자 A, B, C의 개수에 따라 다양하게 나타난다. 자손에게 나타날 수 있는 피부색의 표현형은 7가지이다.

수능격파 TiP

주어진 자료를 통해 다인자 유전을 파악하고, 다인자 유전의 표현형의 수를 알아낼 수 있어야 한다.

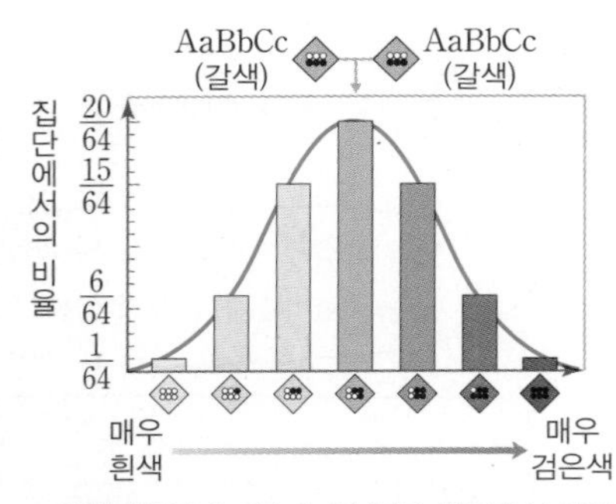

▲ 유전자형이 AaBbCc인 부모 사이에서 태어나는 자녀의 피부색 분포

답 | ❶ 1쌍 ❷ 환경

01 기출 유형

그래프는 학생들의 미맹 여부와 키의 분포를 나타낸 것이다.

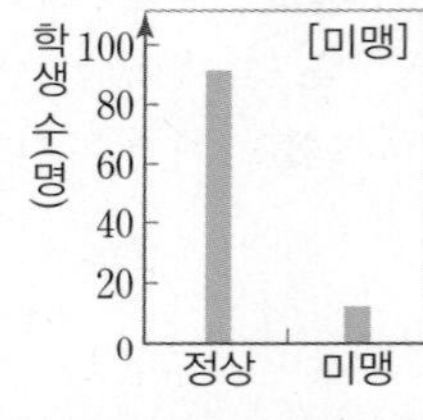

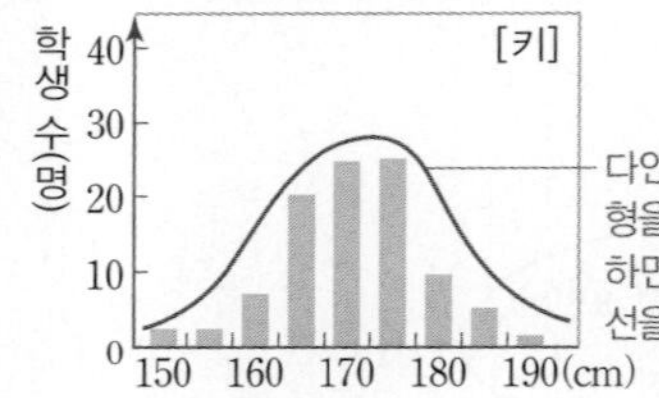

이에 대한 설명으로 옳은 것만을 〈보기〉에서 있는 대로 고른 것은?

보기

ㄱ. 미맹은 우성과 열성이 뚜렷하게 구분된다.

ㄴ. 키는 복대립 유전을 한다. – 키는 다인자 유전에 해당한다.

ㄷ. 키는 환경의 영향을 받는다. – 다인자 유전은 유전자 외에 환경의 영향도 받는다.

① ㄱ　② ㄴ　③ ㄷ

④ ㄱ, ㄷ　⑤ ㄴ, ㄷ

문제풀이 TiP 키는 여러 쌍의 유전자가 관여하는 다인자 유전이다.

01 기출 유사

그림은 어떤 형질 (가)의 표현형에 따른 개체 수를 나타낸 것이다. (가)는 서로 다른 상염색체에 존재하는 3쌍의 대립유전자에 의해 결정된다.

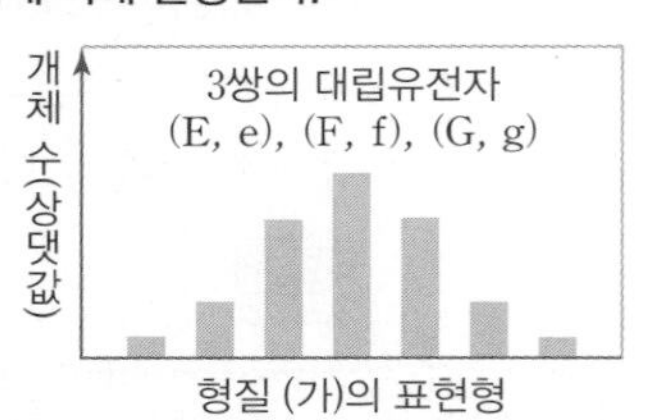

이에 대한 설명으로 옳은 것만을 〈보기〉에서 있는 대로 고른 것은?

보기

ㄱ. 대립 형질 사이의 우열 관계는 분명하다.

ㄴ. (가)는 다인자 유전 형질이다.

ㄷ. 개체의 표현형은 정규 분포 곡선을 나타낸다.

① ㄱ　② ㄴ　③ ㄱ, ㄷ

④ ㄴ, ㄷ　⑤ ㄱ, ㄴ, ㄷ

02 핵심 체크 염색체 이상 유전병

염색체 구조 이상 핵형 분석으로 확인 가능

결실	염색체 일부가 떨어져 없어진 것 예 고양이 울음 증후군
역위	염색체 일부가 끊어진 후 거꾸로 붙어 한 염색체 내에서 유전자의 위치가 뒤집힌 것
중복	염색체 일부가 복제된 후 삽입되어 특정 유전자가 반복된 것
전좌	상동 염색체가 아닌 염색체 사이에서 염색체의 일부가 교환된 것 예 만성 골수성 백혈병

수능격파 TiP 감수 1분열에서 비분리가 일어났을 때, 감수 2분열에서 비분리가 일어났을 때 생성되는 세포의 핵상을 잘 파악할 수 있어야 한다.

염색체의 수 이상 핵형 분석으로 확인 가능

① 원인: 생식세포 분열 과정에서 ❶ ( ) 가 일어나 염색체 수가 정상보다 많거나 적은 생식세포가 만들어지고, 이것이 수정하여 염색체 수에 이상이 있는 자손이 태어난다.

② 감수 1분열 비분리(상동 염색체 비분리): 핵상이 $n-1$인 세포 2개와 $n+1$인 세포 2개가 생긴다.

③ 감수 2분열 비분리(❷ ( ) 비분리): 핵상이 n인 정상 세포 2개와 $n-1$, $n+1$인 세포가 각각 1개씩 생긴다.

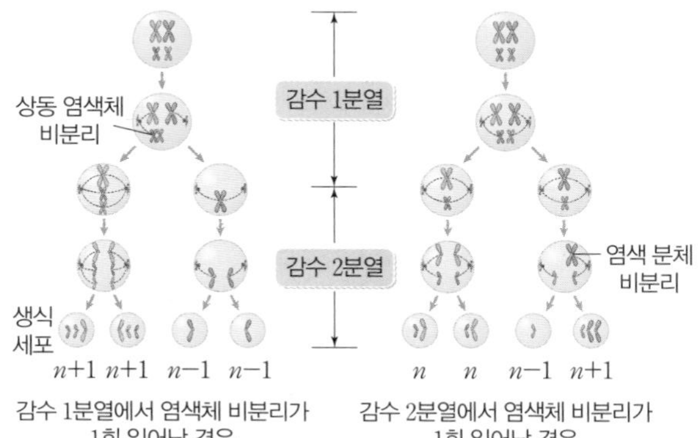

감수 1분열에서 염색체 비분리가 1회 일어난 경우

감수 2분열에서 염색체 비분리가 1회 일어난 경우

답 | ❶ 염색체 비분리 ❷ 염색 분체

02 기출 유형

| 2015년 3월 학평 15번 유사 |

그림은 어떤 사람에서 정자가 형성되는 과정과 각 정자의 핵상을 나타낸 것이다. 감수 1분열에서 성염색체의 비분리가 1회 일어났다.

이에 대한 설명으로 옳은 것만을 〈보기〉에서 있는 대로 고른 것은? (단, 제시된 염색체 비분리 이외의 돌연변이는 고려하지 않는다.)

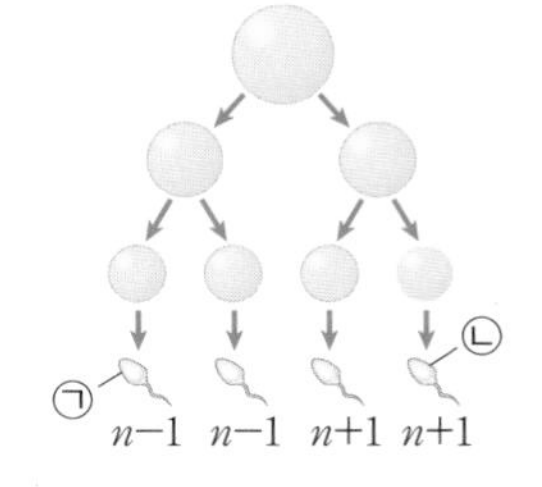

보기

ㄱ. ㉠에 Y 염색체가 있다. — 감수 1분열에서 성염색체 비분리가 일어났으므로 ㉠에는 성염색체가 없다.

ㄴ. ㉡의 상염색체는 23개이다. — 성염색체 비분리이므로 상염색체는 정상과 같은 22개이다.

ㄷ. ㉠이 정상 난자와 수정되어 태어난 아이에게 터너 증후군이 나타난다. — ㉠과 정상 난자가 수정하면 성염색체를 X 하나만 갖는다.

① ㄱ ② ㄷ ③ ㄱ, ㄴ
④ ㄴ, ㄷ ⑤ ㄱ, ㄴ, ㄷ

문제풀이 TIP 감수 1분열에서 성염색체가 비분리되면 X, Y 염색체가 없어서 핵상이 $n-1$인 세포 2개와 X, Y를 모두 가지는 $n+1$인 세포 2개가 생긴다.

02 기출 유사

그림 (가)와 (나)는 각각 핵형이 정상인 여성과 남성의 생식세포 형성 과정을 나타낸 것이다. (가)에서는 21번 염색체가, (나)에서는 성염색체가 비분리되었다.

감수 1분열 / 감수 2분열

A B ㉠

$n+1$ $n+1$ $n-1$ $n-1$ (가)

$n-1$ $n+1$ n n (나)

이에 대한 설명으로 옳지 않은 것은?

① (가)에서 상동 염색체가 비분리되었다.
② (나)에서 염색 분체가 비분리되었다.
③ A의 총염색체 수는 23이다.
④ B의 상염색체 수는 22이다.
⑤ ㉠과 정상 정자가 수정되어 태어난 아이는 다운 증후군이다.

03 핵심 체크 유전자 이상 유전병

○ 유전자 돌연변이

① 유전자 이상(유전자 돌연변이): 유전자를 구성하는 ❶ ________의 염기 서열에 변화가 생겨 유전자의 기능에 이상이 나타나는 것으로, 복제 과정에서의 자연적 오류, 발암 물질, 방사선 노출 등에 의해 발생한다. 우성과 열성으로 구분되며 멘델 법칙에 따라 유전된다. ➔ 핵형 분석으로 알아낼 수 없다.

② 유전자 이상에 의한 유전병

낫 모양 적혈구 빈혈증	헤모글로빈 유전자의 염기 하나가 바뀌어 해당 아미노산이 달라진 비정상 헤모글로빈이 생성되고, 산소 농도가 낮을 때 비정상 헤모글로빈들이 사슬 구조를 형성하여 ❷ ________가 낫 모양으로 변한다. → 악성 빈혈 유발, 정상에 대해 열성으로 유전
알비노증	멜라닌 합성 효소 유전자에 돌연변이가 생겨 멜라닌 색소를 만들지 못해 색소가 결핍되는 유전병
헌팅턴 무도병	신경계가 점진적으로 파괴되어 운동 기능 장애 및 지적 장애가 나타남. 정상에 대해 우성으로 유전
낭성 섬유증	상피 세포의 세포막에서 물질 수송을 담당하는 단백질 유전자에 돌연변이가 발생하여 점액이 과도하게 분비, 정상에 대해 열성으로 유전

수능격파 TiP
유전자 돌연변이는 핵형 분석으로 확인할 수 없음을 알고 있어야 한다.

정상 헤모글로빈 유전자의 염기 서열

글루탐산
프롤린 글루탐산
정상 헤모글로빈의 아미노산 서열

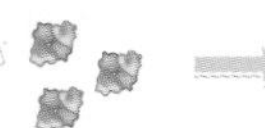

정상 헤모글로빈 정상 적혈구

돌연변이 헤모글로빈 유전자의 염기 서열

발린
프롤린 글루탐산
돌연변이 헤모글로빈의 아미노산 서열

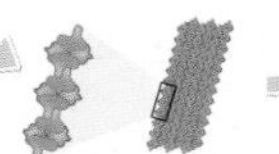

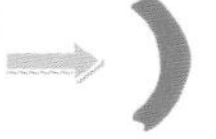

돌연변이 헤모글로빈 낫 모양 적혈구

답 | ❶ DNA ❷ 적혈구

03 기출 유형

다음은 사람의 유전병에 대한 자료이다.

- DNA 염기 서열의 변화에 의해 나타난다.
- 우성과 열성을 구분할 수 있으며 멘델 법칙에 의해 유전된다.
  — 유전자 이상 유전병을 설명하는 자료이다.

이에 대한 설명으로 옳은 것만을 〈보기〉에서 있는 대로 고른 것은?

보기

ㄱ. 이 유전병은 핵형 분석을 통해 확인할 수 있다.
— 유전자의 염기 서열 변화는 핵형 분석으로 확인할 수 없다.
ㄴ. 유전병 유전자는 정상에 대해 항상 열성으로 유전된다.
— 헌팅턴 무도병처럼 정상에 대해 우성으로 유전하는 유전병도 있다.
ㄷ. 위 자료에 해당하는 유전병으로 낫 모양 적혈구 빈혈증이 있다.
— 낫 모양 적혈구 빈혈증은 염기 서열의 변화로 나타나는 유전자 이상 유전병이다.

① ㄴ ② ㄷ ③ ㄱ, ㄷ
④ ㄴ, ㄷ ⑤ ㄱ, ㄴ, ㄷ

문제풀이 TiP DNA 염기 서열 변화에 의해 나타나는 유전병은 유전자 이상 유전병이다.

03 기출 유사

표는 사람의 유전병을 (가)와 (나)로 구분한 것이다.

(가)	(나)
다운 증후군, 클라인펠터 증후군	낫 모양 적혈구 빈혈증, 낭성 섬유증

보기

ㄱ. (가)의 유전병은 핵형 분석으로 확인할 수 있다.
ㄴ. 알비노증은 (가)와 (나) 중 (가)에 속한다.
ㄷ. (나)의 유전병이 나타나는 사람에서는 돌연변이 단백질이 만들어진다.

① ㄱ ② ㄴ ③ ㄱ, ㄷ
④ ㄴ, ㄷ ⑤ ㄱ, ㄴ, ㄷ

04 핵심 체크 생태계의 구성

① 생태계: 일정한 지역에서 군집(생물적 요인)을 이루는 각 개체군이 다른 개체군 및 비생물적 요인과 영향을 주고받으며 살아가는 체계

개체	생존에 필요한 구조적, 기능적 특징을 갖춘 독립된 생물체
개체군	일정한 지역에서 같은 종인 개체들이 모여 이룬 집단
군집	일정한 지역에 모여 생활하는 여러 개체군의 모임

② 생태계의 구성 요소: 생물적 요인과 비생물적 요인으로 구분

생물적 요인	생태계 내 역할에 따라 생산자, 소비자, 분해자로 구분
비생물적 요인	생물을 둘러싼 환경 예 빛, 온도, 물, 토양, 공기

③ 생태계 구성 요소 사이의 관계

작용	비생물적 요인이 생물적 요인에 영향을 주는 것 예 가을에 토끼가 털갈이를 한다.
반작용	생물적 요인이 비생물적 요인에 영향을 주는 것 예 식물의 광합성으로 대기의 산소 농도가 증가한다.
상호 작용	생물과 생물 사이에서 서로 영향을 주고받는 것 예 토끼의 개체 수가 증가하면 풀의 개체 수가 감소한다.

수능격파 TiP
생태계 구성 요소 사이의 관계를 잘 파악할 수 있어야 한다.

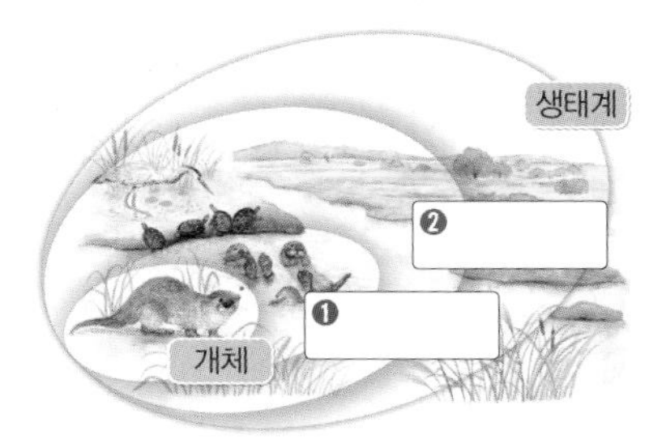

▲ 개체군, 군집, 생태계의 관계

답| ❶ 개체군 ❷ 군집

04 기출 유형

| 2019년 9월 모평 20번 유사 |

그림은 생태계를 구성하는 요소 사이의 상호 관계를 나타낸 것이다.

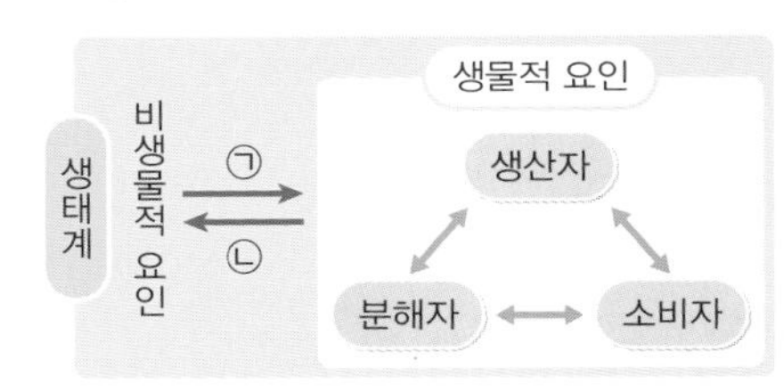

이에 대한 설명으로 옳은 것만을 〈보기〉에서 있는 대로 고른 것은?

보기
ㄱ. 생산자에는 육상 식물만 포함된다.
— 육상 식물 이외에 조류, 광합성 세균도 생산자에 포함된다.
ㄴ. 분해자에서 소비자로 유기물이 이동한다.
— 분해자는 소비자의 사체나 배설물의 유기물을 분해한다.
ㄷ. 지렁이가 토양의 통기성을 증가시키는 것은 ㉡에 해당한다.
— 생물적 요인이 비생물적 요인에 영향을 미치는 사례이다.

① ㄱ ② ㄷ ③ ㄱ, ㄴ
④ ㄴ, ㄷ ⑤ ㄱ, ㄴ, ㄷ

문제풀이 TiP ㉠은 비생물적 요인이 생물적 요인에 영향을 미치는 것을, ㉡은 생물적 요인이 비생물적 요인에 영향을 미치는 것을 나타낸다.

04 기출 유사

그림은 생태계를 구성하는 요소 사이의 상호 관계를 나타낸 것이다.

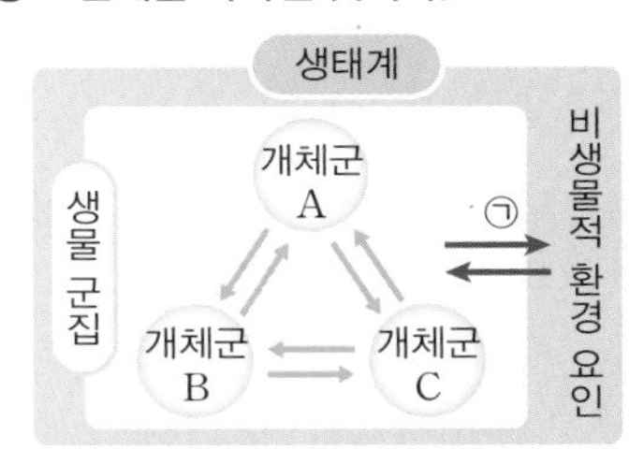

이에 대한 설명으로 옳은 것만을 〈보기〉에서 있는 대로 고른 것은?

보기
ㄱ. 개체군 A는 2종 이상의 생물로 구성된다.
ㄴ. 생물 군집을 이루는 생물은 생산자, 소비자, 분해자로 구분된다.
ㄷ. 가을이 되면 식물의 잎이 단풍이 드는 것은 ㉠에 해당한다.

① ㄱ ② ㄴ ③ ㄷ
④ ㄱ, ㄴ ⑤ ㄴ, ㄷ

기초력 집중드릴

(신유형)

01 그림은 ABO식 혈액형, 키, 혀 말기 형질의 유전을 유전 방식에 따라 분류한 것이다.

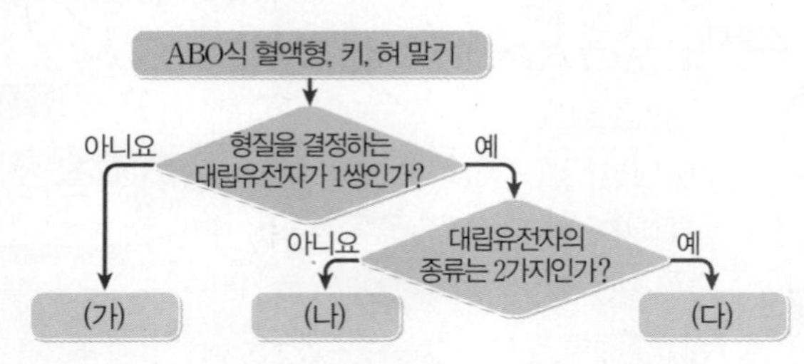

이에 대한 설명으로 옳은 것만을 〈보기〉에서 있는 대로 고른 것은?

보기
ㄱ. (가)의 대립 형질은 우열 관계가 분명하다.
ㄴ. (나)는 ABO식 혈액형이다.
ㄷ. (다)는 멘델의 법칙에 따라 유전된다.

① ㄱ ② ㄴ ③ ㄷ
④ ㄱ, ㄴ ⑤ ㄴ, ㄷ

해결 Point (가)는 키, (나)는 ABO식 혈액형, (다)는 혀 말기이다.

02 다음은 사람의 유전 형질 (가)에 대한 자료이다.

- (가)는 서로 다른 3쌍의 대립유전자 A와 a, B와 b, D와 d에 의해 결정된다.
- (가)의 표현형은 유전자형에서 대문자로 표시되는 대립유전자의 수에 의해서만 결정되며, 대문자로 표시되는 대립유전자의 수가 다르면 표현형이 다르다.

유전자형이 AaBbDd, aabbdd인 두 사람 사이에서 태어나는 자손에게 나타나는 표현형은 몇 가지인가?

① 4 ② 8 ③ 16
④ 24 ⑤ 64

해결 Point (가)는 다인자 유전을 하는 형질이다.

(신유형)

03 그림은 500명의 혈액형과 지문선의 수를 조사한 것이다.

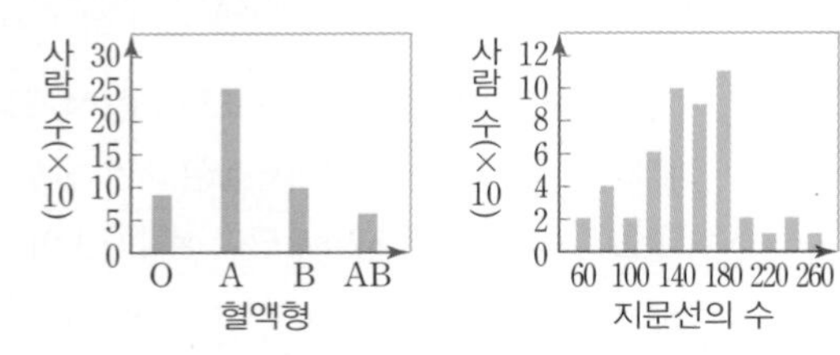

이에 대한 세 학생의 대화 중 옳은 것을 있는 대로 고른 것은?

① A ② C ③ A, B
④ B, C ⑤ A, B, C

해결 Point ABO식 혈액형 유전은 단일 인자 유전 중 복대립 유전에 해당하고 지문선의 수는 다인자 유전에 해당한다.

04 피부색의 유전에 관한 설명으로 옳은 것만을 〈보기〉에서 있는 대로 고른 것은?

보기
ㄱ. 환경의 영향을 많이 받는다.
ㄴ. 대립 형질이 뚜렷하게 구분된다.
ㄷ. 형질 발현에 1쌍의 대립유전자가 관여한다.

① ㄱ ② ㄴ ③ ㄷ
④ ㄱ, ㄴ ⑤ ㄴ, ㄷ

해결 Point 피부색은 다인자 유전 형질이다.

| 2016년 6월 모평 13번 유사 |

05 다음은 사람의 눈 색 유전에 대한 자료이다.

> (가) 눈 색을 결정하는 데 관여하는 2개의 유전자는 서로 다른 상염색체에 있으며, 2개의 유전자는 각각 대립유전자 A와 a, 대립유전자 B와 b를 갖는다.
> (나) 눈 색의 표현형은 유전자형에서 대문자로 표시되는 대립유전자의 수에 의해서만 결정되며, 대문자로 표시되는 대립유전자가 많을수록 더 짙은 색을 나타낸다.

이에 대한 설명으로 옳은 것만을 〈보기〉에서 있는 대로 고른 것은?

보기
ㄱ. A, B는 각각 a, b에 대해 우성으로 유전된다.
ㄴ. 눈 색 유전은 단일 인자 유전에 해당한다.
ㄷ. 눈 색 유전자형이 AaBb인 두 사람 사이에서 아이가 태어날 때 아이에게서 나타날 수 있는 눈 색 표현형은 5가지이다.

① ㄱ ② ㄴ ③ ㄷ
④ ㄱ, ㄴ ⑤ ㄴ, ㄷ

해결 Point 눈 색 유전은 2쌍의 대립유전자가 관여하는 다인자 유전이다.

06 그림 (가)는 어떤 동물의 정상 핵형을 가진 수컷의 세포를, (나)는 염색체 이상이 일어난 암컷의 세포를 나타낸 것이다. 단, A와 a는 대립유전자이며, 수컷의 성염색체는 XY, 암컷은 XX이다.

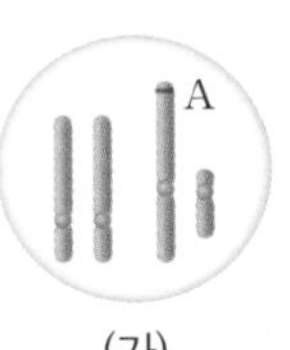

(가)

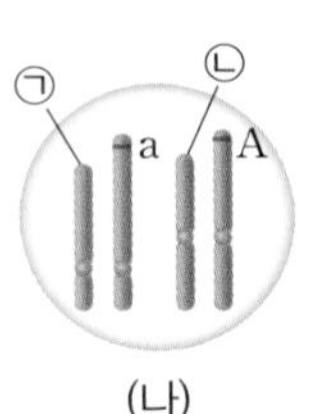

(나)

이에 대한 설명으로 옳은 것만을 〈보기〉에서 있는 대로 고른 것은?

보기
ㄱ. ㉠과 ㉡은 상동 염색체이다.
ㄴ. (나)에서 염색체 일부가 떨어져 거꾸로 붙은 염색체가 있다.
ㄷ. (나)에서 대립유전자 a는 성염색체에서 상염색체로 전좌가 일어났다.

① ㄱ ② ㄴ ③ ㄷ
④ ㄱ, ㄴ ⑤ ㄴ, ㄷ

해결 Point 상동 염색체가 아닌 다른 염색체와의 사이에서 염색체의 일부가 교환된 것을 전좌라고 한다.

| 2016년 6월 모평 7번 유사 |

07 그림은 어떤 사람의 핵형 분석 결과를 나타낸 것이다. 이에 대한 설명으로 옳은 것만을 〈보기〉에서 있는 대로 고른 것은?

보기
ㄱ. 이 사람의 상염색체 수는 45개이다.
ㄴ. 성염색체에서 비분리 현상이 일어난 생식세포의 수정으로 태어났다.
ㄷ. 터너 증후군의 염색체 이상을 보인다.

① ㄱ ② ㄴ ③ ㄱ, ㄷ
④ ㄴ, ㄷ ⑤ ㄱ, ㄴ, ㄷ

해결 Point 성염색체가 XXY이므로 클라인펠터 증후군을 나타낸다.

(신유형)

08 그림 (가)는 정자의 생성 과정을, (나)는 정상 난자와 염색체 수가 비정상인 정자가 수정되어 태어난 사람 A의 핵형을 나타낸 것이다.

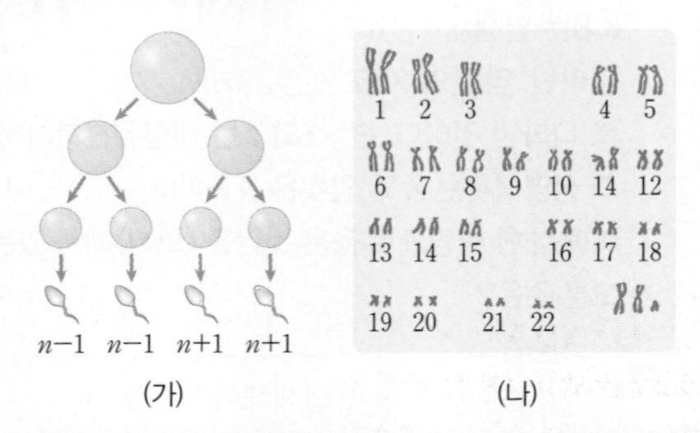

(가) (나)

이에 대한 설명으로 옳은 것만을 〈보기〉에서 있는 대로 고른 것은?

> **보기**
> ㄱ. 비정상인 정자는 감수 1분열에서 상동 염색체가 비분리되었다.
> ㄴ. A는 클라인펠터 증후군이다.
> ㄷ. A의 X 염색체 2개는 부모로부터 각각 하나씩 받았다.

① ㄱ ② ㄷ ③ ㄱ, ㄴ
④ ㄴ, ㄷ ⑤ ㄱ, ㄴ, ㄷ

해결 Point 성염색체 XY를 가진 비정상 정자가 정상 난자와 수정되었다.

| 2013년 4월 학평 15번 유사 |

09 그림은 어떤 가족의 적록 색맹 유전에 대한 가계도를 나타낸 것이다. E가 태어날 때 부모 중 한 사람의 감수 분열에서만 성염색체 비분리가 1회 일어났으며 E는 성염색체를 1개만 가진다.

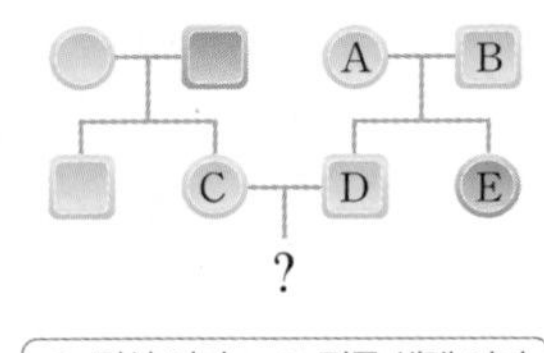

이에 대한 설명으로 옳은 것만을 〈보기〉에서 있는 대로 고른 것은?

> **보기**
> ㄱ. E는 터너 증후군이다.
> ㄴ. A의 감수 2분열 과정에서 성염색체 비분리가 일어났다.
> ㄷ. C와 D의 자녀가 적록 색맹일 확률은 $\frac{1}{4}$이다.

① ㄱ ② ㄷ ③ ㄱ, ㄷ
④ ㄴ, ㄷ ⑤ ㄱ, ㄴ, ㄷ

해결 Point E가 적록 색맹인데 B가 정상이므로 E는 A로부터 적록 색맹 대립유전자를 전달받았다.

10 그림은 염색체 구조 이상에 대한 세 학생의 대화 내용이다.

제시한 내용이 옳은 학생만을 있는 대로 고른 것은?

① A ② C ③ A, B
④ B, C ⑤ A, B, C

해결 Point 염색체 구조 이상에는 결실, 중복, 역위, 전좌가 있다.

| 2014년 9월 모평 15번 유사 |

11 그림은 어떤 사람에게서 감수 분열을 통해 정자가 형성되는 과정을 나타낸 것이다. ㉠은 X 염색체가 1개, ㉡은 X 염색체가 없다.

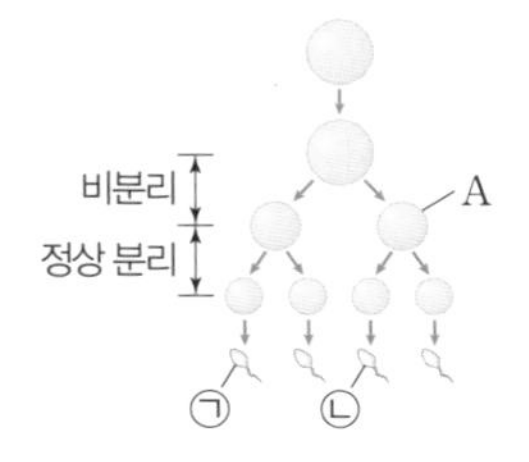

이에 대한 설명으로 옳은 것만을 〈보기〉에서 있는 대로 고른 것은? (단, 성염색체에서만 비분리가 1회 일어났다.)

보기
ㄱ. A의 상염색체 수는 22개이다.
ㄴ. ㉠과 정상 난자가 수정되어 태어난 아이는 클라인펠터 증후군을 나타낸다.
ㄷ. ㉡과 정상 난자가 수정되어 태어난 아이는 터너 증후군을 나타낸다.

① ㄱ ② ㄴ ③ ㄱ, ㄷ
④ ㄴ, ㄷ ⑤ ㄱ, ㄴ, ㄷ

해결 Point A는 성염색체가 없고 상염색체만 22개 가진다.

12 그림은 3종류의 유전병을 유전병의 원인에 따라 분류한 것이다.

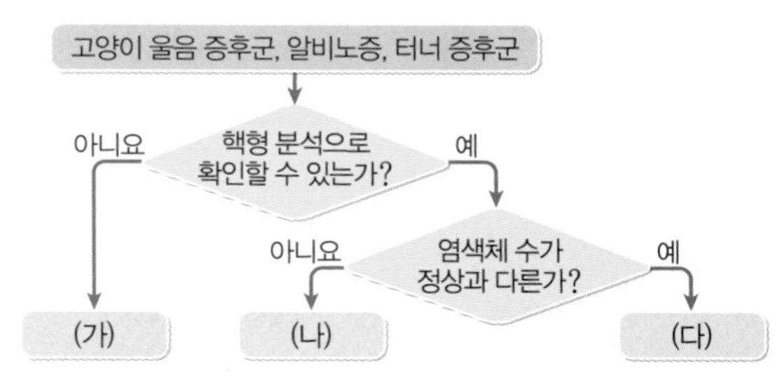

이에 대한 설명으로 옳은 것만을 〈보기〉에서 있는 대로 고른 것은?

보기
ㄱ. (가)는 DNA 염기 서열의 변화에 의해 나타난다.
ㄴ. (나)는 염색체 구조 이상에 의해 나타난다.
ㄷ. (다)는 성염색체 수가 정상보다 하나 많다.

① ㄱ ② ㄷ ③ ㄱ, ㄴ
④ ㄱ, ㄷ ⑤ ㄴ, ㄷ

해결 Point 유전자 이상에 의한 유전병은 핵형 분석으로 확인할 수 없다.

신유형

13 정상 적혈구가 낫 모양 적혈구로 변형되는 원인에 대한 설명으로 옳은 것만을 〈보기〉에서 있는 대로 고른 것은?

보기
ㄱ. 감수 분열 중 염색체 비분리 현상에 의해 나타난다.
ㄴ. 아미노산 서열이 다른 돌연변이 헤모글로빈이 형성된다.
ㄷ. 산소의 농도가 낮을 때 돌연변이 헤모글로빈은 비정상적으로 길게 결합된다.

① ㄱ ② ㄷ ③ ㄱ, ㄴ
④ ㄴ, ㄷ ⑤ ㄱ, ㄴ, ㄷ

해결 Point 낫 모양 적혈구 빈혈증은 유전자 이상 유전병이다.

14 그림 (가)는 정상인의, (나)는 낫 모양 적혈구 빈혈증 환자의 헤모글로빈 단백질의 아미노산 서열 일부와 적혈구를 나타낸 것이다.

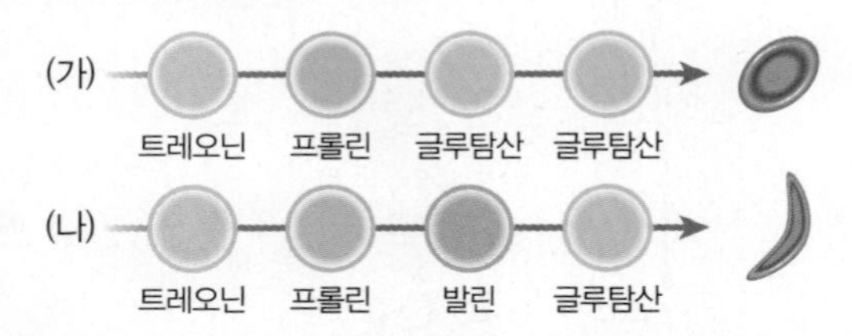

이에 대한 설명으로 옳은 것만을 〈보기〉에서 있는 대로 고른 것은?

보기
ㄱ. 낫 모양 적혈구 빈혈증 환자의 핵형은 정상인과 같다.
ㄴ. 낫 모양 적혈구를 구성하는 비정상 헤모글로빈의 아미노산 수는 정상 헤모글로빈과 다르다.
ㄷ. 정상인과 낫 모양 적혈구 빈혈증 환자의 아미노산 서열 차이는 DNA 서열 변화 때문이다.

① ㄱ ② ㄷ ③ ㄱ, ㄷ
④ ㄴ, ㄷ ⑤ ㄱ, ㄴ, ㄷ

해결 Point 유전자 돌연변이는 DNA의 염기 서열 변화에 의해 나타난다.

신유형

15 다음은 다운 증후군, 터너 증후군, 낫 모양 적혈구 빈혈증을 특징에 따라 구분한 결과이다.

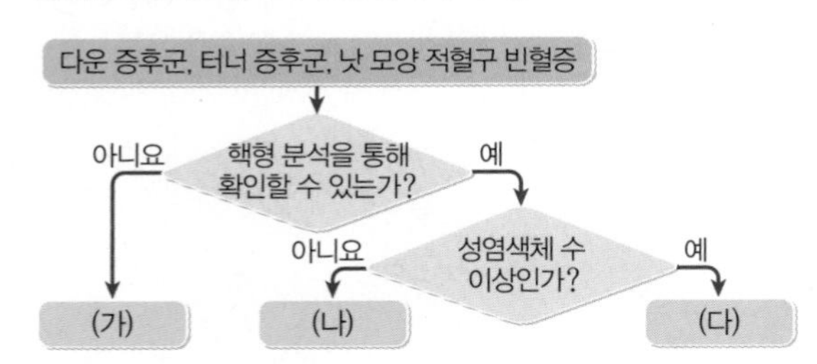

이에 대한 설명으로 옳은 것만을 〈보기〉에서 있는 대로 고른 것은?

보기
ㄱ. (가)의 염색체 수는 정상이다.
ㄴ. (나)는 다운 증후군이다.
ㄷ. (다)의 성별은 남성이다.

① ㄱ ② ㄴ ③ ㄷ
④ ㄱ, ㄴ ⑤ ㄴ, ㄷ

해결 Point 낫 모양 적혈구 빈혈증은 유전자 염기 서열의 변화로 나타나므로 핵형 분석으로 확인할 수 없다.

신유형

16 그림은 생태계 구성 요소 사이의 상호 관계와 물질 이동의 일부를 나타낸 것이다. 이에 대한 설명으로 옳은 것만을 〈보기〉에서 있는 대로 고른 것은? (단, A와 B는 각각 생산자와 소비자 중 하나이다.)

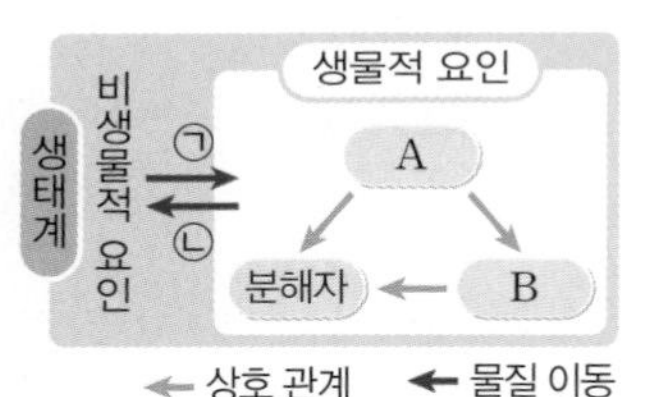

보기
ㄱ. 소나무는 A에 속한다.
ㄴ. A → B로 유기물이 전달된다.
ㄷ. 가뭄으로 벼 수확량이 감소하는 것은 ㉠에 해당한다.

① ㄱ ② ㄴ ③ ㄱ, ㄷ
④ ㄴ, ㄷ ⑤ ㄱ, ㄴ, ㄷ

해결 Point A는 생산자, B는 소비자이다.

| 2016년 수능 5번 유사 |

17 그림은 생태계를 구성하는 요소 사이의 상호 관계를 나타낸 것이다.

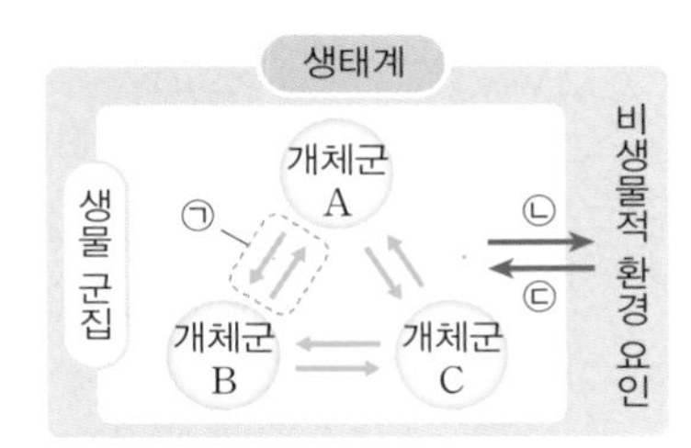

이에 대한 설명으로 옳은 것만을 〈보기〉에서 있는 대로 고른 것은?

보기
ㄱ. 개체군 A는 하나의 종으로 구성된다.
ㄴ. ㉠에는 포식과 피식이 있다.
ㄷ. 숲의 층상 구조가 발달할수록 지표면에 도달하는 빛의 양이 줄어드는 현상은 ㉡에 해당한다.

① ㄱ ② ㄴ ③ ㄱ, ㄷ
④ ㄴ, ㄷ ⑤ ㄱ, ㄴ, ㄷ

해결 Point ㉠은 개체군 간의 상호 작용이다.

18 다음은 생태계의 구성 요소에 대한 학생 A, B, C의 대화 내용이다.

제시한 내용이 옳은 학생만을 있는 대로 고른 것은?

① A ② C ③ A, B
④ B, C ⑤ A, B, C

해결 Point 생태계는 군집과 같은 생물적 요인과 비생물적 요인을 모두 포함하는 체계이다.

19 생태계 구성 요소 사이의 상호 관계에 대한 설명으로 옳은 것만을 〈보기〉에서 있는 대로 고른 것은?

보기
ㄱ. 생물 군집은 생산자, 소비자, 분해자로 구분된다.
ㄴ. 비생물적 요인은 생태계 구성 요소에 포함되지 않는다.
ㄷ. 한 지역에 살고 있는 소나무와 잣나무는 하나의 개체군에 속한다.

① ㄱ ② ㄷ ③ ㄱ, ㄴ
④ ㄱ, ㄷ ⑤ ㄱ, ㄴ, ㄷ

해결 Point 개체군은 하나의 종으로 구성된다.

| 2019년 9월 모평 20번 유사 |

20 그림은 생태계를 구성하는 요소 사이의 상호 관계를 나타낸 것이다. 이에 대한 설명으로 옳은 것만을 〈보기〉에서 있는 대로 고른 것은?

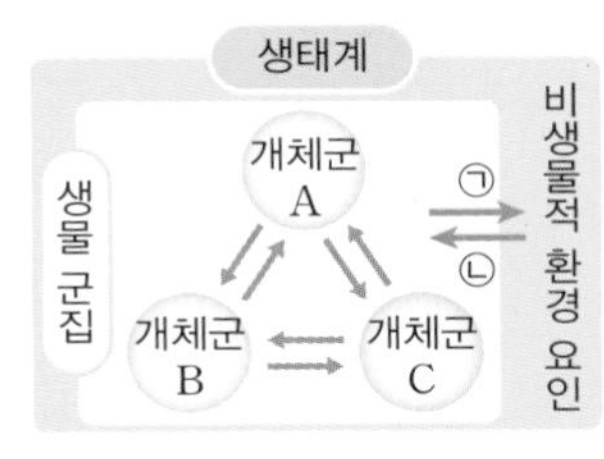

보기
ㄱ. 토양 속 질소 고정 세균은 비생물적 요인에 속한다.
ㄴ. 콩과식물과 뿌리혹박테리아의 상호 작용은 ㉠에 해당한다.
ㄷ. 위도에 따라 식물 군집의 분포가 달라지는 것은 ㉡에 해당한다.

① ㄴ ② ㄷ ③ ㄱ, ㄴ
④ ㄴ, ㄷ ⑤ ㄱ, ㄴ, ㄷ

해결 Point 토양 속 질소 고정 세균은 생물적 요인에 속하며 분해자에 해당한다.

07 일차

개체군과 군집, 생물 다양성

오늘 공부할 내용 미리보기

개념 01 개체군

개념 02 군집

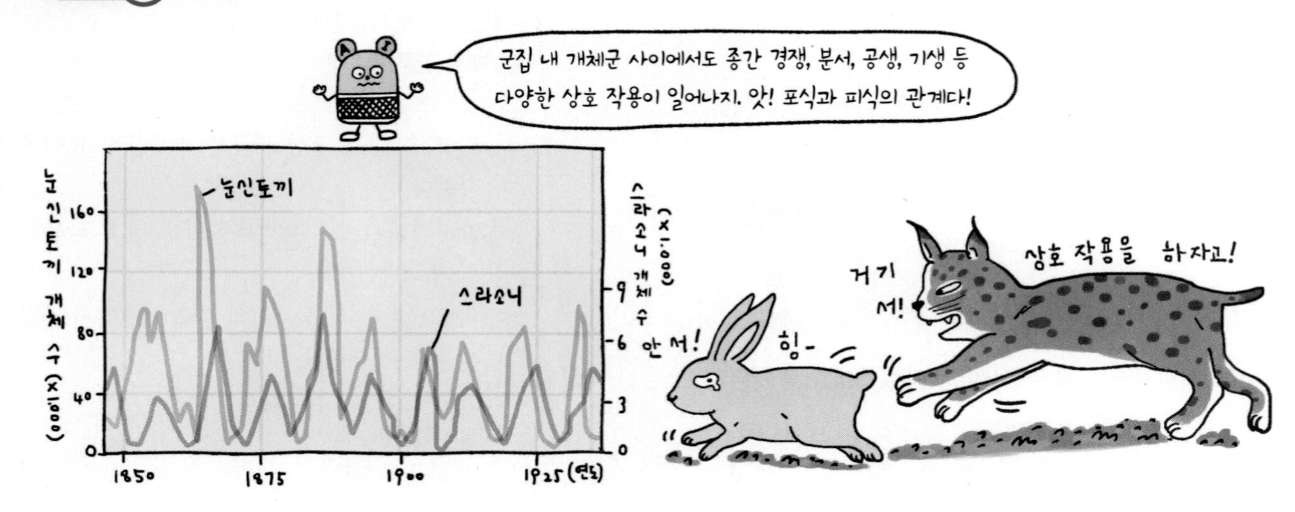

공부할 내용

01 개체군
02 군집
03 에너지 흐름과 물질 순환
04 생물 다양성

개념 03 에너지 흐름과 물질 순환

개념 04 생물 다양성

01 핵심 체크 개체군

개체군의 특성

① 밀도: $\dfrac{\text{개체군을 구성하는 개체 수}}{\text{개체군이 서식하는 공간의 면적}}$

② 개체군의 생장 곡선

이론적 생장 곡선	이상적인 환경에서는 개체 수가 기하급수적으로 늘어나 J자형 생장 곡선을 나타낸다.
실제 생장 곡선	개체 수가 증가하다가 환경 저항에 의해 생장 속도가 느려져 일정하게 유지되는 ❶ [ ] 생장 곡선이 나타난다. → 주어진 환경 조건에서 서식할 수 있는 개체군의 최대 크기를 환경 수용력이라고 한다.

③ 생존 곡선: 종에 따라 연령별 사망률이 다르게 나타난다.

④ 개체군의 주기적 변동: 계절에 따른 단기적 변동(예 돌말 개체군의 계절적 변동)과 수 년~수십 년을 주기로 한 장기적 변동(예 포식과 피식에 의한 변동)으로 구분

개체군 내 상호 작용

개체군 내에서 ❷ [ ]을 피하고 질서를 유지하기 위해 순위제, 리더제, 사회생활, 가족생활 등의 상호 작용이 일어난다.

수능격파 TiP
이론적 생장 곡선에서 개체 수가 증가할수록 환경 저항이 크다는 것, 개체군 내의 상호 작용과 특징을 잘 기억해 두어야 한다.

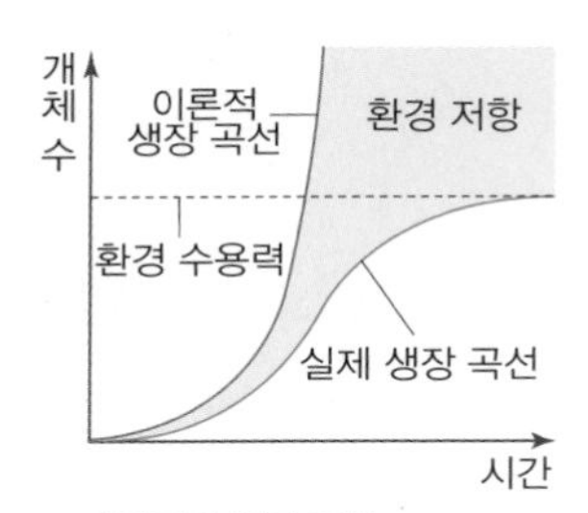

▲ 개체군의 생장 곡선

답 | ❶ S자형 ❷ 경쟁

01 기출 유형

| 2016년 수능 18번 유사 |

그림의 A, B는 각각 어떤 개체군의 이론적인 생장 곡선과 실제 생장 곡선 중 하나를 나타낸 것이다. 이에 대한 설명으로 옳은 것만을 〈보기〉에서 있는 대로 고른 것은? (단, 이 개체군에서 이입과 이출은 없다.)

이론적 생장 곡선 / 개체 수 / Ⅰ / A / Ⅱ / B / 실제 생장 곡선 / 시간

보기
ㄱ. A는 이론적인 생장 곡선이다.
ㄴ. B의 생장 곡선은 S자형을 이룬다. — 실제 생장 곡선은 S자형이다.
ㄷ. B에서 환경 저항은 Ⅰ에서가 Ⅱ에서보다 크다. — 환경 저항이 클수록 생장률이 낮아진다.

① ㄱ ② ㄴ ③ ㄷ
④ ㄱ, ㄴ ⑤ ㄴ, ㄷ

문제풀이 TiP A는 이론적 생장 곡선, B는 실제 생장 곡선이다.

01 기출 유사

그래프는 어떤 개체군의 생장 곡선을 나타낸 것이다.

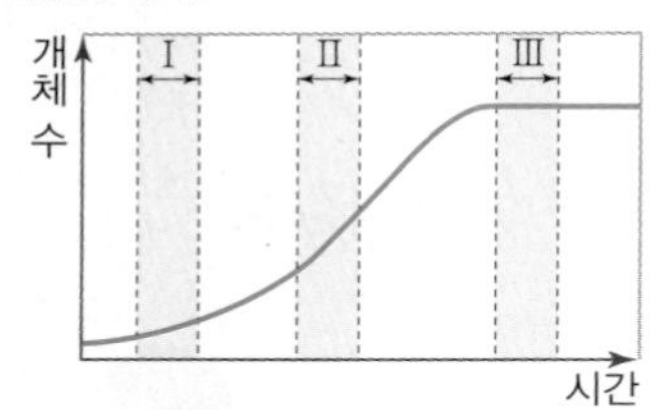

이에 대한 설명으로 옳은 것만을 〈보기〉에서 있는 대로 고른 것은? (단, 이입과 이출은 고려하지 않는다.)

보기
ㄱ. Ⅰ에서 개체군의 밀도가 가장 크다.
ㄴ. Ⅱ에서 환경 저항이 최대가 된다.
ㄷ. Ⅲ에서 사망률과 출생률은 같다.

① ㄱ ② ㄷ ③ ㄱ, ㄴ
④ ㄴ, ㄷ ⑤ ㄱ, ㄴ, ㄷ

02 핵심 체크 군집

군집의 구성

군집을 이루는 개체군은 역할에 따라 생산자, 소비자, 분해자로 구분하며, 개체군 사이의 먹고 먹히는 관계는 ❶ [　　　] 로 표현할 수 있고, 먹이 사슬이 복잡하게 얽혀 먹이 그물을 형성한다.

식물 군집의 구조 조사

방형구법 이용 → 중요치가 가장 높은 종이 그 군집을 대표하는 ❷ [　　　] 이다.

군집 내 개체군의 상호 작용

종간 경쟁	생태적 지위가 유사한 두 개체군 사이에서 경쟁이 일어나며 이때 경쟁에서 진 개체군은 사라진다. → 경쟁·배타 원리 작용
분서	경쟁을 피하기 위해 서식 공간, 먹이 등을 달리하는 것
포식과 피식	두 개체군 사이의 먹고 먹히는 관계
공생	두 개체군이 밀접하게 관계를 맺고 함께 살아가는 것 • 상리 공생: 두 종이 서로 이익을 얻는 것 • 편리 공생: 한 종은 이익을 얻지만, 다른 한 종은 영향을 받지 않는 것
기생	한 개체군이 다른 개체군에 피해를 주면서 생활하는 것

수능격파 TiP
상대 밀도, 상대 빈도, 상대 피도 등의 개념과 군집 내 상호 작용의 개념을 잘 파악하고 있어야 한다. 특히 군집 내 개체군의 상호 작용과 개체군 내 상호 작용을 구분할 수 있어야 한다.

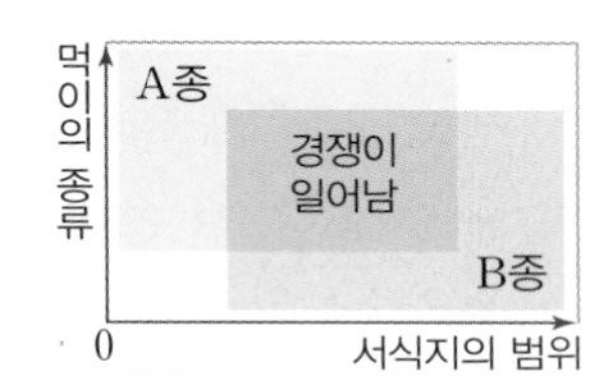

▲ 생태적 지위와 종간 경쟁

답 | ❶ 먹이 사슬 ❷ 우점종

02 기출 유형

| 2017년 수능 9번 유사 |

그림 (가)는 짚신벌레 A종을 단독으로 배양했을 때, (나)는 짚신벌레 A종과 B종을 혼합 배양했을 때 시간에 따른 개체 수를 나타낸 것이다.

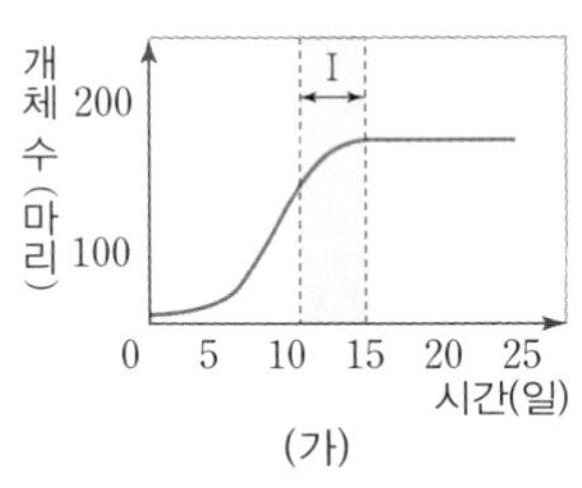

(가)

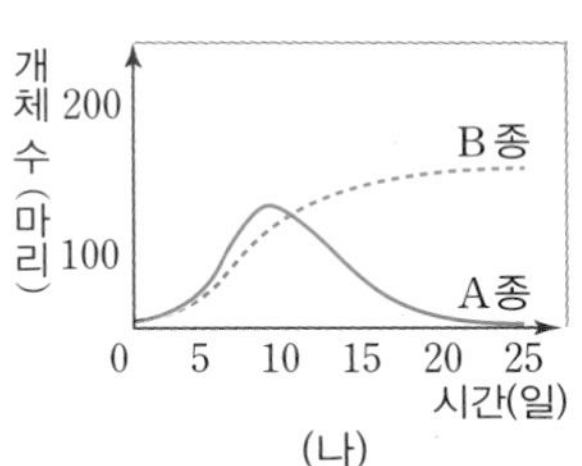

(나)

이에 대한 설명으로 옳은 것만을 〈보기〉에서 있는 대로 고른 것은?

보기

~~ㄱ~~. A와 B는 상리 공생 관계이다. ─ 상리 공생은 서로 이익을 얻는 관계이다.

(ㄴ). (가)의 구간 Ⅰ에서 A종은 환경 저항의 영향을 받았다. ─ 환경 저항을 받으면 개체 수의 증가율이 감소한다.

~~ㄷ~~. (가)는 A종의 ~~이론적~~ (실제) 생장 곡선을 나타낸 것이다.

① ㄴ ② ㄷ ③ ㄱ, ㄴ
④ ㄴ, ㄷ ⑤ ㄱ, ㄴ, ㄷ

문제풀이 TiP (나)에서 A종이 사라진 것으로 보아 경쟁·배타 원리가 적용되었다.

02 기출 유사

그림 (가)는 어떤 생태계 내 일부 요소들 간의 관계를, (나)는 종 ⓐ와 종 ⓑ를 단독 배양과 혼합 배양했을 때 시간에 따른 개체 수를 나타낸 것이다.

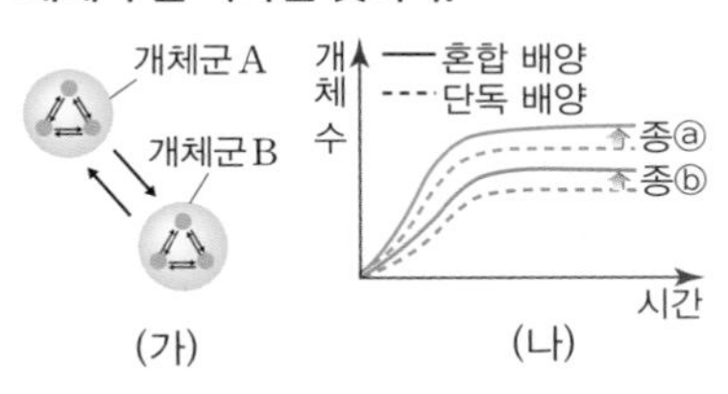

(가) (나)

이에 대한 설명으로 옳은 것만을 〈보기〉에서 있는 대로 고른 것은?

보기

ㄱ. 개체군 A는 한 종으로만 구성된다.

ㄴ. (가)의 개체군 간 상호 작용에는 포식과 피식이 포함된다.

ㄷ. (나)에서 ⓐ, ⓑ 사이에 종간 경쟁이 일어났다.

① ㄱ ② ㄴ ③ ㄷ
④ ㄱ, ㄴ ⑤ ㄴ, ㄷ

03 핵심 체크 에너지 흐름과 물질 순환

군집의 천이

① 1차 천이: 토양이 없는 불모지에서 시작되는 천이로, 건성 천이와 습성 천이가 있다.

[건성 천이] 맨땅 → ❶ ☐ → 초원 → 관목림 → 양수림 → 혼합림 → 음수림(극상)

② 2차 천이: 산사태, 벌목 등에 의해 군집이 파괴된 후 남아 있던 토양에서 시작하는 천이로, 1차 천이보다 빠르게 진행되며, 개척자는 초본이다.

에너지의 흐름과 에너지 효율

① 생태계에서 에너지는 순환하지 않고 한 방향으로만 흐른다. → 태양의 빛에너지는 생산자에 의해 유기물의 ❷ ☐ 로 전환되어 먹이 사슬을 따라 이동한다.

② 에너지 효율: 한 영양 단계에서 다음 영양 단계로 이동하는 에너지의 비율로, 일반적으로 상위 영양 단계로 갈수록 증가하는 경향이 있다.

물질 순환

유기물을 구성하는 주요 원소인 탄소와 질소는 비생물적 요인과 생물적 요인 사이를 순환한다.

수능격파 TiP

천이 과정, 에너지 효율, 물질 생산과 소비, 탄소와 질소의 순환 과정 등을 잘 알아두어야 한다.

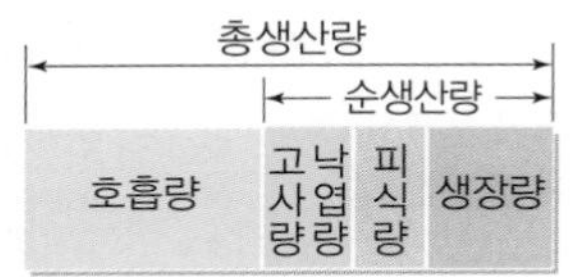

- 총생산량 = 호흡량 + 순생산량
- 순생산량 = 총생산량 − 호흡량
- 호흡량 = 총생산량 − 순생산량

▲ 식물 군집의 물질 생산과 소비

답 | ❶ 지의류 ❷ 화학 에너지

03 기출 유형

| 2017년 수능 20번 유사 |

그림은 어떤 생태계에서 영양 단계의 생체량(생물량)과 에너지양을 상댓값으로 나타낸 생태 피라미드이다.

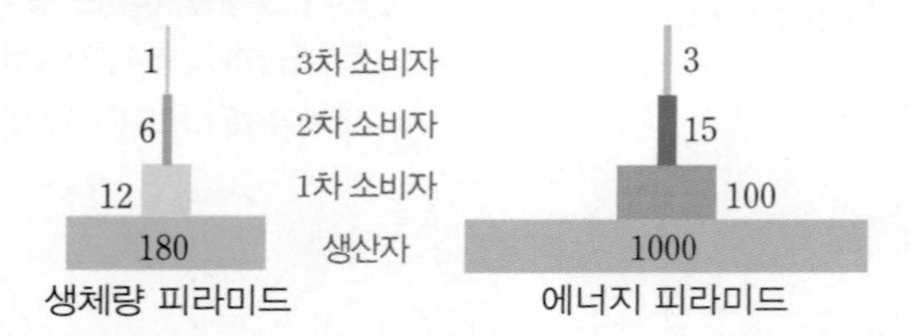

이에 대한 설명으로 옳은 것만을 〈보기〉에서 있는 대로 고른 것은?

보기

ㄱ. 생체량은 생산자가 가장 많다. − 생체량 피라미드의 가장 하단이 생산자의 생체량이다.

ㄴ. 2차 소비자의 에너지 효율은 15 %이다. − $\frac{15}{100} \times 100 = 15(\%)$

ㄷ. 상위 영양 단계로 갈수록 에너지 효율은 감소한다. − 에너지 효율은 상위 영양 단계로 갈수록 증가하는 경향이 있다.

① ㄱ ② ㄷ ③ ㄱ, ㄴ
④ ㄴ, ㄷ ⑤ ㄱ, ㄴ, ㄷ

문제풀이 TIP 에너지 효율 값은 에너지 피라미드에서 구한다.

03 기출 유사

그림은 어떤 생태계에서 A~D의 에너지양을 상댓값으로 나타낸 생태 피라미드이다.

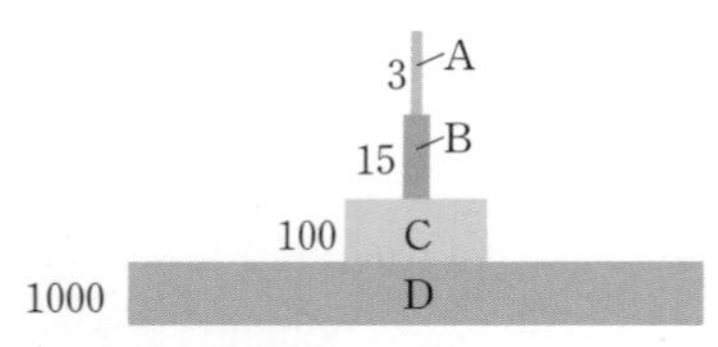

이에 대한 설명으로 옳은 것만을 〈보기〉에서 있는 대로 고른 것은?

보기

ㄱ. C는 2차 소비자이다.

ㄴ. C의 에너지 효율은 A의 2배이다.

ㄷ. 상위 영양 단계로 갈수록 에너지양은 감소한다.

① ㄱ ② ㄴ ③ ㄷ
④ ㄱ, ㄴ ⑤ ㄴ, ㄷ

04 핵심 체크 생물 다양성

○ 생물 다양성

① 유전적 다양성: 같은 종의 개체들이 유전자의 ❶ [   ]로 인해 다양한 형질이 나타나는 것을 의미 ➜ 다양한 대립유전자가 있으면 유전적 다양성이 높으며, 유전적 다양성이 높을수록 급격한 환경 변화나 질병 발생 시 멸종 가능성이 낮아진다.

② 종 다양성: 한 생태계 내의 생물종의 다양한 정도를 의미 ➜ 종 수가 많을수록, 종의 비율이 ❷ [   ]할수록 종 다양성은 높으며, 종 다양성이 높은 생태계는 생태계의 평형이 쉽게 깨지지 않는다.

③ 생태계 다양성: 사막, 초원, 삼림, 습지, 호수, 바다 등 생태계의 다양한 정도를 의미하며, 생물과 환경 사이의 관계에 대한 다양성을 포함한다. ➜ 생태계 다양성이 높을수록 종 다양성과 유전적 다양성이 높아진다.

○ 생물 다양성의 중요성

- 생태계 안정성 유지와 생물 자원: 생물 다양성은 생태계의 기능 및 안정성 유지에 중요하며, 다양한 생물 자원으로 활용할 수 있으므로 중요하다.

수능격파 TiP

유전적 다양성과 종 다양성, 생태계 다양성의 개념을 명확하게 알고 있어야 한다.

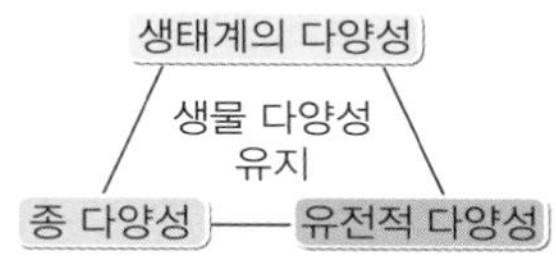

▲ 생물 다양성의 상관 관계

답 | ❶ 변이 ❷ 균등

04 기출 유형

| 2014년 6월 모평 18번 유사 |

그림은 생물 다양성의 3가지 의미를 나타낸 것이다.

유전적 다양성 / 종 다양성 / 생태계 다양성

└ 유전적 다양성은 같은 종의 개체 사이의 유전자 변이에 의해 나타난다.

이에 대한 설명으로 옳은 것만을 〈보기〉에서 있는 대로 고른 것은?

보기

ㄱ. 달팽이의 껍데기 무늬가 다양한 것은 유전적 다양성에 해당한다.

ㄴ. 종 다양성은 동물과 식물 종만 포함한다. ─ 동물, 식물 외에 지구상에 존재하는 모든 생물을 포함한다.

ㄷ. 강수량, 기온, 토양 등에 의해 다양하게 생태계가 형성될 때 생태계 다양성은 높다. ─ 사막, 초원, 삼림, 강, 습지 등의 생태계가 존재한다.

① ㄱ ② ㄴ ③ ㄱ, ㄷ
④ ㄴ, ㄷ ⑤ ㄱ, ㄴ, ㄷ

문제풀이 TiP 종 다양성은 한 지역에서 종의 다양한 정도를 의미하는 것으로, 지구 상에 존재하는 모든 생물종을 포함한다.

04 기출 유사

그림은 생물 다양성의 3가지 의미 중 2가지를 나타낸 것이다.

유전적 다양성 / 종 다양성

이에 대한 설명으로 옳은 것만을 〈보기〉에서 있는 대로 고른 것은?

보기

ㄱ. 한 생태계 내에 존재하는 생물종 수가 많으면 종 다양성이 높다.

ㄴ. 얼룩말의 무늬가 다양한 것은 종 다양성에 해당한다.

ㄷ. 유전적 다양성은 동물에서만 나타난다.

① ㄱ ② ㄴ ③ ㄷ
④ ㄱ, ㄴ ⑤ ㄴ, ㄷ

기초력 집중드릴

01 그림은 어느 개체군의 이론적 생장 곡선(A)과 실제 생장 곡선(B)을 나타낸 것이다.

이에 대한 설명으로 옳은 것만을 〈보기〉에서 있는 대로 고른 것은?

보기

ㄱ. B와 같이 나타나는 것은 환경 저항 때문이다.
ㄴ. B에서 환경 저항은 Ⅰ보다 Ⅱ에서 더 크다.
ㄷ. B에서 생장률은 Ⅰ보다 Ⅲ에서 더 크다.

① ㄱ ② ㄷ ③ ㄱ, ㄴ
④ ㄴ, ㄷ ⑤ ㄱ, ㄴ, ㄷ

해결 Point 단위 시간 당 개체 수 증가율이 높을 때 개체군 생장률이 높다.

| 2019년 수능 14번 유사 |

02 그림은 생태계를 구성하는 요소 사이의 상호 관계를 나타낸 것이다.

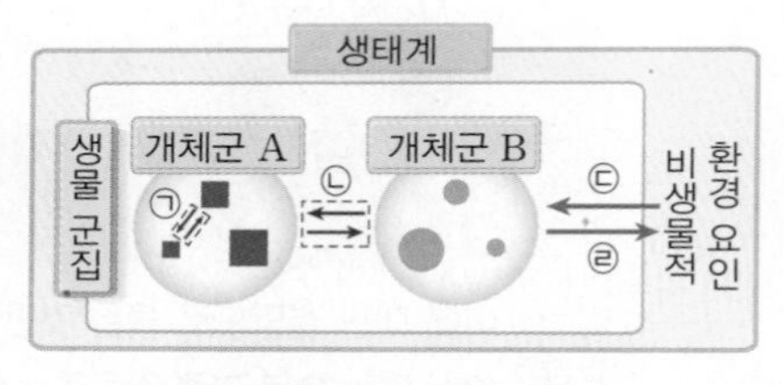

이에 대한 설명으로 옳은 것만을 〈보기〉에서 있는 대로 고른 것은?

보기

ㄱ. ㉠에는 텃세가 포함된다.
ㄴ. 공생은 ㉡에 포함된다.
ㄷ. 연속적인 암기의 길이에 따라 개화가 결정되는 것은 ㉢에 해당한다.

① ㄱ ② ㄷ ③ ㄱ, ㄴ
④ ㄴ, ㄷ ⑤ ㄱ, ㄴ, ㄷ

해결 Point ㉠은 개체군 내 개체 간의 상호 작용, ㉡은 군집 내 개체군 간의 상호 작용이다.

03 그림은 세 동물 A, B, C의 상대 수명에 따른 생존 개체 수를 나타낸 것이다.

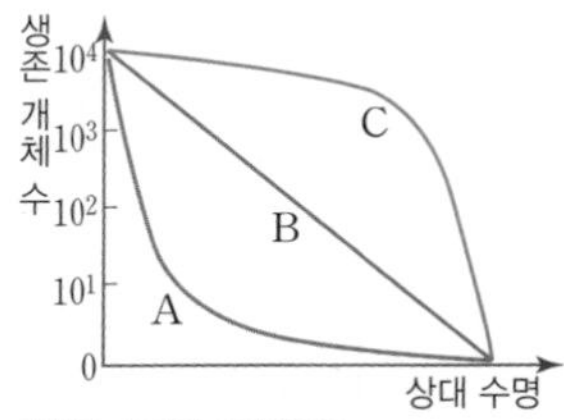

이에 대한 설명으로 옳은 것만을 〈보기〉에서 있는 대로 고른 것은?

보기

ㄱ. A는 어릴 때 부모의 보호를 받는다.
ㄴ. B는 연령대가 증가할수록 사망률이 감소한다.
ㄷ. 한 개체가 만드는 자손의 수는 C보다 A가 더 많다.

① ㄴ ② ㄷ ③ ㄱ, ㄷ
④ ㄴ, ㄷ ⑤ ㄱ, ㄴ, ㄷ

해결 Point A는 자손 수가 많고 어린 시기 사망률이 높다. C는 자손 수가 적고 어린 시기 사망률이 낮다.

04 그림은 3종의 새가 한 나무에서 활동하는 공간을 나타낸 것이다.

이에 대한 설명으로 옳은 것만을 〈보기〉에서 있는 대로 고른 것은?

보기

ㄱ. 개체군 간의 상호 작용이다.
ㄴ. 2종의 새는 눈신토끼와 스라소니의 관계와 같다.
ㄷ. 과도한 경쟁을 줄이기 위해 나타나는 상호 작용이다.

① ㄱ ② ㄷ ③ ㄱ, ㄷ
④ ㄴ, ㄷ ⑤ ㄱ, ㄴ, ㄷ

해결 Point 군집 내 개체군 간에 일어나는 상호 작용이다.

05 그림은 생물 간의 상호 작용 4가지를 분류하는 과정을 나타낸 것이다.

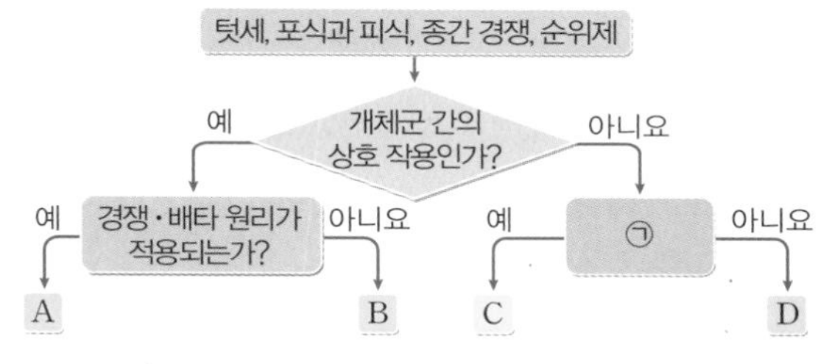

이에 대한 설명으로 옳지 <u>않은</u> 것은?

① A는 종간 경쟁이다.
② A의 결과 한 종이 사라질 수 있다.
③ B는 텃세이다.
④ B의 관계에 의해 개체군의 개체 수는 오랜 기간에 걸쳐 주기적으로 변동한다.
⑤ '힘의 강약에 의해 서열이 정해지는가?'는 ㉠에 해당한다.

해결 Point 종간 경쟁, 포식과 피식은 개체군 간 상호 작용이고, 텃세와 순위제는 개체군 내 상호 작용이다.

06 표 (가)는 종 사이의 상호 작용을 나타낸 것이고, (나)는 바다에 서식하는 산호와 조류 간의 상호 작용에 대한 자료이다. Ⅰ과 Ⅱ는 종간 경쟁과 상리 공생을 순서 없이 나타낸 것이다.

상호 작용	종 1	종 2
Ⅰ	이익	ⓐ
Ⅱ	ⓑ	손해

(가)

산호와 함께 사는 조류는 산호에게 산소와 먹이를 공급하고, 산호는 조류에게 서식지와 영양소를 제공한다.

(나)

이에 대한 설명으로 옳은 것은?

① ⓐ는 손해이다.
② ⓑ는 이익이다.
③ Ⅱ는 종간 경쟁이다.
④ (나)의 상호 작용은 Ⅱ에 해당한다.
⑤ (나)에는 경쟁·배타 원리가 작용한다.

해결 Point 경쟁은 서로 손해이고, 상리 공생은 서로 이익이다.

| 2020년 10월 학평 17번 유사 |

07 그림 (가)~(다)는 동물 종 A와 B의 시간에 따른 개체 수를 나타낸 것이다. (가)는 고온 다습한 환경에서 단독 배양한 결과이고, (나)는 (가)와 같은 환경에서 혼합 배양한 결과이며, (다)는 저온 건조한 환경에서 혼합 배양한 결과이다.

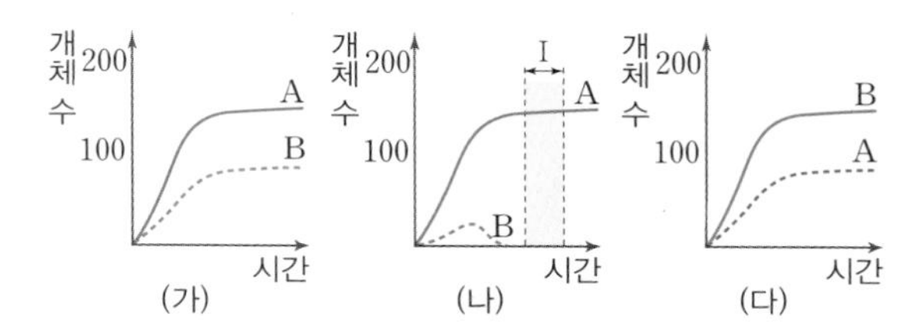

이에 대한 설명으로 옳은 것만을 〈보기〉에서 있는 대로 고른 것은?

보기
ㄱ. 구간 Ⅰ에서 A는 환경 저항을 받지 않는다.
ㄴ. (나)에서 A와 B 사이에 경쟁·배타 원리가 작용하였다.
ㄷ. B에 대한 환경 수용력은 (다)에서가 (가)에서보다 크다.

① ㄱ ② ㄴ ③ ㄷ
④ ㄱ, ㄴ ⑤ ㄴ, ㄷ

해결 Point 환경 저항을 받으면 개체 수의 증가율이 낮아진다. 구간 Ⅰ에서 A의 생장률은 0이다.

08 다음은 생물 사이의 상호 작용에 대한 자료이다.

(가) 뿌리혹박테리아는 콩과식물에게 질소 화합물을 공급하고, 콩과식물은 뿌리혹박테리아에게 영양분을 공급한다.
(나) 겨우살이는 다른 식물의 줄기에 뿌리를 박아 물과 양분을 얻는다.

이에 대한 설명으로 옳은 것만을 〈보기〉에서 있는 대로 고른 것은?

보기
ㄱ. (가)는 상리 공생의 사례이다.
ㄴ. (가)와 (나)는 개체군 내 상호 작용이다.
ㄷ. (나)에서 경쟁·배타 원리가 적용된다.

① ㄱ ② ㄷ ③ ㄱ, ㄴ
④ ㄴ, ㄷ ⑤ ㄱ, ㄴ, ㄷ

해결 Point (가)는 상리 공생, (나)는 기생의 예이다.

신유형 | 2021년 6월 모평 11번 유사 |

09 표는 어떤 지역의 식물 군집을 조사한 결과를 나타낸 것이다.

종	개체 수	빈도	상대 피도(%)
A	20	0.16	23
B	41	0.34	32
C	139	0.50	㉠

이에 대한 설명으로 옳은 것만을 〈보기〉에서 있는 대로 고른 것은?

보기
ㄱ. A의 상대 밀도는 20 %이다.
ㄴ. ㉠은 45이다.
ㄷ. 이 식물 군집의 우점종은 C이다.

① ㄱ ② ㄷ ③ ㄱ, ㄴ
④ ㄴ, ㄷ ⑤ ㄱ, ㄴ, ㄷ

해결 Point 상대 피도의 합은 100 %이다.

10 그림은 생물 군집의 천이 과정을 나타낸 것이다.

이에 대한 설명으로 옳은 것만을 〈보기〉에서 있는 대로 고른 것은?

보기
ㄱ. A에서 개척자는 지의류이다.
ㄴ. 1차 천이 과정을 나타낸다.
ㄷ. (가)는 (나)보다 보상점과 광포화점이 낮다.

① ㄱ ② ㄷ ③ ㄱ, ㄴ
④ ㄴ, ㄷ ⑤ ㄱ, ㄴ, ㄷ

해결 Point 건성 천이의 개척자는 지의류이다.

11 그림은 어떤 지역의 식물 군집에서 산불이 난 후의 천이 과정을 나타낸 것이다. A~C는 각각 양수림, 음수림, 초원 중 하나이다.

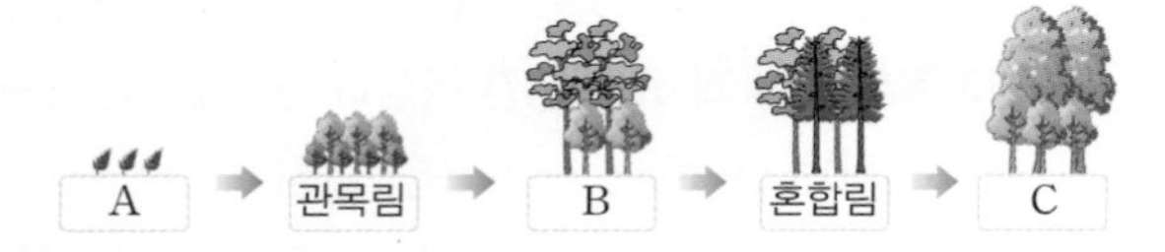

이에 대한 설명으로 옳은 것만을 〈보기〉에서 있는 대로 고른 것은?

보기
ㄱ. A는 조류와 균류의 공생체이다.
ㄴ. 천이가 진행될수록 군집의 층상 구조는 발달한다.
ㄷ. B → 혼합림 → C로 진행되는 과정에서 지표면에 도달하는 빛의 세기는 증가한다.

① ㄱ ② ㄴ ③ ㄷ
④ ㄱ, ㄴ ⑤ ㄴ, ㄷ

해결 Point A는 초원, B는 양수림, C는 음수림이다.

12 그림은 어떤 군집에서 생산자의 총생산량, 순생산량, 호흡량의 관계를 나타낸 것이다.
이에 대한 설명으로 옳지 않은 것은?

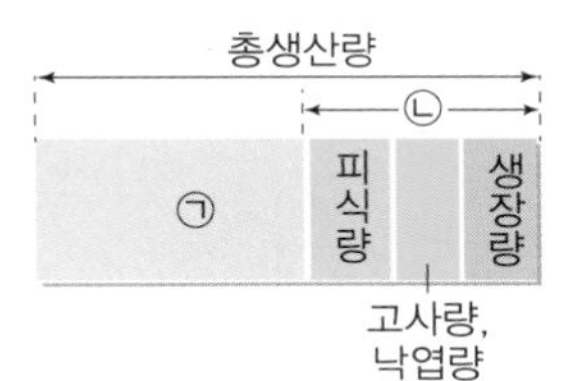

① ㉠은 호흡량이다.
② ㉡은 순생산량이다.
③ 피식량은 1차 소비자의 섭식량과 같다.
④ 순생산량은 총생산량에서 호흡량을 뺀 값이다.
⑤ 생산자의 총생산량과 1차 소비자가 이용한 에너지 총량은 같다.

해결 Point 총생산량 = 호흡량 + 순생산량이다.

| 2020년 6월 모평 18번 유사 |

13 그림 (가), (나)는 각각 서로 다른 생태계에서 생산자, 1차 소비자, 2차 소비자의 에너지양을 상댓값으로 나타낸 생태 피라미드이다. (나)에서 2차 소비자의 에너지 효율은 10 %이다.

이에 대한 설명으로 옳은 것만을 〈보기〉에서 있는 대로 고른 것은?

보기
ㄱ. A는 생산자이다.
ㄴ. ㉠은 100이다.
ㄷ. 상위 영양 단계로 갈수록 에너지양은 감소한다.

① ㄱ ② ㄷ ③ ㄱ, ㄷ
④ ㄴ, ㄷ ⑤ ㄱ, ㄴ, ㄷ

해결 Point 에너지 효율(%) = $\frac{\text{현 영양 단계의 에너지양}}{\text{전 영양 단계의 에너지양}} \times 100$

14 그림은 안정된 어떤 생태계의 구성 요소와 이 생태계에서 일어나는 에너지 흐름을 나타낸 것이다. (가)~(라)는 전달되는 에너지양을 나타낸다.

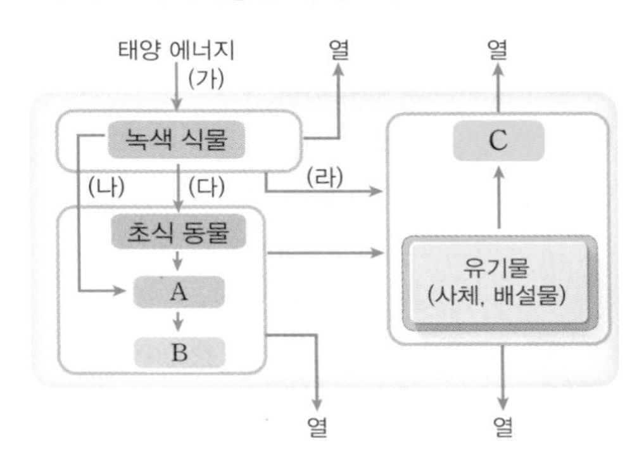

이에 대한 설명으로 옳은 것만을 〈보기〉에서 있는 대로 고른 것은?

보기
ㄱ. 생태계를 유지하는 에너지의 근원은 태양의 빛에너지이다.
ㄴ. (가)는 (나)+(다)+(라)의 합보다 크다.
ㄷ. C에서 방출된 열에너지는 녹색 식물로 다시 전달된다.

① ㄴ ② ㄷ ③ ㄱ, ㄴ
④ ㄴ, ㄷ ⑤ ㄱ, ㄴ, ㄷ

해결 Point 먹이 사슬의 다음 단계로 이동하는 에너지양은 일반적으로 10 % 미만이다.

| 2021년 3월 학평 11번 유사 |

15 그림은 어떤 식물 군집의 시간에 따른 총생산량과 순생산량을 나타낸 것이다. ㉠과 ㉡은 각각 양수림과 음수림 중 하나이다. 이에 대한 설명으로 옳은 것만을 〈보기〉에서 있는 대로 고른 것은?

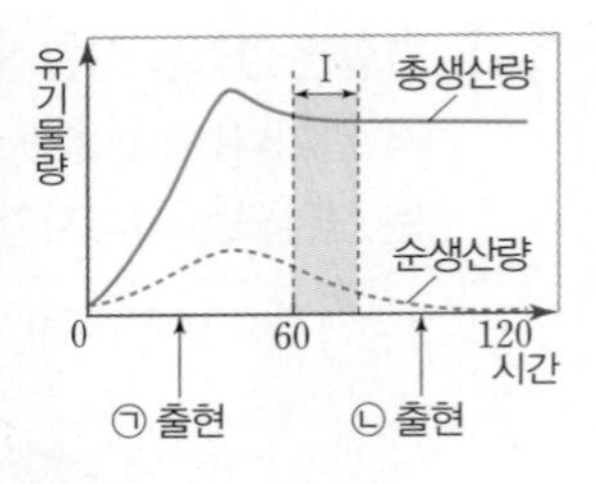

보기

ㄱ. ㉠은 양수림이다.
ㄴ. 구간 Ⅰ에서 호흡량은 시간에 따라 증가한다.
ㄷ. 이 식물 군집의 생장량은 순생산량에 포함된다.

① ㄱ ② ㄴ ③ ㄱ, ㄴ
④ ㄴ, ㄷ ⑤ ㄱ, ㄴ, ㄷ

해결 Point 순생산량 = 피식량 + 고사량 + 낙엽량 + 생장량

16 그림은 생태계에서 일어나는 질소 순환 과정의 일부를 나타낸 것이다.

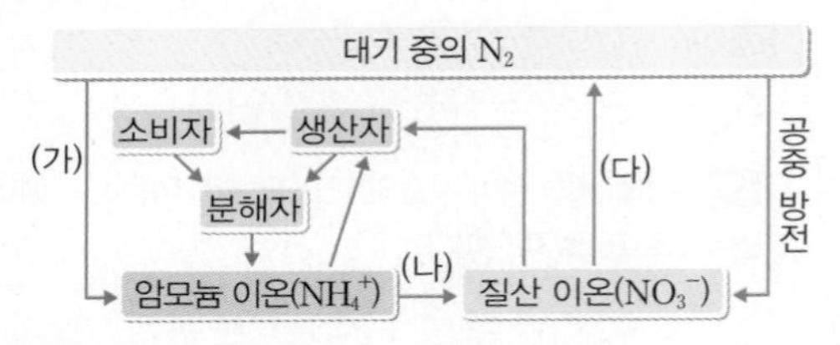

이에 대한 설명으로 옳은 것만을 〈보기〉에서 있는 대로 고른 것은?

보기

ㄱ. (가)는 질소 고정 과정이다.
ㄴ. (나)에서 단백질, 핵산 등이 합성된다.
ㄷ. (다)에서 탈질산화 세균이 관여한다.

① ㄴ ② ㄷ ③ ㄱ, ㄷ
④ ㄴ, ㄷ ⑤ ㄱ, ㄴ, ㄷ

해결 Point (가)는 질소 고정, (나)는 질산화, (다)는 탈질산화 작용이다.

17 그림은 생태계에서의 탄소 순환 과정을 나타낸 것이다.

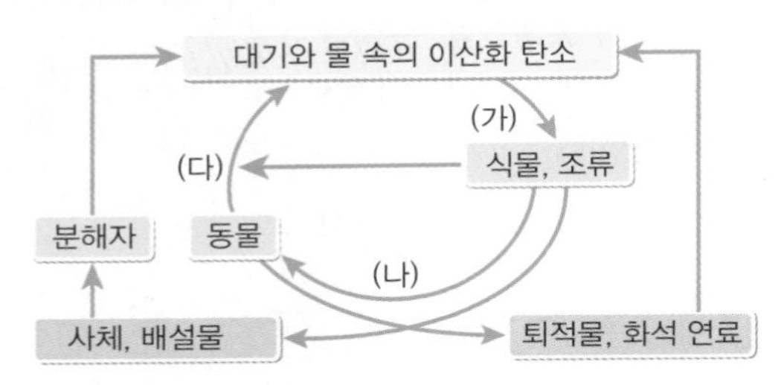

이에 대한 설명으로 옳은 것만을 〈보기〉에서 있는 대로 고른 것은?

보기

ㄱ. (가)는 광합성 과정이다.
ㄴ. (나)에서 탄소는 무기물 형태로 이동한다.
ㄷ. (다)는 지구 온난화를 일으키는 주요 원인이다.

① ㄱ ② ㄴ ③ ㄱ, ㄷ
④ ㄴ, ㄷ ⑤ ㄱ, ㄴ, ㄷ

해결 Point (가)는 광합성, (나)는 먹이 사슬에 따른 탄소의 이동, (다)는 호흡이다.

18 다음은 생물 다양성에 대한 학생 A~C의 의견이다.

제시한 의견이 옳은 학생만을 있는 대로 고른 것은?

① A ② B ③ C
④ A, B ⑤ B, C

해결 Point 같은 종에서 개체끼리 서로 다른 형질을 나타내는 것을 유전적 다양성이라고 한다.

| 2013년 4월 학평 20번 유사 |

19 그림은 면적이 같은 생물 군집 (가), (나)를 나타낸 것이다.

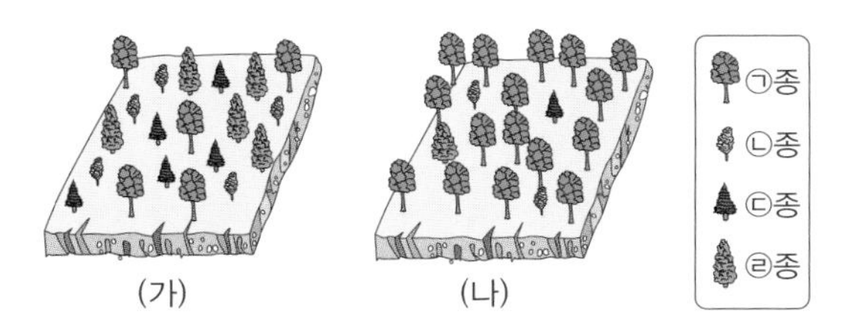

이에 대한 설명으로 옳은 것만을 ⟨보기⟩에서 있는 대로 고른 것은?

보기
ㄱ. 식물의 종 수는 (가)와 (나)가 같다.
ㄴ. 식물의 종 다양성은 (가)보다 (나)가 높다.
ㄷ. ㉢의 밀도는 (나)에서보다 (가)에서 더 높다.

① ㄱ ② ㄴ ③ ㄱ, ㄷ
④ ㄴ, ㄷ ⑤ ㄱ, ㄴ, ㄷ

해결 Point 종 수가 같을 때 생물종이 균등하게 분포할수록 종 다양성이 더 높다.

(신유형)

20 그림은 바위에 덮인 이끼층을 그림과 같이 나눈 다음, 5개월 후에 이끼 밑에 서식하는 소형 동물의 종 변화를 조사한 결과이다.

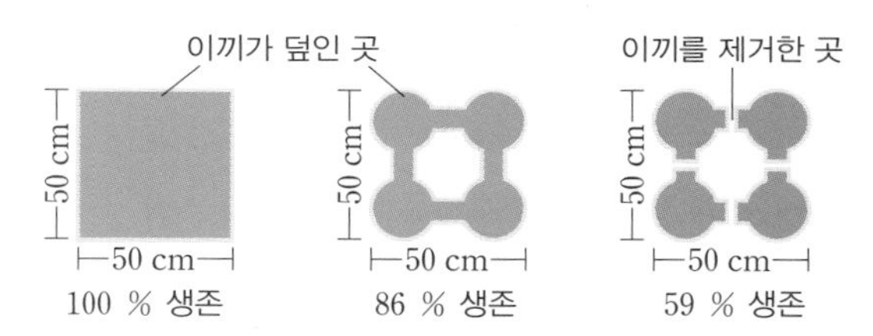

이 결과를 바탕으로 생물의 종 수 변화를 방지하는 방법으로 적합한 것을 ⟨보기⟩에서 있는 대로 고른 것은?

보기
ㄱ. 여러 생물종이 함께 사는 서식지를 특정 생물종만 사는 서식지로 분리시킨다.
ㄴ. 산을 절개하여 도로를 건설할 때는 생태 통로를 설치한다.
ㄷ. 훼손 위험이 있는 생태계를 보호 구역으로 지정하여 서식지를 보전하도록 한다.

① ㄱ ② ㄷ ③ ㄱ, ㄴ
④ ㄴ, ㄷ ⑤ ㄱ, ㄴ, ㄷ

해결 Point 서식지 단편화는 서식지 면적을 줄이고, 생물의 이동을 제한하여 고립시키기 때문에 개체군의 크기가 작아져 멸종으로 이어질 수 있다.

memo

봉합 모의고사

정답과 풀이

01 일차 생명 과학의 이해와 사람의 물질대사

기출 유형 본문 6~9쪽

01 ⑤ 02 ① 03 ④ 04 ①

01 생물의 특성

(가)는 발생과 생장, (나)는 물질대사이다. ⓐ는 광합성으로 물질대사 중 동화 작용에 해당한다. 물질대사에는 생체 촉매인 효소가 작용한다.

02 생명 과학의 탐구 방법

ㄱ. (가)에서 소화 효소 X의 기능에 대한 잠정적인 결론을 내렸으므로 (가)는 가설 설정 단계가 된다.

오개념 바로 알기 ㄴ. 시험관 Ⅱ에서 녹말이 분해되었으므로 시험관 Ⅱ에 소화 효소 X를 첨가했음을 알 수 있다. 따라서 소화 효소 X는 ㉡에만 들어 있다. 시험관 Ⅰ은 대조군으로 실험 조건을 같게 하기 위해 증류수만 넣어야 한다.

ㄷ. 가설을 설정하고 이를 검증하기 위해 실험을 수행하였으므로 연역적 탐구 방법이 이용되었다.

03 물질대사

ㄴ. 세포 호흡은 미토콘드리아에서 일어난다.

ㄷ. 물질대사에는 효소가 관여한다.

오개념 바로 알기 ㄱ. 광합성은 물과 이산화 탄소를 포도당으로 합성하는 과정이므로 동화 작용이다.

04 세포 호흡

ㄱ. 세포 호흡은 주로 미토콘드리아에서 일어난다.

오개념 바로 알기 ㄴ. ⓐ는 산소이다.

ㄷ. ⓑ는 이산화 탄소이다.

기출 유사 본문 6~9쪽

01 ③ 02 ⑤ 03 ④ 04 ②

01 생물의 특성

문제 풀이 TiP 단풍나무 종자가 바람에 의해 멀리까지 날아갈 수 있도록 날개를 가지고 있는 것은 적응과 진화에 해당한다.

| 문제 분석 |

① 단세포 생물인 효모는 몸의 일부가 혹처럼 튀어나와 새로운 개체가 되는 출아법으로 번식한다. 이와 같이 효모가 출아법으로 개체 수를 늘리는 것은 생식에 해당한다.

② 장구벌레가 자라서 모기가 되는 것은 발생과 생장에 해당한다.

③ 개구리의 혀가 곤충을 잡아먹기에 알맞게 긴 것은 먹이 환경에 적응한 결과이므로, 적응과 진화에 해당한다.

④ 어머니의 적록 색맹 대립유전자가 아들에게 전달되어 어머니의 적록 색맹 형질이 아들에게 전해지는 것은 유전에 해당한다.

⑤ 식물 종자가 발아하여 뿌리, 줄기, 잎으로 자라는 것은 완전한 개체가 되는 과정이므로 발생과 생장에 해당한다.

02 생명 과학의 탐구 방법

문제 풀이 TiP 배즙에 들어 있는 단백질 분해 물질의 기능을 검증하기 위한 실험에서는 조작 변인이 배즙의 유무가 되어야 한다.

| 보기 분석 |

ㄱ. 시험관 A에서 아미노산이 검출되었으므로 배즙은 시험관 A에만 들어 있다.

ㄴ. 가설을 설정하고 실험 과정에서 변인 통제 및 대조 실험을 실시하는 탐구 방법은 연역적 탐구 방법이다.

ㄷ. 조작 변인 이외의 다른 요인은 일정하게 유지해야 하므로 온도는 똑같이 27 ℃로 맞춰야 한다.

문제 속 자료 분석 대조 실험과 변인 통제

시험관 A에서 아미노산 검출됨을 확인
→ 배즙은 시험관 A에만 들어 있음을 알 수 있다.

	넣은 물질	온도
시험관 A	달걀흰자 + 증류수 + 배즙	27 ℃
시험관 B	달걀흰자 + 증류수	27 ℃

- 배즙의 유무는 조작 변인이고, 실험 결과인 아미노산 검출 반응 여부는 종속변인이다.
- 시험관 A와 시험관 B를 일정한 온도에 두는 것은 변인 통제로, 온도는 통제 변인이다.

03 물질대사

문제 풀이 TiP 저분자 물질을 고분자 물질로 합성하는 반응은 동화 작용, 고분자 물질을 저분자 물질로 분해하는 반응은 이화 작용이다. 동화 작용은 에너지를 흡수하는 흡열 반응, 이화 작용은 에너지를 방출하는 발열 반응이다.

| 보기 분석 |

ㄱ. 아미노산이 펩타이드 결합으로 연결되어 단백질이 만들어진다. 따라서 Ⅰ은 동화 작용이므로 에너지가 흡수된다.

ㄴ. Ⅱ는 크고 복잡한 물질인 글리코젠이 상대적으로 작은 포도당으로 분해되는 과정이므로 이화 작용이다.

ㄷ. 물질대사에는 생체 촉매인 효소가 관여한다.

04 세포 호흡

문제 풀이 TiP (가)는 빛에너지를 이용하여 이산화 탄소(CO_2)와 물(H_2O)로부터 포도당을 합성하는 광합성, (나)는 산소(O_2)를 이용하여 포도당을 이산화 탄소와 물로 분해하는 세포 호흡이다.

| 보기 분석 |

ㄱ. (가)는 광합성이므로 동화 작용이다.

ㄴ. 식물 세포에는 엽록체와 미토콘드리아가 모두 있으므로 광합성과 세포 호흡이 모두 일어난다.

ㄷ. 세포 호흡으로 포도당의 화학 에너지 중 일부는 ATP에 화학 에너지로 저장되고, 나머지는 열에너지로 방출된다. 이때 방출된 열에너지는 체온 유지에 이용된다.

기초력 집중드릴

본문 10~15쪽

01 ④	02 ⑤	03 ⑤	04 ①	05 ①
06 ③	07 ④	08 ③	09 ③	10 ②
11 ④	12 ④	13 ④	14 ⑤	15 ④
16 ③	17 ⑤	18 ⑤	19 ④	20 ①

01 민물고기가 섭취하고 배출하는 염분의 양과 오줌의 농도를 조절하는 것은 체내 삼투압을 일정하게 유지하기 위한 것으로 생물의 특성 중 항상성에 해당한다.

④ 사람이 더울 때 땀을 흘려 체온을 정상 수준으로 유지하는 것은 항상성에 해당한다.

오개념 바로 알기 ① 미모사가 건드리는 자극을 받아 잎이 접히는 반응을 나타낸 것이므로 자극에 대한 반응에 해당한다.

② 효모가 포도당을 분해하여 에너지를 얻는 것은 물질대사에 해당한다.

③ 개구리 알이 올챙이를 거쳐 개구리가 되는 것은 발생과 생장에 해당한다.

⑤ 평지보다 비탈에서 자라는 민들레의 뿌리가 더 길게 자라는 것은 환경에 대한 적응과 진화에 해당한다.

02 ㉠ 감각모에 자극이 왔을 때 잎을 닫는 반응을 하였으므로 자극에 대한 반응에 해당한다.

㉡ 소화액으로 소화시키는 것은 물질대사에 해당한다.

03 기체 발생 여부로 세포 호흡(물질대사)을 하는 생명체가 있는지 확인할 수 있다.

⑤ 딸기가 광합성으로 얻은 양분을 열매에 저장하는 것은 물질대사에 해당한다.

오개념 바로 알기 ① 세균이 분열법으로 증식하는 것은 생식에 해당한다.

② 싹튼 종자에서 뿌리, 줄기, 잎이 나온 것은 완전한 개체가 되는 과정이므로 발생에 해당한다.

③ 땅다람쥐가 체온을 37 ℃로 유지하는 것은 항상성에 해당한다.

④ 거미가 거미줄의 진동을 감지하여 먹이에게 다가가는 것은 자극에 대한 반응에 해당한다.

04 ㄱ. 동물 세포 밖에서도 증식하는 것으로 보아 유전 물질과 효소를 가지고 독자적으로 생명 활동을 하는 생명체임을 알 수 있다. 즉, 생명체 X는 바이러스가 아니므로 세포로 이루어져 있다.

오개념 바로 알기 ㄴ. 동물 세포 밖에서 개체 수가 증가한 것으로 보아 생명체 X는 독자적으로 물질대사를 할 수 있다는 것을 알 수 있다.

ㄷ. 숙주 세포 안팎에서 모두 증식 가능한 생명체이다.

05 (가)는 바이러스, (나)는 단세포 원핵생물이다.

ㄴ. 바이러스와 세균은 유전 물질을 가지고 있다.

오개념 바로 알기 ㄱ. (가)는 바이러스이므로 세포 구조가 아니다.

ㄷ. (가)는 스스로 물질대사를 할 수 없다.

06 연역적 탐구 방법은 자연 현상을 관찰하면서 생긴 의문점을 해결하기 위해 가설을 세우고, 이를 실험을 통해 검증하는 탐구 방법이다. 가설을 검증하기 위해 탐구를 설계하

고 수행할 때, 대조군을 설정하여 실험군과 비교하는 대조 실험을 통해 실험 결과의 타당성을 높인다.

오개념 바로 알기 학생 C. 실험 과정에서 의도적으로 변화시킨 변인을 조작 변인이라고 하며, 조작 변인 이외의 변인(통제 변인)은 실험에서 일정하게 유지시켜야 한다.

07 가설을 설정하고 실험을 수행한 연역적 탐구 방법이다. 가설은 문제를 해결하기 위해 의문의 답이 될 수 있는 잠정적인 결론이고, 조작 변인은 가설을 검증하기 위해 실험에서 의도적으로 변화시킨 변인이다.

ㄴ. 자연 상태 그대로 둔 집단 A가 비교 대상인 대조군이다.

ㄷ. 수컷 천인조의 꼬리 길이를 달리한 것은 조작 변인에 해당한다.

오개념 바로 알기 ㄱ. (가)는 자연을 관찰하여 호기심을 갖게 된 단계이고, 가설을 설정한 단계는 (나)이다.

08 ㄱ. (가)는 가설 설정 단계, (나)~(다)는 갈색 모래 지역과 흰색 모래 지역에서 각각 모형 쥐가 포식자로부터 공격을 받는지 여부를 확인하는 단계, (라)는 결론 단계이다. 가설 설정 단계가 있는 것은 연역적 탐구 방법이다.

ㄴ. 갈색 생쥐가 공격을 더 받았으므로 A가 흰색 모래 지역임을 알 수 있다.

오개념 바로 알기 ㄷ. ⓐ는 생존에 유리한 털색을 갖는 생쥐가 더 잘 살아남는 것이므로 생물의 특성 중 적응과 진화에 해당한다.

09 ㄱ. 레디는 두 조건으로 대조 실험을 하였다. 대조군은 실험군과 비교하기 위해 실험 조건을 변화시키지 않은 집단이므로 뚜껑이 없는 집단이 대조군에 해당한다.

ㄷ. 뚜껑이 없는 집단에서는 구더기가 발생했지만 뚜껑이 있는 집단에서는 구더기가 생기지 않은 것으로 보아, 레디는 구더기가 외부에서 들어온 것임을 확인할 수 있었다.

오개념 바로 알기 ㄴ. 종속변인은 조작 변인에 따라 변하는 요인으로 실험 결과에 해당한다. 따라서 뚜껑의 유무는 조작 변인이며, 종속변인은 구더기의 발생 여부이다.

10 (가)는 귀납적 탐구 방법, (나)는 연역적 탐구 방법이다.

ㄷ. 에이크만은 닭을 두 집단으로 나누어 현미와 백미를 각각 먹여 길렀으므로 대조 실험을 수행하였다.

오개념 바로 알기 ㄱ. (가)는 자연 현상을 관찰하여 얻은 자료를 종합하고 분석하는 과정에서 규칙성을 발견하고, 이로부터 일반적인 원리나 법칙을 끌어내는 귀납적 탐구 방법으로 가설 설정 단계가 없다.

ㄴ. (나)에서 에이크만은 각기병이 먹이와 관련이 있다는 가설을 설정하고, 닭을 두 집단으로 나누어 실험을 하였으므로 연역적 탐구 방법을 사용하였다.

11 A는 동화 작용, B는 이화 작용이다.

ㄴ. B는 포도당이 산화되어 이산화 탄소와 물로 분해되는 세포 호흡 과정이다. 세포 호흡은 상대적으로 크고 복잡한 물질인 포도당을 작고 간단한 물질인 이산화 탄소와 물로 분해하므로 이화 작용이며, 이 과정에서 에너지가 방출되므로 발열 반응이다.

ㄷ. A, B와 같은 물질대사 과정에는 생체 촉매인 효소가 관여한다.

오개념 바로 알기 ㄱ. A는 포도당과 같이 상대적으로 작은 물질이 글리코젠과 같이 큰 물질로 합성되는 과정으로, 동화 작용이다.

12 (가)는 광합성, (나)는 세포 호흡이다.

ㄴ. 세포 호흡은 포도당과 같은 고분자 화합물을 물과 이산화 탄소와 같은 저분자 물질로 분해하는 과정이므로 이화 작용이다.

ㄷ. 모든 물질대사에는 효소가 관여한다.

오개념 바로 알기 ㄱ. 광합성(가)은 엽록체에서 진행된다.

13 ㄱ, ㄴ. 생성물의 에너지 수준이 반응물의 에너지 수준보다 높은 것으로 보아 에너지가 흡수되는 흡열 반응이다. 동화 작용이 일어날 때 에너지가 흡수된다.

오개념 바로 알기 ㄷ. 동화 작용의 예로는 광합성, 단백질 합성 등이 있다. 세포 호흡은 이화 작용의 예이다.

개념 체크+ 동화 작용과 이화 작용

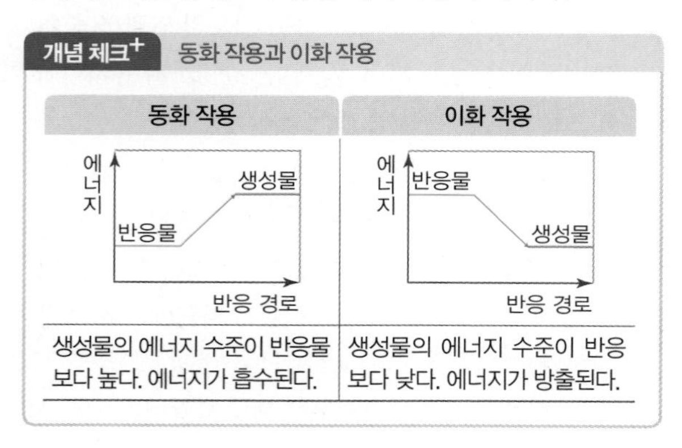

14 물질대사는 생명체 내에서 일어나는 모든 화학 반응으로, 효소의 촉매 작용에 의해 일어난다. 세포는 물질대사를 통해 단백질 등 생명 활동에 필요한 물질과 에너지를 얻는다.

15 A는 엽록체, B는 미토콘드리아이다. 엽록체에서는 동화 작용인 광합성이 일어나고, 미토콘드리아에서는 이화 작용인 세포 호흡이 일어난다.

16 ㄱ. 세포 호흡을 통해 포도당이 분해되면 물과 이산화 탄소가 생성된다. 최종 분해 산물 중 ㉠은 이산화 탄소이다.
ㄴ. 세포 호흡은 식물 세포에서도 일어난다.
오개념 바로 알기 ㄷ. 포도당에서 방출된 에너지의 일부는 ATP에 저장되고, 나머지는 열에너지로 방출되어 체온 유지에 이용된다. ATP의 화학 에너지는 열에너지, 기계적 에너지, 화학 에너지 등 다양한 에너지로 전환되어 체온 유지, 근육 운동, 정신 활동 등 다양한 생명 활동에 사용된다.

17 ㄱ, ㄴ. 증류수를 넣은 발효관 A에서는 이산화 탄소가 발생하지 않고, 포도당 수용액을 넣은 발효관 B에서는 효모가 포도당을 분해하여 이산화 탄소가 발생한다. 따라서 발효관 B의 맹관부 수면이 발효관 A보다 낮아진다.
ㄷ. 효모는 산소가 있을 때에는 산소를 이용해 세포 호흡을 하여 포도당을 물과 이산화 탄소로 분해하지만, 산소가 없을 때에는 포도당을 에탄올과 이산화 탄소로 분해하는데, 이를 알코올 발효라고 한다. 발효관 속의 효모는 처음에는 산소를 이용해 세포 호흡을 하다가 산소가 다 소모되면 알코올 발효를 한다.

개념 체크+ 맹관부에 모인 기체의 확인

발생한 기체가 이산화 탄소임을 확인하는 방법
발효관에서 용액 15 mL를 덜어내고, 5 % 수산화 칼륨(KOH) 수용액을 15 mL 넣으면 맹관부에 모인 기체의 부피가 감소한다. ➡ 수산화 칼륨이 이산화 탄소를 흡수하기 때문으로, 발생한 기체는 이산화 탄소이다.

18 Ⅰ은 ATP 합성, Ⅱ는 ATP 분해 과정이다.
ㄴ. ATP 합성은 미토콘드리아에서 일어나는 세포 호흡 과정에서 일어난다.
ㄷ. ATP가 ADP와 P_i로 분해될 때 에너지가 방출되며, 이때 방출된 에너지는 다양한 생명 활동에 이용된다.
오개념 바로 알기 ㄱ. ㉠은 아데닌과 리보스가 결합한 아데노신에 2개의 인산이 결합되어 있으므로 ADP이다. ATP는 아데노신에 3개의 인산이 결합된 물질이다.

개념 체크+ ATP의 구조

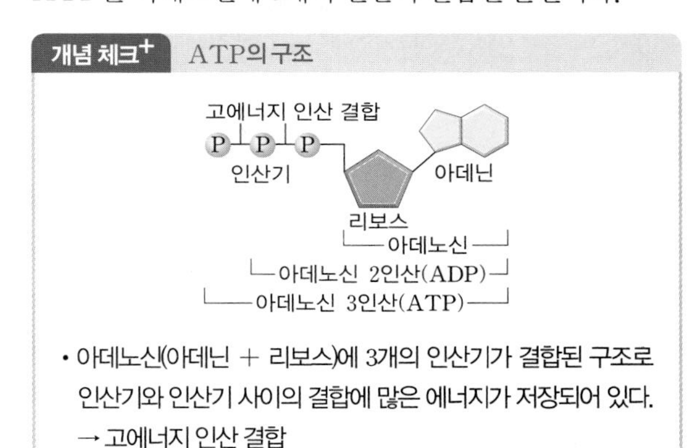

- 아데노신(아데닌 + 리보스)에 3개의 인산기가 결합된 구조로 인산기와 인산기 사이의 결합에 많은 에너지가 저장되어 있다. → 고에너지 인산 결합
- 인산기가 끊어질 때 에너지가 방출된다.

19 ㄴ. 과정 Ⅰ은 ADP + P_i → ATP가 되는 반응으로, 에너지를 흡수하여 일어난다. 미토콘드리아에서는 유기물이 산소와 반응하여 에너지가 방출되는 세포 호흡이 일어나는데, 이때 방출되는 에너지를 흡수하여 ADP와 무기 인산(P_i) 사이에 인산 결합이 형성되어 ATP가 합성되는 과정 Ⅰ이 활발하게 일어난다.
ㄷ. 과정 Ⅱ에서 ATP의 3개의 인산기 중 하나가 분리되었으므로 과정 Ⅱ에서 인산 결합이 끊어져 ATP가 ADP와 무기 인산(P_i)으로 되었다.
오개념 바로 알기 ㄱ. ㉠은 ATP, ㉡은 ADP이다.

문제 속 자료 분석 ATP와 ADP의 전환

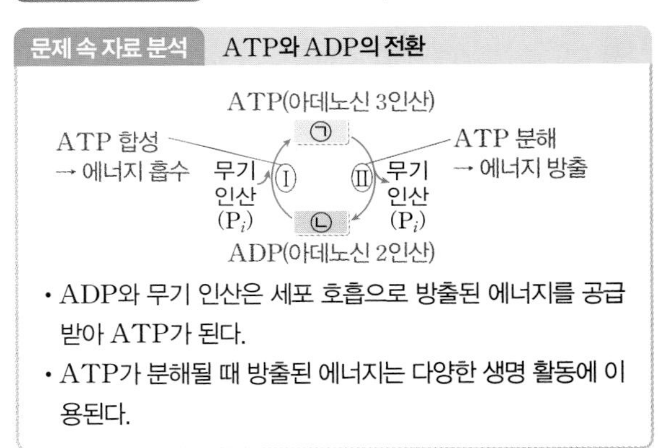

- ADP와 무기 인산은 세포 호흡으로 방출된 에너지를 공급받아 ATP가 된다.
- ATP가 분해될 때 방출된 에너지는 다양한 생명 활동에 이용된다.

20 ㄱ. 세포 호흡 과정에서는 산소가 소모되고 물과 이산화 탄소가 생성된다. 따라서 ㉠은 물(H_2O)이다.
오개념 바로 알기 ㄴ. (가)는 ATP가 ADP와 무기 인산(P_i)으로 분해되는 과정이므로 이화 작용이다.
ㄷ. 포도당의 화학 에너지 중 일부가 ATP에 저장된다.

02 일차 물질대사와 자극의 전달

기출 유형 본문 18~21쪽

01 ④ 02 ③ 03 ⑤ 04 ③

01 기관계의 통합적 작용

A는 오줌의 형태로 노폐물을 몸 밖으로 내보내는 배설계이고, B는 산소를 흡수하고 이산화 탄소를 내보내는 호흡계, C는 영양소를 소화·흡수하는 소화계이다. 소화계에서는 다당류인 녹말을 체내로 흡수할 수 있도록 포도당과 같은 단당류로 분해한다.

오개념 바로 알기 ㄱ. 음식물 찌꺼기가 배출되는 대장은 소화계(C)에 속한다.

02 대사성 질환과 에너지 균형

ㄱ. 체질량 지수 20은 정상 체중의 체질량 지수인 18.5 이상 23.0 미만에 해당하므로 정상 체중에 속한다.

ㄷ. 고지혈증은 지질 대사가 정상적으로 일어나지 않아서 혈중 콜레스테롤이나 중성 지방이 높게 나타나는 질병으로, 대사성 질환이다.

오개념 바로 알기 ㄴ. 그래프에서 고지혈증을 나타내는 사람의 비율은 정상 체중인 사람에서는 약 30 %인데 비해 비만인 사람에서는 약 60 %로 2배 정도 높다. 따라서 고지혈증을 나타내는 비율은 체질량 지수와 관련이 있음을 알 수 있다.

03 흥분의 발생

ㄴ. t일 때, Na^+의 막 투과도가 증가하고 있으므로 탈분극이 진행되고 있음을 알 수 있다.

ㄷ. 탈분극은 Na^+이 세포막 안으로 확산될 때 발생하는데, 뉴런의 세포막을 통한 Na^+의 이동을 차단한 상태에서는 역치 이상의 자극을 주어도 Na^+의 확산이 일어나지 않으므로 활동 전위가 발생하지 않는다.

오개념 바로 알기 ㄱ. ㉠은 Na^+, ㉡은 K^+이다.

04 흥분의 전도와 전달

ㄱ. ⓐ는 시냅스 소포로 신경 전달 물질이 들어 있다.

ㄷ. Y는 시냅스 이후 뉴런의 가지 돌기 혹은 신경 세포체로, 신경 전달 물질의 수용체가 있어서 신경 전달 물질이 분비되면 수용체와 결합한 뒤 탈분극이 유도된다.

오개념 바로 알기 ㄴ. X는 시냅스 이전 뉴런의 축삭 돌기 말단이다. 시냅스 소포는 축삭 돌기 말단에 존재한다.

기출 유사 본문 18~21쪽

01 ⑤ 02 ③ 03 ③ 04 ②

01 기관계의 통합적 작용

문제 풀이 TiP 물질 A는 영양소, 물질 B는 소화계에서 체내로 흡수되지 못한 음식물 찌꺼기이며, 물질 C는 배설계에서 배설되는 물이나 요소와 같은 노폐물이다.

| 보기 분석 |

ㄱ. (가)는 소화계, (나)는 호흡계, (다)는 배설계이다.

ㄴ. 폐는 호흡계에 속한다.

ㄷ. 물질 C에는 물과 요소와 같은 노폐물이 포함된다.

개념 체크+ 기관계의 통합적 작용

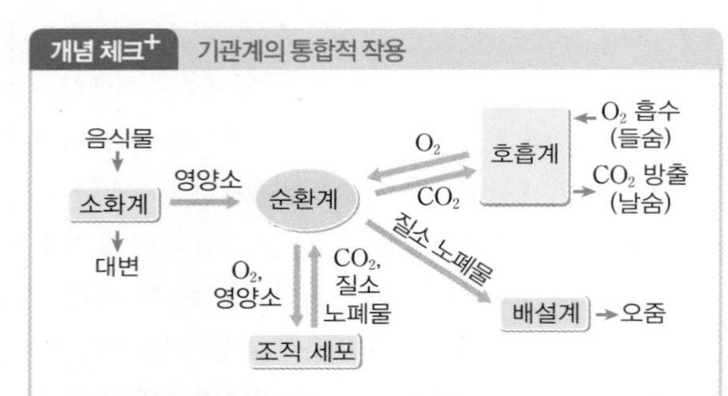

생명 활동에 필요한 에너지를 얻기 위해 소화계, 호흡계, 배설계는 순환계를 중심으로 서로 유기적으로 연결되어 통합적으로 작용한다.

02 대사성 질환과 에너지 균형

문제 풀이 TiP 1일 권장량보다 많은 에너지를 섭취할 경우 지방이 축적되어 비만이 될 가능성이 높다.

| 보기 분석 |

ㄱ. 철수가 하루에 섭취하는 에너지양은 탄수화물로 1200 kcal, 지방으로 560 kcal, 단백질로 1500 kcal, 총 3260 kcal이다. 따라서 권장 에너지양 2500 kcal를 초과한다.

ㄴ. 남은 에너지는 지방으로 축적되어 비만이 될 가능성이 높다.

ㄷ. 1일 권장 에너지양은 기초 대사량, 활동 대사량, 음식물을 소화·흡수하는 데 필요한 에너지양을 포함한 값이다.

03 흥분 발생

(문제 풀이 TiP) 역치 이상의 자극을 받으면 Na^+ 통로가 열리면서 Na^+ 막 투과도가 증가하여 탈분극이 진행된다. 이후 K^+ 통로가 열리면서 K^+ 막 투과도가 증가하면 재분극이 진행되어 휴지 전위로 돌아온다.

| 보기 분석 |

ㄱ. ㉠은 Na^+이다.

ㄴ. 이온 통로를 통한 ㉡의 이동은 확산에 의해 이루어지므로 ATP가 소모되지 않는다.

ㄷ. t에서 K^+의 막 투과도가 높은 것으로 보아 재분극이 진행되고 있음을 알 수 있다.

04 흥분 전도와 전달

(문제 풀이 TiP) 시냅스 소포가 있는 쪽이 시냅스 이전 뉴런의 축삭 돌기 말단이다.

| 보기 분석 |

ㄱ. X는 시냅스 이후 뉴런의 가지 돌기 혹은 신경 세포체이다. Y가 시냅스 이전 뉴런의 축삭 돌기 말단이다.

ㄴ. Y의 시냅스 소포에서 신경 전달 물질이 방출된다.

ㄷ. 흥분의 전달 방향은 Y → X이다.

문제 속 자료 분석 흥분의 전달

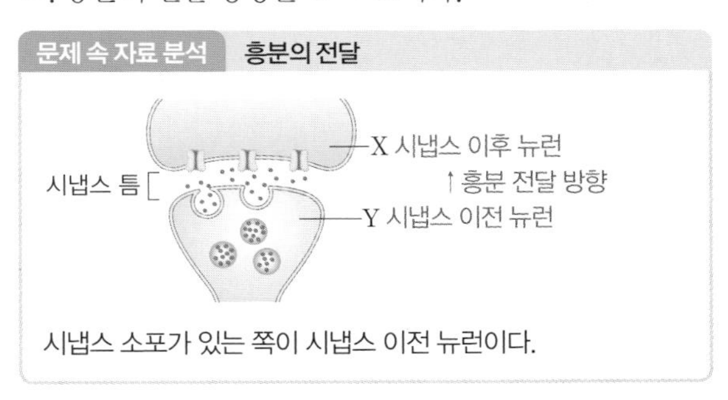

시냅스 소포가 있는 쪽이 시냅스 이전 뉴런이다.

기초력 집중드릴

본문 22~27쪽

01 ④	02 ⑤	03 ④	04 ③	05 ②
06 ③	07 ③	08 ④	09 ⑤	10 ②
11 ③	12 ③	13 ④	14 ③	15 ④
16 ①	17 ②	18 ③	19 ②	20 ①

01 (가)는 소화계, (나)는 호흡계이다. A는 간, B는 폐이다. 간에서는 포도당이 글리코젠으로 합성되는 동화 작용도 일어나고, 글리코젠이 포도당으로 분해되는 이화 작용도 일어난다. 폐에서는 산소와 이산화 탄소의 기체 교환이 일어나 산소는 몸속으로 흡수하고, 이산화 탄소는 몸 밖으로 배출한다.

02 호흡계와 소화계를 거쳐 우리 몸에 들어온 산소와 영양소는 순환계를 통해 조직 세포로 운반되고, 세포 호흡 결과 방출된 이산화 탄소, 노폐물도 순환계를 통해 각각 호흡계와 배설계로 운반된다. ㉠은 산소, ㉡은 포도당과 같은 영양소, ㉢은 이산화 탄소이다.

03 A는 순환계, B는 소화계, C는 호흡계, D는 배설계이다.

ㄴ. C에서 흡수된 물질은 순환계(A)를 따라 조직 세포로 전달된다.

ㄷ. 배설계(D)에서는 혈액을 걸러 오줌을 생성하여 몸 밖으로 배출하는데, 이 과정에서 질소 노폐물인 요소가 오줌으로 배설된다.

(오개념 바로 알기) ㄱ. B는 소화계이다. 소화계에서 흡수되지 않은 음식물 찌꺼기가 배출된다.

04 ㄱ. (가)는 소화계이다. 소화계에서는 소화와 같은 이화 작용이 일어난다. 소화계에서는 이화 작용뿐 아니라, 소화 효소 합성과 같은 동화 작용도 일어난다. 동화 작용과 이화 작용과 같은 물질대사는 모든 기관계에서 일어난다.

ㄷ. (다)는 호흡계이다.

(오개념 바로 알기) ㄴ. (나)는 배설계로 콩팥, 오줌관, 방광, 요도로 구성된다. 암모니아가 요소로 전환되는 곳은 소화계에 속하는 간이다.

05 ㄷ. ㉡은 아미노산이 분해될 때 생성된 질소 노폐물인 암모니아로, 독성이 강해 간에서 독성이 약한 요소로 전환된 후 배설계를 통해 오줌으로 배설된다.

(오개념 바로 알기) ㄱ. (가)는 크고 복잡한 물질인 다당류인 탄수화물을 세포막을 통과할 수 있는 크기의 작고 간단한 물질인 포도당으로 분해하는 소화 과정이다.

ㄴ. ㉠은 포도당과 아미노산이 분해되는 과정에서 공통으로 생성되는 이산화 탄소이며, 호흡계에서 날숨을 통해 몸 밖으로 배출된다.

06 대사성 질환에는 당뇨병, 고혈압, 고지혈증 등이 있다.

(오개념 바로 알기) 학생 C. 대사성 질환은 물질대사에 이상이 생겨 발생하는 질병이다. 과도한 영양 섭취, 운동 부

족 등으로 에너지 불균형이 오래 지속된 결과 발생하며, 유전이나 스트레스 등에 의해서도 발생한다.

07 ㄱ. 에너지 소비량보다 섭취량이 더 많으므로 영양 과다 상태이다.

ㄷ. 운동 등을 통해 신체 활동량을 늘려서 에너지 소비량을 늘려야 비만을 예방할 수 있다.

오개념 바로 알기 ㄴ. 에너지 섭취량에 비해 에너지 소비량이 적은 상태가 지속되면 비만이 될 가능성이 높다.

개념 체크+ 에너지 섭취량과 소비량

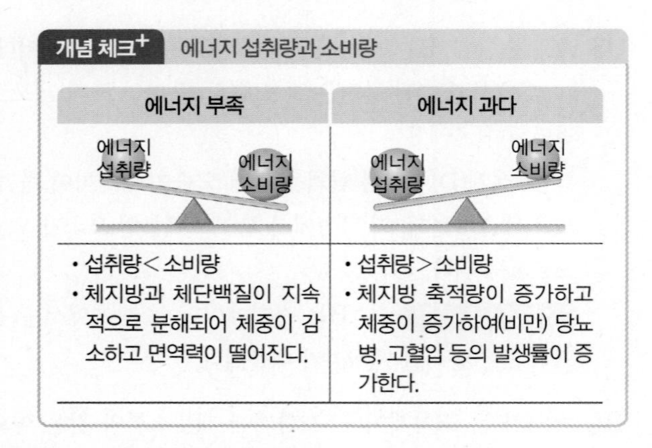

에너지 부족	에너지 과다
• 섭취량 < 소비량 • 체지방과 체단백질이 지속적으로 분해되어 체중이 감소하고 면역력이 떨어진다.	• 섭취량 > 소비량 • 체지방 축적량이 증가하고 체중이 증가하여(비만) 당뇨병, 고혈압 등의 발생률이 증가한다.

08 ㄱ, ㄴ. 혈액 내 콜레스테롤 농도가 높아 콜레스테롤이 혈관 벽에 쌓이면 혈압이 높아지고 혈관이 막힐 수 있다. 대사성 질환인 고지혈증에서 나타나는 대표적인 증상이다.

오개념 바로 알기 ㄷ. 당뇨병은 혈중 포도당 농도가 높게 나타나는 대사성 질환이다.

09 ㄱ. 체온 조절, 심장 박동, 혈액 순환, 호흡 활동 등 생명 활동을 유지하는 데 필요한 최소한의 에너지양을 기초 대사량이라고 한다.

ㄴ. 기초 대사량 외에 일상적인 신체 활동을 하는 데 필요한 에너지양을 활동 대사량이라고 한다.

ㄷ. 1일 대사량은 나이, 성별, 근육의 양, 체질, 활동의 종류에 따라 다르다.

10 h는 활동 전위이다. 구간 Ⅰ에서 탈분극이 진행되고, 구간 Ⅱ에서 재분극이 진행된다. Na^+-K^+ 펌프의 작용으로 인해 K^+은 세포 안이 세포 밖보다 높고, Na^+은 세포 밖이 세포 안보다 높다.

오개념 바로 알기 ㄱ. 구간 Ⅰ에서 Na^+의 유입으로 막전위가 상승한다.

ㄷ. 단일 신경 세포에서 h값은 역치 이상의 자극에서는 자극의 세기와 관계없이 일정하다.

개념 체크+ 흥분의 발생

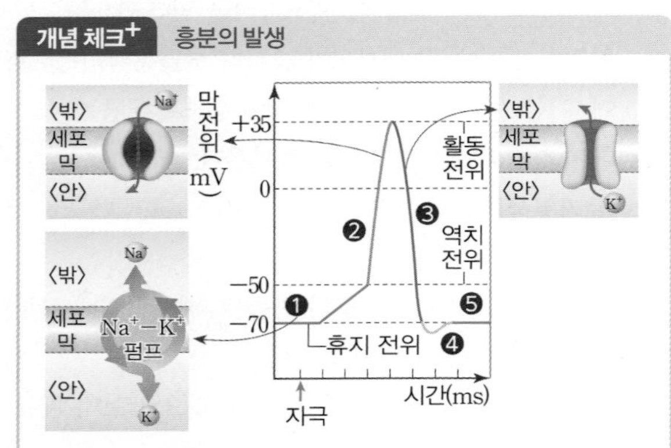

❶ 분극: 자극을 받기 전 신경 세포는 휴지 전위를 나타낸다. → 약 −70 mV

❷ 탈분극: 역치 이상의 자극을 받으면 Na^+ 통로가 열려 Na^+이 세포 밖에서 안으로 확산하여 막전위가 약 +35 mV까지 상승하면서 전위가 역전된다. → 활동 전위 발생

❸ 재분극: Na^+ 통로는 닫히고 K^+ 통로가 열리면서 K^+이 세포 안에서 밖으로 확산하여 막전위가 하강한다.

❹ 과분극: 재분극이 일어날 때 K^+ 통로가 천천히 닫히므로 막전위가 휴지 전위 아래로 내려가 과분극이 일어난다.

❺ 휴지 전위 회복: 재분극 이후 열려 있던 K^+ 통로가 모두 닫히고 Na^+-K^+ 펌프의 작용으로 이온의 분포는 분극 상태로 돌아간다.

11 ㉠에서 탈분극이, ㉡에서 재분극이 진행되었다.

ㄱ. 말이집 신경이므로 말이집이 없는 랑비에 결절에서만 활동 전위가 형성되는 도약전도가 일어난다.

오개념 바로 알기 ㄷ. 재분극이 일어나는 동안에는 K^+이 세포 밖으로 유출된다.

12 구간 a는 탈분극이 일어나고 있으므로 Na^+ 통로를 통해 Na^+이 세포 안으로 유입되고, 구간 b는 재분극이 일어나고 있으므로 K^+ 통로를 통해 K^+이 세포 밖으로 유출된다. 물질 X를 처리했을 때 탈분극은 원활하게 진행되었지만 휴지 전위로 돌아오는 재분극이 원활하게 진행되지 않은 것으로 보아 물질 X는 K^+의 이동을 억제함을 알 수 있다.

오개념 바로 알기 ㄱ. 구간 a는 탈분극이 일어나고 있으므로 Na^+ 통로가 열리고 Na^+이 세포 안으로 유입된다.

ㄴ. 구간 b는 재분극이 일어나고 있으므로 K^+ 통로를 통해 K^+이 세포 밖으로 유출된다. 이때 K^+의 이동은 확산에 의해 이루어지므로 ATP가 소모되지 않는다.

13 ㄱ. 자극을 받지 않은 휴지 상태의 뉴런에서는 Na^+-K^+ 펌프가 작동하여 Na^+은 세포 안에서 밖으로, K^+은 세포 밖에서 안으로 능동 수송되어 K^+은 세포 안에 더 많이 분포하고, Na^+은 세포 밖에 더 많이 분포한다.

ㄷ. 재분극이 진행될 때 K^+은 ㉡을 통해 K^+의 농도 차이에 의해 세포 안에서 밖으로 확산한다.

오개념 바로 알기 ㄴ. 탈분극이 진행될 때 Na^+은 ㉠(Na^+ 통로)을 통해 Na^+의 농도 차이에 의해 세포 밖에서 안으로 확산한다.

개념 체크⁺ 신경 세포막의 막단백질

- Na^+-K^+ 펌프: ATP를 소모하여 Na^+을 세포 안에서 밖으로, K^+을 세포 밖에서 안으로 능동 수송시킴으로써 세포 안팎의 Na^+과 K^+의 불균등 분포를 유지하도록 한다.
  ➡ K^+은 항상 세포 안에 더 많이 분포하고, Na^+은 항상 세포 밖에 더 많이 분포한다.
- Na^+ 통로: 자극이 없을 때 Na^+ 통로는 닫혀 있다. 역치 이상의 자극을 받으면 Na^+ 통로가 열리면서 Na^+이 세포 밖에서 안으로 확산한다.
- K^+ 통로: 자극이 없을 때 K^+ 통로는 대부분 닫혀 있으나 일부는 열려 있어 K^+이 세포 밖으로 확산한다. 탈분극으로 막전위가 최고점에 이르면 대부분의 Na^+ 통로는 닫히고 K^+ 통로가 열려 K^+이 세포 안에서 밖으로 확산한다.

14 (나)에서 K^+은 t_2일 때 세포 안에서 세포 밖으로 이동하므로 ㉠은 세포 안, ㉡은 세포 밖이다. 따라서 t_1에서 Na^+은 ㉡에서 ㉠으로 확산한다.

오개념 바로 알기 ㄱ. 구간 Ⅰ에서는 Na^+-K^+ 펌프에 의해 Na^+과 K^+이 이동한다.

ㄴ. (나)에서 K^+은 t_2일 때 K^+ 통로를 통해 확산하므로 ATP가 소모되지 않는다.

15 A는 구심성 뉴런(감각 뉴런), B는 연합 뉴런, C는 원심성 뉴런(운동 뉴런)이다.

ㄴ. 연합 뉴런은 뇌와 척수 같은 중추 신경계를 구성한다.

ㄷ. C는 골격근에 연결된 운동 뉴런이다. 운동 뉴런의 축삭 돌기 말단에서 분비되는 신경 전달 물질은 아세틸콜린이다.

16 ㄱ. 자료에 제시된 막전위를 통해 d_1은 분극 상태, d_2는 탈분극 상태, d_3는 과분극 상태, d_4는 분극 상태임을 알 수 있다. 따라서 시간적으로 d_3가 d_2보다 먼저 흥분이 도달하였으므로 Y에서 X로 흥분이 전도되고 있다는 것을 알 수 있다. 따라서 자극을 준 지점은 Y이다.

오개념 바로 알기 ㄴ. d_2는 탈분극이 일어났으므로 세포막 안쪽이 바깥쪽에 비해 양(+)전하를 띤다.

ㄷ. Na^+-K^+ 펌프가 작동하는 한 K^+의 농도는 항상 세포 안이 세포 밖보다 높다.

17 시냅스 소포가 축삭 돌기 말단에만 있으므로 시냅스에서의 흥분 전달은 시냅스 이전 뉴런(B)의 축삭 돌기 말단에서 시냅스 이후 뉴런(A)의 가지 돌기나 신경 세포체 쪽으로만 일어난다. 따라서 d_1에서 발생한 흥분이 d_2로 전달되지 않는다.

ㄴ. d_2에 역치 이상의 자극을 주면 d_1에서 활동 전위가 발생한다.

오개념 바로 알기 ㄱ. d_1에 역치 이상의 자극을 주어도 가지 돌기에서 축삭 돌기로 흥분이 전달되지 않기 때문에 d_2에서 활동 전위가 발생하지 않는다.

ㄷ. 시냅스에서는 전기적 신호가 아닌 신경 전달 물질을 통한 화학적 신호에 의해 흥분이 전달된다.

18 ㄱ. (가)는 원심성 뉴런(운동 뉴런), (나)는 연합 뉴런, (다)는 구심성 뉴런(감각 뉴런)이다. 구심성 뉴런은 신경 세포체가 축삭 돌기의 한쪽 옆에 붙어 있다.

ㄴ. 연합 뉴런은 뇌와 척수 같은 중추 신경계에 분포한다.

오개념 바로 알기 ㄷ. 자극의 전달은 자극 → 감각 뉴런(다) → 연합 뉴런(나) → 운동 뉴런(가) 순으로 일어난다. 따라서 A에 역치 이상의 자극을 주어도 (나), (다)로 전달되지 않으므로 (다)에서 활동 전위가 발생하지 않는다.

19 ㄷ. 시냅스에서의 흥분 전달은 신경 전달 물질(화학 물질)의 확산에 의해 일어나므로 한 뉴런 내에서 일어나는 전기적 전도보다 속도가 느리다.

오개념 바로 알기 ㄱ. ㉡은 말이집으로 막을 통한 이온의 이동을 막는 절연체 역할을 한다. 따라서 ㉠에 역치 이상의 자극을 주어도 ㉡에서는 활동 전위가 발생하지 않는다. 말이집 신경은 말이집으로 싸여 있지 않은 랑비에 결절에서만 활동 전위가 발생한다.
ㄴ. ㉣에 역치 이상의 자극을 주어도 가지 돌기에서 축삭 돌기로 흥분이 전달되지 않는다.

20 ㄴ. 말이집 신경(C)은 도약전도를 하므로 민말이집 신경(B)보다 흥분의 전도 속도가 빠르다.
오개념 바로 알기 ㄱ. ⓐ는 시냅스 이후 뉴런의 가지 돌기이고, ⓑ는 시냅스 이전 뉴런의 축삭 돌기이다. 시냅스 소포는 ⓑ에만 있다.
ㄷ. A에서 흥분은 시냅스를 거쳐 전달되지 않으므로 Q 지점에서 활동 전위가 발생하지 않는다.

03 일차 신경계와 호르몬

기출 유형 본문 30~33쪽

01 ③ 02 ④ 03 ③ 04 ④

01 근육 수축의 원리
㉠은 A대, ㉡은 H대, ㉢은 I대이다. 근육이 수축할 때 H대(㉡)와 I대(㉢), 근육 원섬유 마디(X)의 길이는 짧아진다. t_1에서 t_2가 될 때 근육 원섬유 마디(X)가 짧아졌으므로 t_2일 때가 근육이 더 수축한 상태이다.
ㄱ. 근육이 수축할 때 액틴 필라멘트와 마이오신 필라멘트 자체의 길이는 변하지 않는다. 따라서 t_2에서 ㉠의 길이는 1.6 μm로 변함이 없다.
ㄷ. t_1에서 t_2가 될 때 근육 원섬유 마디가 짧아졌으므로 ㉢의 길이는 짧아진다.
오개념 바로 알기 ㄴ. t_1에서 t_2가 될 때 ㉡(H대)의 길이는 짧아진다.

02 신경계
심장 박동을 조절하는 신경 A, B는 자율 신경이다. 자율 신경은 2개의 원심성 뉴런이 신경절을 이루며 연결되어 있다. 신경절 이전 뉴런이 짧은 A는 교감 신경이고, 신경절 이전 뉴런이 긴 B는 부교감 신경이다.
ㄴ. 부교감 신경은 신장 박동을 느리게 조절한다.
ㄷ. A, B는 말초 신경계에 속한다.
오개념 바로 알기 ㄱ. A는 2개의 신경이 시냅스를 이루고 있는 것으로 보아 자율 신경이다. 체성 신경은 하나의 신경으로 되어 있어 신경절을 이루지 않는다.

03 호르몬의 종류와 특성
이자에서 분비되는 인슐린과 글루카곤은 간에서 길항 작용을 하여 혈당량을 일정하게 유지시킨다.
ㄱ. X는 혈당량을 감소시키는 역할을 하므로 인슐린이다.
ㄷ. 호르몬은 혈액으로 분비되어 혈관을 따라 이동한다.
오개념 바로 알기 ㄴ. Y는 글루카곤으로 이자의 α세포에서 분비된다. β세포에서 분비되는 호르몬은 인슐린이다.

04 항상성 유지
호르몬 A는 티록신, 호르몬 B는 에피네프린이다. 시상하부에서 부신 속질에 연결된 신경 ㉠은 교감 신경이다.
ㄴ. 티록신은 물질대사를 촉진하므로 열 발생량을 증가시킨다.
오개념 바로 알기 ㄷ. 티록신과 에피네프린은 모두 물질대사를 촉진하는 호르몬으로 길항 작용을 하지 않는다.

기출 유사 본문 30~33쪽

01 ⑤ 02 ③ 03 ⑤ 04 ⑤

01 근육 수축의 원리
문제 풀이 TiP X는 근육 원섬유 마디이고 ㉠은 I대이다.
| 보기 분석 |
t_2에서 X가 2.0 μm일 때, ㉠은 0.2 μm이므로 A대의 길이는 $2.0-(2\times0.2)=1.6(\mu m)$이다. 따라서 t_1에서 X의 길이는 $1.6+(2\times0.4)=2.4(\mu m)$이다. t_1에서 t_2로 변할 때 근육은 수축한다.

02 신경계
문제 풀이 TiP ㉠은 신경절 이전 뉴런이 긴 부교감 신경, ㉡은 신경절 이전 뉴런이 짧은 교감 신경이다.

| 보기 분석 |

ㄱ. ㉠은 부교감 신경이다.

ㄴ. ㉡은 교감 신경이다. 교감 신경이 활성화되면 동공이 확장된다.

ㄷ. 부교감 신경의 신경절 이후 뉴런 말단에서는 아세틸콜린이 분비되고, 교감 신경의 신경절 이후 뉴런 말단에서는 노르에피네프린이 분비된다.

03 호르몬의 종류와 특성

문제 풀이 TiP 내분비샘 X는 이자이고, ㉠은 이자액을 분비하는 분비관이다. 호르몬 A는 간에서 포도당을 글리코젠으로 합성하는 과정을 촉진하므로 인슐린이다.

| 보기 분석 |

ㄱ. 호르몬은 분비관을 통해 분비되지 않고 혈관으로 분비되어 혈액을 따라 이동한다. ㉠은 이자에서 분비되는 이자액이 십이지장으로 분비되는 관이다.

ㄴ. 인슐린은 이자의 β세포에서 합성되어 분비된다.

ㄷ. 인슐린은 혈당량을 감소시킨다.

04 항상성 유지

문제 풀이 TiP A 과정은 신경에 의해, B 과정은 호르몬에 의해 조절된다.

| 보기 분석 |

ㄱ. A 과정에 의해 입모근과 혈관이 수축한 것으로 보아 열 발산량은 감소한다.

ㄴ. B 과정에 의해 물질대사가 촉진되었으므로 열 발생량은 증가한다.

ㄷ. 교감 신경의 작용이 강화될 때 A 과정이 촉진된다.

기초력 집중드릴 본문 34~39쪽

01 ③	02 ③	03 ④	04 ①	05 ②
06 ①	07 ③	08 ⑤	09 ④	10 ②
11 ③	12 ⑤	13 ②	14 ⑤	15 ④
16 ①	17 ①	18 ⑤	19 ④	20 ②

01 근육이 수축할 때 액틴 필라멘트와 마이오신 필라멘트가 겹치는 부위는 길어진다.

ㄱ. A대(마이오신 필라멘트)의 길이는 변하지 않는다.

ㄴ. 근육이 수축할 때 I대의 길이는 짧아진다.

오개념 바로 알기 ㄷ. 근육이 수축할 때 H대의 길이는 짧아진다.

02 X의 길이가 ⓐ보다 ⓑ일 때 긴 것으로 보아 ⓐ일 때 근육이 수축한 상태이다. X의 길이는 'A대의 길이+한쪽 액틴 필라멘트의 길이×2−㉠의 길이×2'로 구할 수 있다.

ㄱ. A대의 길이가 1.6 μm라고 하였고, 한쪽 액틴 필라멘트의 길이는 1.0 μm이므로 ⓑ일 때 X의 길이는 3.2=1.6+(1.0×2)−(㉠×2)이므로 ㉠은 0.2 μm이다.

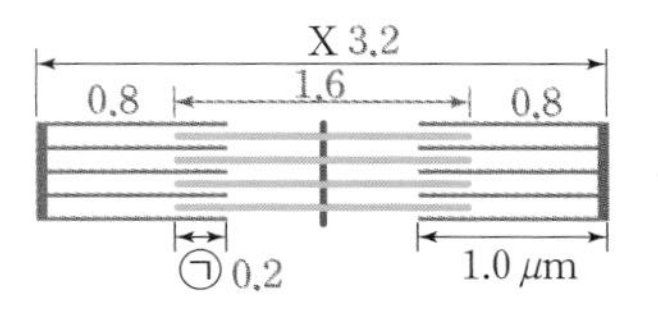

ㄴ. ⓐ에서 X의 길이는 2.4=1.6+(1.0×2)−(㉠×2)이므로 ㉠의 길이는 0.6 μm이다.

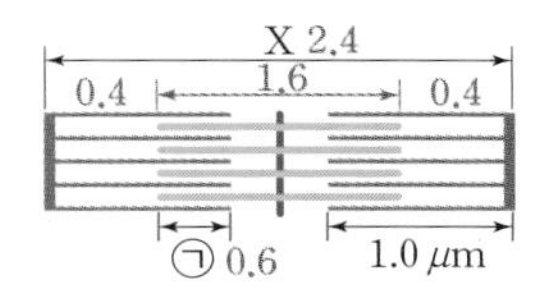

오개념 바로 알기 ㄷ. ⓑ → ⓐ로 될 때도 A대의 길이는 변함없이 1.6 μm이다.

03 ㉠은 A대, ㉡은 I대이다.

ㄴ. I대(㉡)의 길이는 근육 수축 시 짧아진다.

ㄷ. 액틴 필라멘트의 길이는 근육 수축과 이완 시 변하지 않는다.

오개념 바로 알기 ㄱ. ㉠(A대)의 길이는 마이오신 필라멘트 자체의 길이이므로 근육 수축과 이완 시 변하지 않는다.

04 (가)는 H대, (나)는 액틴 필라멘트와 마이오신 필라멘트가 겹치는 부분, (다)는 I대이다.

ㄱ. ㉡ → ㉠으로 변할 때 근육 원섬유 마디 X의 길이가 짧아지므로 근육이 수축한다. 근육이 수축할 때 ATP가 소모된다.

오개념 바로 알기 ㄴ. (가) 구간은 A대 중 마이오신 필라멘트만 있는 부분인 H대로, 어둡게 보인다. 가장 밝게 보이는 부분은 액틴 필라멘트만 있는 (다) I대이다.

ㄷ. (다)의 필라멘트는 액틴 필라멘트이므로 근육의 수축,

이완과 관계없이 길이가 같다.

05 (가)는 A대, (나)는 I대이다.

ㄴ. (가)는 암대, (나)는 명대로 (가)는 (나)보다 어둡게 보인다.

오개념 바로 알기 ㄱ. ㉠은 액틴 필라멘트이다.

ㄷ. 근육이 수축할 때 (가)의 길이는 변하지 않고 (나)의 길이는 짧아지므로, $\frac{\text{(나)의 길이}}{\text{(가)의 길이}}$ 값은 작아진다.

06 A는 구심성 뉴런, B는 원심성 뉴런으로 모두 말초 신경계에 속하며, B는 골격근의 운동을 조절하는 체성 신경이다.

오개념 바로 알기 ㄷ. ⓐ가 진행될 때 근육 ㉠은 이완되므로 근육 원섬유 마디의 길이는 길어진다.

07 ㄱ. 교감 신경은 신경절 이전 뉴런의 길이가 신경절 이후 뉴런의 길이보다 짧고, 부교감 신경은 신경절 이전 뉴런의 길이가 신경절 이후 뉴런의 길이보다 길다.

ㄷ. ㉡ 부교감 신경은 위의 소화 작용을 촉진하며, ㉠ 교감 신경은 심장 박동을 촉진한다.

오개념 바로 알기 ㄴ. 교감 신경과 부교감 신경은 자율 신경계이다. 자율 신경계는 원심성 뉴런으로 구성된다.

08 ㉠은 척수를 구성하는 연합 뉴런, ㉡은 운동 뉴런(원심성 뉴런)이다.

ㄱ. 척수는 겉질이 백질, 속질이 회색질이다. 따라서 ㉠은 회색질에 있다.

ㄴ. ㉡은 운동 뉴런으로 척수의 배 쪽에 배열된 전근을 통해 나온다. 운동 신경은 뇌에서 내린 명령을 반응기로 전달한다.

ㄷ. 무릎 반사의 중추는 척수이다.

09 뇌와 척수는 중추 신경계로 연합 뉴런으로 구성된다.

오개념 바로 알기 학생 A. 뇌신경과 척수 신경은 뇌와 척수에서 뻗어나온 말초 신경으로 말초 신경계에 속한다.

10 ㄴ. A는 중간뇌, B는 연수이다.

오개념 바로 알기 ㄱ. A는 중간뇌로 동공 반사의 중추이다. 항상성 유지의 중추는 간뇌이다.

ㄷ. 심장에 분포하는 교감 신경은 척수에서 뻗어 나오고, 부교감 신경은 연수에서 뻗어 나온다. 그림에서 제시된 자율 신경은 신경 세포체가 연수에 있으므로 부교감 신경이다. 부교감 신경은 신경절 이전 뉴런이 길고 신경절 이후 뉴런이 짧으므로 신경절은 ㉡에 있다.

개념 체크+ 부교감 신경과 교감 신경의 분포와 기능

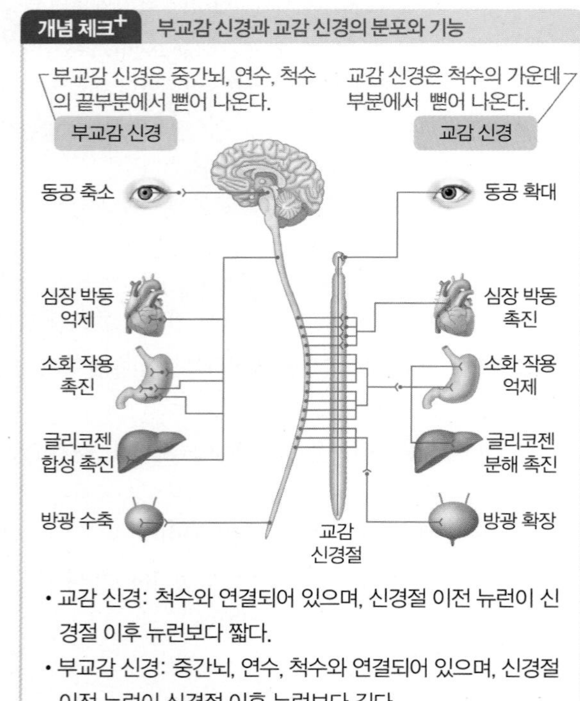

- 교감 신경: 척수와 연결되어 있으며, 신경절 이전 뉴런이 신경절 이후 뉴런보다 짧다.
- 부교감 신경: 중간뇌, 연수, 척수와 연결되어 있으며, 신경절 이전 뉴런이 신경절 이후 뉴런보다 길다.

11 호르몬은 척추동물 간에는 종 특이성이 없어서 항원으로 작용하지 않고 체내에서 동일한 기능을 한다.

오개념 바로 알기 학생 C. 호르몬은 분비관을 통하지 않고 바로 혈관으로 분비된다.

12 (가)는 교감 신경이 부신 속질(㉠)을 자극하여 에피네프린(호르몬 A)이 분비되는 경로이고, (나)는 시상 하부에서 분비된 TRH가 뇌하수체 전엽(㉡)을 자극하고, 이로 인해 분비된 TSH가 갑상샘(㉢)을 자극하여 티록신(호르몬 B)이 분비되는 경로이다.

ㄱ. 티록신과 에피네프린은 모두 물질대사를 촉진시킨다.

ㄴ. 뇌하수체 전엽은 갑상샘 자극 호르몬, 부신 피질 자극 호르몬 등 다른 내분비샘의 호르몬 분비를 촉진시키는 역할을 한다.

ㄷ. ㉢은 TSH의 자극을 받아 티록신을 분비하는 갑상샘이다.

13 깃발 수만큼 사탕을 간에서 혈관으로 옮기는 것으로 보아 호르몬 X의 역할은 혈당량 증가이다. 이자에서 분비되고

혈당량을 증가시키는 호르몬은 글루카곤이다.

오개념 바로 알기 ㄱ. ㉠은 감소, ㉡은 증가이다.

ㄴ. 사탕 수가 적어진 만큼 깃발(호르몬 X)을 간으로 옮기는 것으로 보아 호르몬 X의 표적 기관은 간이다.

14 ㄴ. A는 뇌하수체 후엽, B는 뇌하수체 전엽이다. 뇌하수체 전엽에서는 생장 호르몬, 갑상샘 자극 호르몬, 부신 겉질 자극 호르몬, 생식샘 자극 호르몬 등이 분비된다.

ㄷ. 뇌하수체 전엽이 제거되면 갑상샘 자극 호르몬(TSH)이 분비되지 않아 갑상샘에서 티록신 분비가 감소한다.

오개념 바로 알기 ㄱ. A와 B는 각각 뇌하수체 전엽 혹은 후엽 중 하나인데, B가 A보다 많은 종류의 호르몬을 분비하므로 B가 뇌하수체 전엽, A가 뇌하수체 후엽이다.

15 ㄱ, ㄴ, ㄷ. 부신 속질에서 분비되는 호르몬 X는 에피네프린이고, 이자에서 분비되어 포도당을 글리코젠으로 합성하는 과정을 촉진시키는 호르몬 Y는 인슐린이다. 호르몬 X와 Y의 표적 기관은 간이다.

16 물을 섭취하면 혈장 삼투압이 낮아지고, 그에 따라 뇌하수체 후엽에서 항이뇨 호르몬(ADH)의 분비가 억제된다. 혈중 항이뇨 호르몬의 농도가 낮아지면 콩팥에서의 수분 재흡수량이 감소하여 오줌 생성량이 증가한다.

ㄱ. 혈장 삼투압이 높으면 항이뇨 호르몬의 분비가 촉진되어 콩팥에서의 수분 섭취량이 증가되므로 오줌 생성량이 적어진다. 따라서 혈장 삼투압은 오줌 생성량이 적은 Ⅰ일 때가 Ⅱ보다 높다.

오개념 바로 알기 ㄴ. 오줌 삼투압은 오줌 생성량에 반비례하는데, 오줌 생성량이 많을수록 오줌으로 배설되는 물의 양이 많아 오줌의 농도는 낮다. 따라서 오줌의 삼투압은 오줌 생성량이 많은 Ⅱ에서가 Ⅰ에서보다 낮다.

ㄷ. 항이뇨 호르몬은 콩팥에서 수분 재흡수를 촉진시키므로 혈중 항이뇨 호르몬의 농도가 높을수록 오줌 생성량이 적다. 따라서 혈중 항이뇨 호르몬의 농도는 Ⅱ에서가 Ⅰ에서보다 낮다.

17 운동할 때는 혈액의 포도당을 계속 소모하므로 혈중 포도당 농도가 낮아진다. 따라서 혈중 포도당의 농도를 낮춰주는 인슐린의 분비는 감소하고, 혈중 포도당의 농도를 높여주는 글루카곤의 분비는 증가한다. 따라서 호르몬 X는 인슐린, 호르몬 Y는 글루카곤이다. 인슐린은 이자의 β세포에서, 글루카곤은 이자의 α세포에서 분비된다. 글루카곤은 간에서 글리코젠이 포도당으로 분해되는 과정을 촉진하며, 인슐린은 간에서 포도당을 글리코젠으로 합성하는 반응을 촉진한다. 인슐린과 글루카곤은 길항 작용을 하여 혈당량을 일정하게 유지한다.

오개념 바로 알기 ① X는 인슐린이다.

18 ㄱ. 저온 자극이 주어지면 열 발산량은 감소하고, 열 발생량은 증가한다. 반대로 고온 자극이 주어지면 열 발산량은 증가하고, 열 발생량은 감소한다. 그래프에서 ㉠의 값은 저온 자극이 주어졌을 때 감소하고, 고온 자극이 주어졌을 때 증가하므로 ㉠은 피부에서의 열 발산량이다.

ㄴ. t_1은 저온 자극을 받았을 때이므로 피부 근처 모세 혈관이 수축하여 피부 근처 모세 혈관을 흐르는 혈액량이 감소하여 피부를 통한 열 발산량이 감소한다.

ㄷ. t_2는 고온 자극을 받았을 때이다. 고온 자극을 받으면 피부 입모근은 이완한다.

19 (가) 저온 자극일 때, 교감 신경의 작용이 강화되어 피부 근처의 혈관이 수축하여 열 발산량이 줄어든다. (나) 정상 범위보다 혈장 삼투압이 높을 때 뇌하수체 후엽에서 분비되는 ADH는 콩팥에서의 수분 재흡수량을 증가시켜 오줌 생성량이 감소한다.

오개념 바로 알기 ④ 체온 조절, 혈당량 조절, 삼투압 조절 등의 항상성 조절 중추는 간뇌의 시상 하부이다.

20 탄수화물 섭취 후 인슐린을 주사했을 때 A는 계속 혈당량이 높아지므로 인슐린의 표적 세포가 인슐린에 반응하지 못하는 (나)형 당뇨병이고, B는 혈당량이 낮아지는 효과가 있으므로 인슐린 분비 세포가 파괴되어 인슐린이 생성되지 않아서 나타나는 (가)형 당뇨병이다. (가)형 당뇨병은 인슐린 주사로 치료하며, (나)형 당뇨병은 식이 요법과 운동 요법으로 치료한다.

ㄷ. 정상인은 혈중 포도당 농도가 증가하면 인슐린의 분비가 촉진되어 혈중 포도당 농도를 정상 수준으로 낮춘다.

오개념 바로 알기 ㄱ. ㉠은 인슐린을 분비하는 세포이므로 β세포이다.

ㄴ. A의 당뇨병은 (나)에 해당한다.

04 일차 방어 작용과 염색체

기출 유형 본문 42~45쪽

01 ② 02 ① 03 ③ 04 ⑤

01 질병과 병원체

질병 A의 병원체는 원생생물, 질병 B의 병원체는 바이러스, 질병 C의 병원체는 세균이다.

ㄷ. 세균은 (나)에 제시된 특징을 모두 갖는다.

오개념 바로 알기 ㄱ. 말라리아의 병원체인 말라리아 원충은 원생생물에 속한다.

ㄴ. 바이러스는 유전 물질(핵산)을 갖고 있지만 비세포 구조이며 독립적으로 물질대사를 하지 못한다.

02 우리 몸의 방어 작용

병원체에 감염된 세포를 직접 공격하여 파괴하는 작용을 세포성 면역, 항체를 생산하여 항원 항체 반응으로 항원을 불활성화시키는 작용을 체액성 면역이라 한다.

ㄴ. 보조 T 림프구는 세포독성 T림프구와 B 림프구의 증식과 분화를 촉진한다.

오개념 바로 알기 ㄱ, ㄷ. (가)는 세포성 면역, (나)는 체액성 면역이며, ㉢은 기억 세포이다.

03 혈액의 응집 반응과 혈액형

B형 혈액의 혈장에는 응집소 α가 있다.

ㄱ. 항 A 혈청에는 응집소 α가 포함되어 있다.

ㄴ. 철수는 B형이므로 혈장에 응집소 α가 있다.

오개념 바로 알기 ㄷ. B형 혈액에는 응집원 B가 있고, A형 혈액의 혈장에는 응집소 β가 있어 응집 반응을 일으키므로 B형은 A형에게 수혈할 수 없다.

04 유전 정보와 염색체

분열 중인 세포에서 관찰되는 염색체는 간기의 S기에 복제되어 2가닥의 염색 분체로 구성되어 있다.

ㄴ. ㉠은 뉴클레오솜이다. 뉴클레오솜은 DNA와 히스톤 단백질로 구성된다.

ㄷ. ㉡은 DNA이다. DNA의 구성 단위는 뉴클레오타이드이다.

오개념 바로 알기 ㄱ. Ⅰ과 Ⅱ는 복제되어 형성된 염색 분체이다. 부모로부터 각각 1개씩 물려받은 것은 상동 염색체이다.

기출 유사 본문 42~45쪽

01 ① 02 ③ 03 ④ 04 ⑤

01 질병과 병원체

문제 풀이 TiP 질병 A의 병원체는 바이러스이고, 질병 B의 병원체는 세균이다.

| 보기 분석 |

ㄱ. A와 B는 모두 병원체에 의해 전염되는 감염성 질병이다.

ㄴ. A의 병원체는 바이러스이므로 비세포 구조이다.

ㄷ. B의 병원체는 세균이므로 치료에 항생제가 사용된다.

개념 체크⁺ 바이러스와 세균

	세균	바이러스
공통점	• 병원체이다. • 유전 물질을 가진다.	
차이점	• 바이러스보다 크다(0.5 μm~0.5 mm). • 세포 구조이다. • 독자적으로 물질대사를 하고 스스로 증식할 수 있다. • 항생제로 치료한다.	• 세균의 $\frac{1}{100}$~$\frac{1}{50}$ 크기(세균 여과기를 통과) • 비세포 구조로 핵산(DNA 또는 RNA)과 단백질로 이루어져 있다. • 스스로 물질대사를 할 수 없으며 숙주 세포 내에서만 증식할 수 있다. • 항바이러스제로 치료하며, 변이 속도가 빨라 항바이러스제 개발이 어렵다.

02 우리 몸의 방어 작용

문제 풀이 TiP ㉠은 형질 세포, ㉡은 기억 세포, ⓐ는 체액성 면역이다.

| 보기 분석 |

ㄱ. X에 대한 항원 항체 반응에 의해 병원균 X를 불활성화시키는 면역은 체액성 면역이다.

ㄴ. 형질 세포는 분화가 끝난 세포로 더는 분화되지 않는다. 기억 세포는 같은 항원이 재침입하면 기억 세포와 형질 세포로 분화한다.

ㄷ. ㉡은 기억 세포이다.

03 혈액의 응집 반응과 혈액형

(문제 풀이 TiP) 영희의 혈액형과 혈청 반응 결과로 철수의 혈액형을 유추할 수 있다.

| 보기 분석 |

ㄱ. Rh^+ O형인 영희의 혈액이 혈청 Ⅲ에서 응집된 것으로 보아 혈청 Ⅲ이 항 Rh 혈청이다.

ㄴ. Ⅰ과 Ⅱ는 각각 항 A 혈청과 항 B 혈청 중 하나이다. Ⅰ과 Ⅱ에서 응집 반응이 일어났고, Ⅲ에서 응집 반응이 일어나지 않았으므로 철수는 Rh^- AB형이다.

ㄷ. 철수의 혈액형은 AB형이므로 철수는 O형인 영희에게 수혈할 수 없다.

04 유전 정보와 염색체

(문제 풀이 TiP) 분열 중인 세포에서 관찰되는 염색체는 복제되어 형성된 2가닥의 염색 분체로 이루어져 있다.

| 보기 분석 |

염색 분체의 유전자 구성은 같으므로 ㉠의 유전자는 A이다. ㉡은 뉴클레오솜, ㉢은 DNA이다.

개념 체크+ 상동 염색체와 염색 분체

상동 염색체

대립 유전자

복제 / 염색 분체 / 복제

- 상동 염색체는 부모로부터 각각 하나씩 물려받았으므로 염색체의 유전자 구성은 다르다. 각각의 대립유전자는 AA처럼 같은 것도 있고, Bb처럼 다른 것도 있다.
- 복제되어 형성된 염색 분체는 유전자 구성이 동일하다.
- 염색 분체가 2가닥이든, 1가닥이든 염색체 수는 같다.

기초력 집중드릴

본문 46~51쪽

01 ④	02 ③	03 ④	04 ①	05 ③
06 ④	07 ③	08 ④	09 ③	10 ④
11 ④	12 ④	13 ③	14 ⑤	15 ①
16 ③	17 ②	18 ③	19 ④	20 ⑤

01 결핵의 병원체는 세균이므로 스스로 증식할 수 있고, 독감의 병원체는 바이러스이므로 유전 물질(핵산)을 가진다.

오개념 바로 알기 학생 A. 곰팡이는 균류에 속하며 항생제가 아닌 항진균제로 치료할 수 있다.

02 Ⅰ은 비감염성 질병으로 대사성 질환에 해당한다. Ⅱ는 바이러스성 질병, Ⅲ은 세균성 질병이다. 세균성 질병은 세균의 생장을 억제하는 항생제로 치료한다.

오개념 바로 알기 ㄴ. 바이러스는 세포의 구조를 갖추지 못하였으므로 핵이 없다.

03 (가)는 비감염성 질병, (나)는 바이러스성 질병, (다)는 세균성 질병이다. 세균성 질병은 항생제로 치료할 수 있다.

04 무좀의 병원체는 곰팡이, 결핵의 병원체는 세균, 독감의 병원체는 바이러스이다.

오개념 바로 알기 ㄴ. 병원체가 세균인 질병의 치료에는 항생제가 이용된다.

ㄷ. 독감의 병원체는 바이러스이다. 바이러스는 세포의 구조를 갖추지 못하였고, 효소가 없어 독립적으로 물질대사를 하지 못한다.

05 A는 결핵, B는 독감, C는 혈우병이다.

오개념 바로 알기 ㄱ. 결핵의 병원체는 세균이며 세균은 핵막이 없는 원핵생물이다.

ㄴ. 독감의 병원체는 바이러스이며 바이러스는 스스로 증식할 수 없고 숙주 세포 내에서만 증식할 수 있다.

06 Ⅰ은 형질 세포, Ⅱ는 보조 T 림프구, Ⅲ은 대식세포이다.

ㄱ. X에 대한 항체와 X의 결합으로 항원을 무력화시키는 것을 체액성 면역이라고 한다.

오개념 바로 알기 ㄷ. 대식세포의 식균 작용은 비특이적으로 진행된다. 단, 대식세포의 식균 작용 이후 항원 제시는 특이적 방어 작용을 촉진시킨다.

07 항원이 처음 침입했을 때 1차 면역 반응이 일어나고, 재침입했을 때 기억 세포에 의해 2차 면역 반응이 일어난다.

ㄱ. Ⅰ에서 항원이 침입하면 처음에는 비특이적인 방어 작용이 일어나고 항원을 인식한 이후에 특이적 방어 작용이 일어난다.

ㄴ. Ⅱ에서 항체가 생성된 이후에는 항원 항체 반응이 일어난다.

오개념 바로 알기 ㄷ. Ⅱ에서 기억 세포가 형질 세포로 분화한다. 형질 세포는 분화가 끝난 세포로 더 이상 분화하지 않는다.

08 ㉠은 보조 T 림프구, ㉡은 형질 세포, ㉢은 기억 세포이다.

ㄴ. ㉡은 형질 세포로 항체를 생산한다.

ㄷ. A의 재침입 시 기억 세포는 형질 세포로 빠르게 분화하여 다량의 항체를 생산한다.

오개념 바로 알기 ㄱ. T 림프구는 가슴샘에서 성숙한다.

09 ㄱ. (가)는 세균 X가 체내에 침입했을 때 일어나는 염증 반응과 식균 작용으로 병원체의 종류를 구분하지 않고 일어나는 비특이적 방어 작용이다.

ㄷ. (나)는 대식세포가 세포 표면에 제시한 세균 X의 항원 조각을 보조 T 림프구(㉠)가 인식하고 B 림프구(㉡)를 자극하면 B 림프구가 형질 세포로 분화하여 항체를 생성하는 체액성 면역이다. 체액성 면역은 항원의 종류를 인식하여 일어나는 특이적 방어 작용이다.

오개념 바로 알기 ㄴ. (나)에서 ㉠은 보조 T 림프구, ㉡은 B 림프구이다. 둘 다 골수에서 생성되지만 T 림프구는 가슴샘에서 성숙하며, B 림프구는 골수에서 성숙한다.

문제 속 자료 분석 염증 반응과 체액성 면역

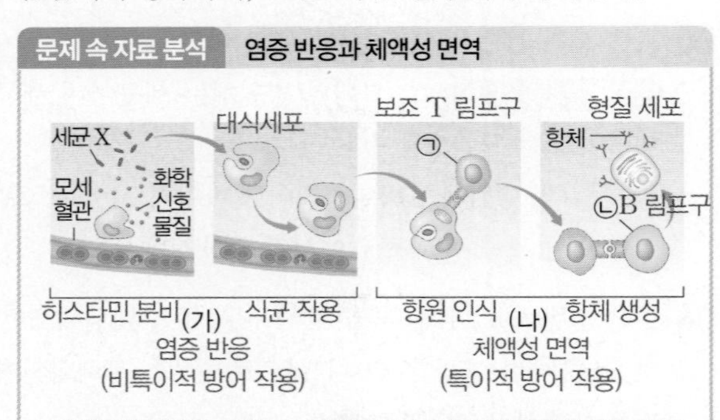

- (가) 염증 반응: 피부나 점막이 손상되어 병원체가 몸속으로 침입하면 비만 세포에서 화학 신호 물질(히스타민)이 분비되어 모세 혈관이 확장되고 혈관 벽의 투과성이 높아진다. 그에 따라 백혈구(대식세포)와 혈장이 상처 부위로 이동하여 식균 작용이 일어난다. 이때 발열, 부어오름, 통증 등의 증상이 나타난다. ➡ 비특이적 방어 작용
- (나) 체액성 면역: 대식세포가 식균 작용 후 항원 조각을 세포 표면에 제시(비특이적 방어 작용)하면 보조 T 림프구(㉠)가 항원 정보를 인식하고 B 림프구(㉡)를 자극한다. B 림프구는 형질 세포와 기억 세포로 분화하고, 형질 세포에서 항체를 생성한다. ➡ 특이적 방어 작용

10 ㄴ. 구간 Ⅰ에서 X에 대한 항체가 생성되어 X와 항원 항체 반응이 일어난다.

ㄷ. X를 2차 주사하면 구간 Ⅱ에서 항체 농도가 급격히 증가하는데, 이것은 X를 1차 주사했을 때 만들어졌던 기억 세포가 빠르게 증식하고 형질 세포로 분화하여 다량의 항체를 생성하는 2차 면역 반응이 일어나기 때문이다.

오개념 바로 알기 ㄱ. 혈장에서 섬유소원을 제거한 것을 혈청이라고 한다. ㉠ 혈청에는 X에 대한 항체는 포함되어 있지만, 기억 세포나 형질 세포, T 림프구와 같은 세포 성분은 포함되어 있지 않다.

11 백신은 항원을 약화시키거나 비활성화 상태로 만든 것으로 체내에 주사되면 1차 면역 반응을 일으켜 기억 세포를 생성한다. 기억 세포는 항원이 침입했을 때 빠르게 형질 세포로 분화하여 다량의 항체를 생산하므로 병을 앓지 않고 이겨낼 수 있다.

오개념 바로 알기 학생 C. 두 질병의 증상이 비슷하더라도 병원체가 다르면 서로 다른 백신으로 대비해야 한다.

개념 체크+ 백신

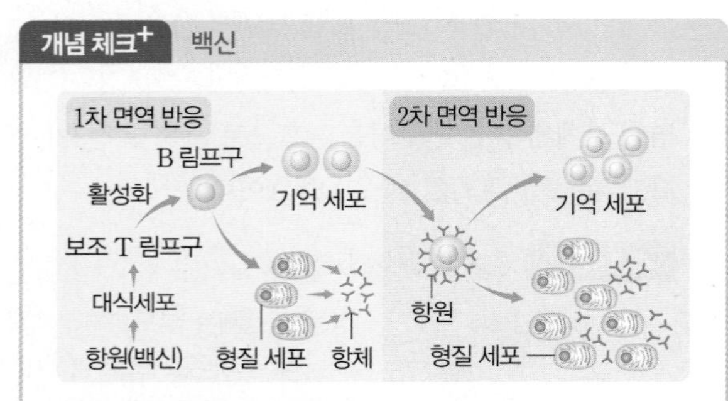

- 백신: 감염성 질병을 예방하기 위해 체내에 주입하는 항원을 포함하는 물질
- 백신은 1차 면역 반응을 유도하여 기억 세포를 만들게 한다. → 병원체가 침입하면 2차 면역 반응이 일어나 다량의 항체가 빠르게 생성되어 질병에 걸리지 않는다.

12 ㄴ. 영희는 A형이며 응집소 ㉠과 응집 반응이 일어났으므로 ㉠은 응집소 α, ㉡은 응집소 β이다. 철수의 적혈구 막에는 응집원이 없으므로 철수는 O형이며, 응집소 α와 β를 가지고 있다. 영희의 응집원 A는 철수의 응집소 α와 항원 항체 반응을 일으킨다.

ㄷ. 철수는 O형이므로 응집소 α, β를 모두 가진다.

오개념 바로 알기 ㄱ. 철수는 O형이므로 응집원이 없다.

13 ㄷ. 항 B 혈청에는 응집소 β가 있으므로 AB형, O형, B형 중 항 B 혈청과 섞었을 때 응집이 되는 ㉠과 ㉡은 응집원 B가 있는 B형과 AB형이고, 응집되지 않는 ㉢은 O형이다. 따라서 분류 기준 (가)는 B형과 AB형을 나눌 수 있는 기준이어야 한다. 항 A 혈청(응집소 α 존재)과 섞으면

AB형은 응집되지만 B형은 응집되지 않으므로, '항 A 혈청과 섞으면 응집되는가?'는 ㉠과 ㉡을 구분하는 기준이 될 수 있다.

오개념 바로 알기 ㄱ. ㉢은 O형이다.

ㄴ. ㉠과 ㉡은 각각 B형 또는 AB형인데, AB형의 혈장에는 응집소가 존재하지 않으므로 공통된 응집소는 없다.

14 붉은털원숭이의 적혈구 ⓐ를 토끼의 혈액에 주사하면 ⓐ의 응집원에 대응하는 Rh 응집소가 토끼의 혈청 ⓒ에 생긴다.

ㄴ. ⓐ와 ⓒ를 섞으면 붉은털원숭이의 적혈구에 있는 Rh 응집원과 ⓒ에 있는 Rh 응집소가 항원 항체 반응을 하여 혈액이 응집된다.

ㄷ. 사람 A는 ⓒ(Rh 응집소 포함)와 응집 반응이 일어났으므로 Rh 응집원을 가진다.

오개념 바로 알기 ㄱ. 혈액형을 판정할 때는 응집소가 들어 있는 혈청에 떨어뜨려 응집 여부를 관찰한다. 따라서 ㉠은 토끼에서 얻은 혈청 ⓒ이다.

15 남편은 Rh^-B형, 아내는 Rh^+AB형이다.

ㄴ. 남편의 혈장에는 응집소 α가 있고 아내의 혈구에는 응집원 A가 있기 때문에 항원 항체 반응이 일어난다.

오개념 바로 알기 ㄱ. 남편의 혈액이 항 A 혈청에 응집되지 않았으므로 적혈구에는 응집원 A가 없다.

ㄷ. 아내는 Rh^+형이므로 혈장에 Rh 응집소가 없다.

16 ㄱ. 세포 분열 시 방추사가 부착되는 부분인 ⓐ를 동원체라고 한다.

ㄷ. 성염색체가 XY이므로 이 사람의 성별은 남성이다.

오개념 바로 알기 ㄴ. 이 사람은 핵형 분석 결과 21번 염색체가 3개인 다운 증후군이다. 따라서 상염색체 수는 45개이며, 상염색체의 염색 분체 수는 90개가 된다.

17 ㄴ. (나)는 뉴클레오솜으로 DNA와 히스톤 단백질로 구성된다.

오개념 바로 알기 ㄱ. 염색체 (가)는 2가닥의 염색 분체로 이루어져 있다.

ㄷ. 대립유전자는 상동 염색체의 같은 위치에 존재한다. 따라서 A와 B는 대립유전자가 아니다.

18 (가)는 동물 A의 세포, (나)는 동물 B의 생식세포이다.

ㄷ. (나)의 체세포 분열 중기의 세포는 핵상이 $2n=8$이므로 염색 분체 수는 16이다.

오개념 바로 알기 ㄱ. ㉠은 상동 염색체의 모양이 서로 다른 것으로 보아 성염색체이다.

ㄴ. (가)의 핵상은 $2n$, (나)의 핵상은 n이다.

19 ㄴ. B는 뉴클레오솜이다.

ㄷ. C는 DNA로 생물의 유전 정보를 저장한다.

오개념 바로 알기 ㄱ. A는 염색체이다. 막대 모양의 염색체는 세포 분열 중에만 나타난다.

20 ㄱ, ㄴ, ㄷ. (가)는 핵상이 $n=3$이므로 생식세포이다. (나)는 핵상이 $2n=6$이므로 분열 전 세포이며, 아직 DNA가 복제되기 전이므로 G_1기 세포이다. (다)는 핵상이 $n=3$이고 각 염색체가 2개의 염색 분체로 되어 있으므로 감수 2분열 중인 세포이다. 이 동물의 성염색체 구성은 XY이므로 수컷이다.

문제 속 자료 분석 핵상

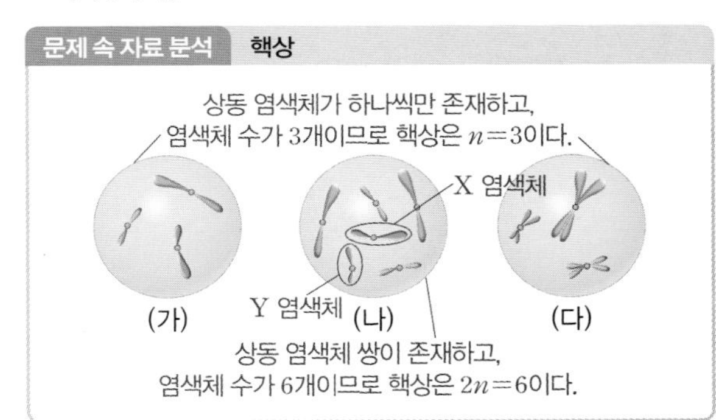

05 일차 세포 분열과 유전 ❶

기출 유형

본문 54~57쪽

01 ③	02 ③	03 ③	04 ③

01 세포 주기와 세체포 분열

세포 주기 중 G_1, S, G_2기는 간기이다. 간기에는 핵막이 뚜렷하고 염색체는 염색사의 형태로 풀어져 있다. 간기는 세포 주기의 대부분을 차지한다. M기는 분열기이며 염색체의 행동에 따라 전기, 중기, 후기, 말기로 구분된다. ㉠은 S기, ㉡은 G_2기, ㉢은 M기이다.

ㄱ. DNA는 S기에 복제된다.

ㄴ. G_2기는 S기 이후의 시기이므로 G_2기의 DNA양은 G_1기의 2배이다.

오개념 바로 알기 ㄷ. ⓒ은 M기, 즉 분열기이다.

02 생식세포의 형성과 유전적 다양성

Ⅰ은 분열 전 G_1기, Ⅱ는 감수 1분열 과정의 세포, Ⅲ은 감수 2분열 과정의 세포, Ⅳ는 생식세포이다. Ⅰ, Ⅱ, Ⅲ, Ⅳ의 핵상은 각각 $2n$, $2n$, n, n이고, A와 a의 DNA 상대량을 더한 값은 각각 2, 4, 2, 1이다.

ㄱ. Ⅱ는 핵상은 $2n$이므로 상염색체 수는 10개의 염색체에서 성염색체 2개를 뺀 8이고, DNA가 복제된 상태이므로 A와 a의 DNA 상대량을 더한 값은 4이다. 따라서 ⓓ이 Ⅱ, ㉠이 Ⅰ이다. 상염색체 수가 4이고 A와 a의 DNA 상대량을 더한 값이 2인 ㉡은 Ⅲ, ㉢은 Ⅳ이다.

ㄷ. Ⅲ의 전체 염색체 수는 5이므로, 염색 분체 수는 10이다.

오개념 바로 알기 ㄴ. ⓐ는 4이다.

03 상염색체 유전

1의 부부가 정상 형질인데, 2가 유전병을 나타낸 것으로 보아 자녀의 형질인 유전병이 열성(유전병 대립유전자는 A′)임을 알 수 있다. 유전병 유전자가 X 염색체에 있다면 아버지가 정상인데, 유전병인 딸(2)가 태어날 수 없다. 따라서 유전병 유전자는 상염색체에 존재한다.

오개념 바로 알기 ㄷ. 3의 부모 중 어머니는 열성 동형 접합성(A′A′)이고 아버지는 이형 접합성(AA′)이다. 따라서 3의 동생이 유전병을 가질 확률은 $\frac{1}{2}$이다.

04 성염색체 유전

오개념 바로 알기 ㄱ. 3의 유전자형은 명확하지 않다.

ㄴ. 11의 적록 색맹 대립유전자는 1과 5를 거쳐 11에게 전달되었다.

기출 / 유사 본문 54~57쪽

01 ④	02 ①	03 ④	04 ④

01 세포 주기와 체세포 분열

문제 풀이 TiP M기를 거쳐 형성된 딸세포는 G_1기, S기, G_2기를 거쳐 다시 M기에 접어들게 된다. 따라서 ㉠은 G_1기, ㉡은 S기, ㉢은 G_2기이다.

| 보기 분석 |

ㄱ. ㉠은 간기의 G_1기이므로 핵막이 뚜렷하다.

ㄴ. 방추사는 M기에서 관찰된다.

ㄷ. S기에 DNA가 복제된 후 ㉢ 시기가 되므로 핵 1개당 DNA양은 ㉢ 시기 세포가 ㉠ 시기 세포의 2배이다.

02 생식세포 형성과 유전적 다양성

문제 풀이 TiP ㉠은 분열 전 G_1기 세포, ㉡은 감수 1분열 중인 세포, ㉢은 감수 2분열 중인 세포, ㉣은 딸세포이다. ㉠, ㉡, ㉢, ㉣의 DNA양은 다음과 같다.

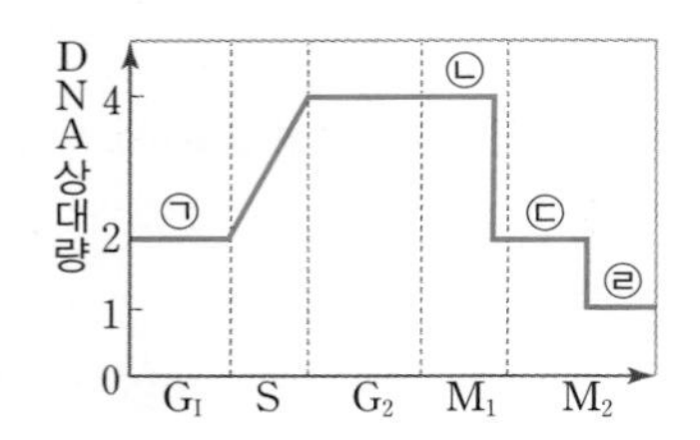

| 보기 분석 |

ㄱ. ㉠과 ㉡의 핵상은 $2n$으로 같다.

ㄴ. ㉢과 ㉣의 염색체 수는 n으로 같다.

ㄷ. ㉣의 DNA양은 ㉠의 $\frac{1}{2}$배이다.

03 상염색체 유전

문제 풀이 TiP ABO식 혈액형의 대립유전자 I^A, I^B는 i에 대해 우성이며, I^A, I^B 사이에는 우열이 구분되지 않는다($I^A = I^B > i$). 따라서 AB형의 유전자형은 I^AI^B, O형의 유전자형은 ii, A형의 유전자형은 I^AI^A 또는 I^Ai, B형의 유전자형은 I^BI^B, I^Bi이다.

| 보기 분석 |

ㄱ. 3의 ABO식 혈액형 유전자형이 I^BI^B이면 6에서 A형이 나올 수가 없다. 따라서 3의 ABO식 혈액형 유전자형은 I^Bi이다. 5는 2로부터 i 대립유전자를 하나 물려받았으므로 5의 ABO식 혈액형 유전자형은 I^Bi이다. 따라서 3, 5의 ABO식 혈액형 유전자형은 동일하다.

ㄴ. 6의 ABO식 혈액형 유전자형은 I^Ai로 이형 접합성이다.

ㄷ. ABO식 혈액형 유전자형이 I^Bi, I^Ai인 부모 사이에서 AB형인 아이가 나올 확률은 $\frac{1}{4}$이고 아들일 확률은 $\frac{1}{2}$이다. 따라서 AB형이면서 아들일 확률은 $\frac{1}{4} \times \frac{1}{2} = \frac{1}{8}$이다.

04 성염색체 유전

문제 풀이 TiP 아들의 X 염색체는 어머니로부터 물려받고, 아버지의 X 염색체는 딸에게 물려준다.

문제 속 자료 분석 적록 색맹 유전 가계도 분석

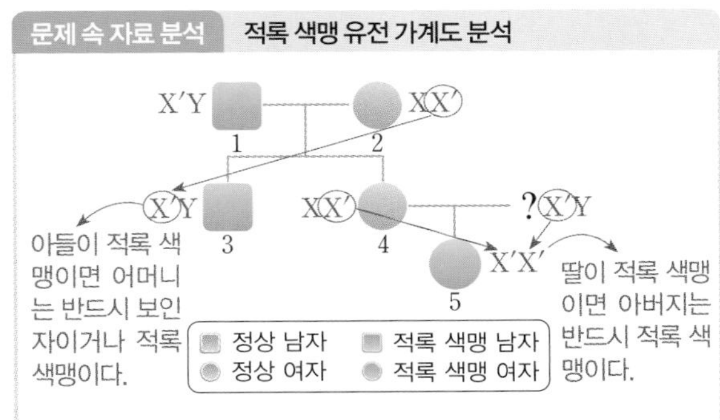

- 적록 색맹 유전은 열성 반성유전이다.
- 여자는 적록 색맹 대립유전자가 2개인 경우에만 적록 색맹이 되고, 남자는 1개만 있어도 적록 색맹이 된다.

| 보기 분석 |

ㄱ. 아들의 X 염색체는 어머니로부터 물려받으므로 3의 색맹 대립유전자는 2로부터 물려받았다.

ㄴ. 4는 딸에게 적록 색맹 대립유전자를 하나 물려주었으므로 보인자이다.

ㄷ. 5는 부모로부터 적록 색맹 대립유전자를 하나씩 받았으므로 5의 아버지도 적록 색맹이다. 딸이 적록 색맹이면 아버지는 반드시 적록 색맹이다.

기초력 집중드릴

본문 58~63쪽

01 ③	02 ②	03 ④	04 ③	05 ④
06 ④	07 ③	08 ②	09 ③	10 ③
11 ⑤	12 ③	13 ③	14 ①	15 ①
16 ⑤	17 ③	18 ③	19 ②	20 ③

01 ⓐ가 있는 염색체는 R가 있는 염색체와 상동 관계이다. 이 동물의 특정 형질에 대한 유전자형은 Rr이므로 상동 염색체의 같은 위치인 ⓐ에는 r가 있다.

오개념 바로 알기 ㄱ. 세포 주기는 M기 → G_1기 → S기 → G_2기로 진행된다. 따라서 ㉠은 G_2기, ㉡은 G_1기이다.

ㄴ. (나)는 체세포 분열 후기로 M기에서 관찰된다.

02 ㄷ. 구간 Ⅰ에는 분열을 마친 G_1기의 세포가 있고, 구간 Ⅱ에는 G_2기~M기의 세포가 있다. 따라서 구간 Ⅱ에는 핵막이 사라지고 염색체가 보이는 세포가 있다.

오개념 바로 알기 ㄱ. 세포 수가 많을수록 세포 주기가 더 길다. 구간 Ⅱ의 세포 수보다 구간 Ⅰ의 세포 수가 더 많은 것으로 보아 세포 주기는 G_1기가 G_2기보다 더 길다는 것을 알 수 있다.

ㄴ. 구간 Ⅰ에는 분열하는 세포가 없으므로 막대 모양의 염색체가 관찰되지 않는다.

03 (가)에서 ㉠은 히스톤 단백질, ㉡은 응축되기 전 염색체, ㉢은 응축된 염색체이다.

ㄴ. (나)에서 ⓐ는 G_2기, ⓑ는 M기, ⓒ는 G_1기이다. M기에 염색사는 염색체로 응축된다.

ㄷ. 세포 1개당 DNA양은 G_2기가 G_1기의 2배이다.

오개념 바로 알기 ㄱ. ㉠은 단백질이므로 기본 단위는 아미노산이다.

04 ㄱ. ㉠ 시기는 S기이며, DNA 복제가 일어나 핵 1개당 DNA양이 2배로 증가한다.

ㄴ. ㉡은 G_2기로 세포 분열을 준비하는 시기이며, 간기에 속한다.

오개념 바로 알기 ㄷ. ㉢ 시기는 M기(분열기)로 체세포 분열이 일어나므로 2가 염색체를 관찰할 수 없다. 2가 염색체는 감수 1분열 전기와 중기에 관찰된다.

05 ㄱ. 구간 Ⅰ은 DNA양이 1과 2 사이인 세포이므로 S기에 있는 세포이다. 따라서 DNA가 복제되는 세포가 있다.

ㄴ. 구간 Ⅱ에는 분열기의 세포가 있으므로 방추사를 관찰할 수 있다.

오개념 바로 알기 ㄷ. DNA 상대량이 1인 세포(G_1기 세포)의 수가 DNA 상대량이 2인 세포(G_2기, M기 세포) 수보다 많으므로 $\frac{G_1\text{기 세포 수}}{G_2\text{기 세포 수}} > 1$이다.

06 (나)는 2가 염색체가 중앙에 배열되어 있으므로 감수 1분열 중기의 세포이다. 따라서 M_1기에서 관찰된다.

④ M_1기에는 2가 염색체가 있다.

오개념 바로 알기 ①, ② (나)는 감수 1분열 중기의 세포이므로 핵상은 $2n$이며, 염색체 수는 4이다.

③ (나)는 M_1기에서 관찰된다.

⑤ ㉠은 감수 분열을 마친 생식세포이므로, 세포 1개당 DNA양은 (나)의 $\frac{1}{4}$이다.

07 A는 분열이 끝난 딸세포, B는 감수 1분열 중인 세포, C는 감수 2분열 중인 세포이다.

ㄱ. 그림은 핵상이 n이면서 염색 분체가 있으므로 감수 2분열 중인 세포이다. 따라서 C의 세포이다.

ㄷ. B는 감수 1분열 중인 세포이므로 2가 염색체가 관찰된다.

오개념 바로 알기 ㄴ. A는 분열이 끝난 생식세포로 더 이상 분열하지 않으므로 A의 세포가 복제를 거쳐 C가 될 수 없다.

08 ㉠과 ㉡은 상동 염색체이고, ㉢과 ㉣은 염색 분체이다.

ㄷ. (가)와 (나)의 핵상은 모두 $2n$으로 염색체의 수는 같다.

오개념 바로 알기 ㄱ. 상동 염색체는 유전자 구성이 다르고 염색 분체는 유전자 구성이 같다.

ㄴ. 염색 분체는 감수 2분열에서 분리된다.

09 ㄱ. 구간 Ⅰ은 S기로 DNA가 복제된다.

ㄷ. (나)는 상동 염색체 분리가 일어난 감수 2분열 중기의 세포이다. 따라서 구간 Ⅱ에서 관찰할 수 있다.

오개념 바로 알기 ㄴ. 구간 Ⅱ는 감수 2분열이 진행되는 시기로 염색 분체가 분리된다.

10 ㄱ. 표에서 ㉡과 ㉣에는 유전자 H와 t가 모두 있고, ㉡에서 H와 t의 DNA 상대량은 ㉣의 2배이다. 그림에서 G_1기의 세포 Ⅰ이 Ⅱ가 될 때 DNA 복제가 일어나 DNA양이 2배로 증가한다. 따라서 Ⅰ은 ㉣, Ⅱ는 ㉡이다.

ㄴ. Ⅱ가 Ⅲ이 될 때 상동 염색체가 분리되는 감수 1분열이 일어나며, 이때 H와 t는 서로 다른 상동 염색체에 존재하므로 감수 1분열 시 독립적으로 행동한다. 따라서 감수 1분열이 끝난 세포에는 H와 t가 함께 있을 수도 있고, 아닐 수도 있다. 그리고 감수 1분열이 끝난 세포에서 모든 염색체는 2개의 염색 분체로 이루어져 있으므로 대립유전자의 DNA 상대량은 2이다. 따라서 Ⅲ은 ㉠이고, 나머지 Ⅳ는 ㉢이다. Ⅲ(㉠)은 H가 있으므로 Ⅳ는 H가 없는 세포(h가 있는 세포)가 감수 2분열을 하여 생성된 세포이다. 따라서 ⓐ는 0이다.

오개념 바로 알기 ㄷ. ㉠(Ⅲ)은 감수 1분열이 끝난 세포이므로 핵상이 n이고, ㉣(Ⅰ)은 G_1기의 세포이므로 핵상이 $2n$이다. 따라서 세포의 핵상은 ㉠과 ㉣이 다르다.

문제 속 자료 분석 감수 분열 시 DNA 상대량 변화

Ⅰ㉣ HhTt
Ⅱ㉡ HHhhTTtt
HHTT ㉠Ⅲ
hhtt Ⅳ㉢ ht
HT HT ht ht

세포	DNA 상대량	
	H	t
n ㉠Ⅲ	2	0
$2n$ ㉡Ⅱ	2	2
n ㉢Ⅳ	ⓐ 0	? 1
$2n$ ㉣Ⅰ	1	1

11 ㄱ. A를 나타내는 남녀의 비율이 비슷한 것은 유전자가 상염색체에 있기 때문이다.

ㄴ. 부모가 A를 나타내지 않는데 자녀에서 A가 나타났다면 A는 열성 형질이다.

ㄷ. 상염색체 열성 유전인 경우 이형 접합성인 부모에서 A를 나타내는 자녀가 태어날 확률은 $\frac{1}{4}$이다.

12 ① 이마선 유전은 1쌍의 대립유전자에 의해 결정되므로 단일 인자 유전이다.

② 만약 이마선 유전자가 X 염색체에 있다면 일자형인 어머니에게서 M자형인 아들이 태어날 수 없다.

④ C의 자녀에서 일자형 이마선이 나타난 것으로 보아 C는 이형 접합성이고, D는 아버지로부터 일자형 이마선 대립유전자를 하나 받았다.

⑤ A의 이마선 유전자형은 mm, B의 이마선 유전자형은 Mm이므로 mm × Mm → Mm, Mm, mm, mm에서 A와 B 사이에서 태어나는 셋째 아이가 M자형 이마선을 가질 확률은 $\frac{1}{2}$이다.

오개념 바로 알기 ③ B의 이마선 유전자형이 이형 접합성인데 M자형 이마선이므로 M자형 이마선이 일자형에 대해 우성으로 유전함을 알 수 있다.

13 정상인 부모 사이에서 유전병 자녀 A, B가 태어났으므로 유전병 유전자는 정상에 대해 열성으로 유전되며, 상염색체 유전이므로 남녀에서 같은 비율로 나타난다.

오개념 바로 알기 학생 B. 유전병 유전자가 X 염색체에 있다고 가정할 때 정상인 아버지로부터 유전병인 딸이 태어날 수 없다. 따라서 이 유전병 유전자는 상염색체에 있다.

14 1의 ABO식 혈액형 유전자형이 동형 접합성이므로 1의 혈액형은 O형이다. 4명의 혈액형이 모두 다르므로 2는

AB형이고, 3과 4는 각각 A형 혹은 B형이며 유전자형은 둘 다 이형 접합성($I^{A}i$ 혹은 $I^{B}i$)이다.

오개념 바로 알기 ㄷ. ABO식 혈액형 유전자형이 $I^{A}i$ 혹은 $I^{B}i$인 사람이 O형(ii)인 여자와 결혼했을 때 자손에서 O형이 태어날 확률은 $\frac{1}{2}$이다.

15 정상인 부모 사이에서 유전병인 8이 태어난 것으로 보아 유전병은 열성 유전이며, 정상인 아버지에게서 유전병인 딸(8)이 태어났으므로 이 유전병은 상염색체 유전이다.

ㄱ, ㄴ. 상염색체 유전이므로 성별에 따른 발현 빈도의 차이는 없으며, 3, 4, 5의 유전자형은 모두 이형 접합성이다.

오개념 바로 알기 ㄷ. 5, 6 사이에서 정상인 자녀가 태어날 확률(Aa×aa→ Aa, Aa, aa, aa)은 $\frac{1}{2}$이다.

문제 속 자료 분석 상염색체 유전 가계도 분석

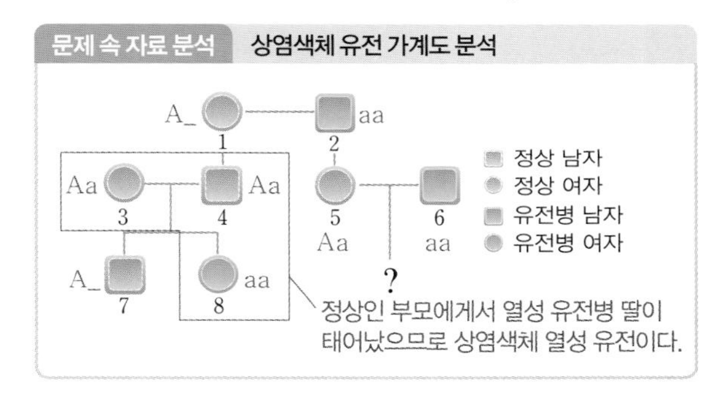

16 ㄱ. 정상인 부모 사이에서 4, 12와 같은 갑상샘 위축증 환자인 자녀가 태어난 것으로 보아 갑상샘 위축증은 정상에 대해 열성으로 유전한다는 것을 알 수 있다.

ㄴ. 열성 반성유전인 경우 아버지가 정상이면 딸은 정상 형질을 나타낸다.

ㄷ. 4가 태어난 것으로 보아 2는 유전병 대립유전자를 가지는 보인자이다. 4는 8과 10에게 유전병 대립유전자를 물려주었으므로 8과 10은 보인자이다.

17 아들의 X 염색체는 1개로, 어머니로부터 물려받는다.

18 구루병 환자인 부모 사이에서 정상인 아이가 태어났으므로 정상이 열성, 구루병은 우성 형질이다.

ㄷ. 4의 유전자형은 X′Y이다. 정상인 여자와 결혼하더라도 구루병이 우성 형질이므로 태어나는 딸은 모두 구루병을 나타낸다.

오개념 바로 알기 ㄱ. 구루병은 우성 형질이다.

ㄴ. 1(XX′)과 2(XY) 사이에서 구루병 자녀가 태어날 확률은 XX′×XY → XX, XX′, XY, X′Y로 $\frac{1}{2}$이다.

19 ① 적록 색맹 유전자는 X 염색체에 있다.

③ 3은 2로부터 적록 색맹 유전자를 물려받은 보인자이다.

④ 4는 아들이 적록 색맹인 것으로 보아 적록 색맹 유전자를 하나 가지는 보인자이다.

⑤ A와 B는 2란성 쌍둥이이므로 A와 B가 모두 적록 색맹일 확률은 A와 B 각각이 적록 색맹일 확률을 곱하여 구한다. A가 적록 색맹일 확률과 B가 적록 색맹일 확률은 XX′×X′Y → XX′, X′X′, XY, X′Y로 각각 $\frac{1}{2}$이다.

따라서 A와 B가 모두 적록 색맹일 확률은 $\frac{1}{2}\times\frac{1}{2}=\frac{1}{4}$이다.

오개념 바로 알기 ② 1과 2 사이에서 태어난 딸의 적록 색맹 대립유전자는 2에게서 온 것이므로 1의 유전자형은 XX 또는 XX′로 보인자임을 확신할 수 없다.

20 ㄱ. (가)의 가계도에서 정상인 1과 2 사이에서 유전병인 3이 태어난 것으로 보아 유전병은 열성 형질임을 알 수 있다.

ㄴ. (나)를 통해 이 유전병 유전자는 X 염색체에 존재한다는 것을 알 수 있다. 따라서 3의 유전병 대립유전자는 어머니(2)로부터 물려받은 것이다.

오개념 바로 알기 ㄷ. 열성 반성유전의 경우 아버지가 정상이면 딸은 항상 정상이므로 5의 여동생이 태어날 경우 유전병이 나타날 확률은 0이다.

06 일차 유전②와 생태계의 구성

기출 유형

본문 66~69쪽

01 ④	02 ②	03 ②	04 ②

01 **단일 인자 유전과 다인자 유전**

미맹 여부는 단일 인자 유전, 키의 분포는 다인자 유전을 나타내고 있다. 단일 인자 유전은 우열이 분명할 경우 표현형이 2가지로 나타나지만, 다인자 유전은 표현형이 연속적으로 나타난다.

오개념 바로 알기 ㄴ. 키는 다인자 유전에 해당한다.

02 염색체 이상 유전병

정자 형성 과정 중 감수 1분열에서 성염색체가 비분리되면 X, Y 염색체가 없는($n-1$) 세포 2개와 X, Y를 모두 갖는($n+1$) 세포 2개가 생긴다.

ㄷ. ㉠이 정상 난자와 수정되어 태어난 아이는 X 염색체 하나만 가지므로 터너 증후군이 나타난다.

오개념 바로 알기 ㄱ. ㉠에는 성염색체가 없다.

ㄴ. ㉡의 상염색체는 22개이다.

03 유전자 이상 유전병

DNA 염기 서열 변화에 의해 나타나는 유전병은 유전자 이상 유전병이다.

오개념 바로 알기 ㄱ. 유전자 이상에 의한 유전병은 핵형 분석을 통해 확인할 수 없다.

ㄴ. 유전자 이상에 의한 유전병 중에는 헌팅턴 무도병처럼 정상에 대해 우성으로 유전하는 유전병도 있다.

04 생태계의 구성

㉠은 비생물적 요인이 생물적 요인에 영향을 미치는 것(작용)을, ㉡은 생물적 요인이 비생물적 요인에 영향을 미치는 것(반작용)을 나타낸다.

ㄷ. 지렁이(생물적 요인)가 토양(비생물적 요인)의 통기성을 증가시키는 것은 반작용에 해당한다.

오개념 바로 알기 ㄱ. 생산자에는 육상 식물, 조류, 광합성 세균 등이 포함된다.

ㄴ. 분해자는 소비자의 사체나 배설물의 유기물을 분해하여 살아가므로 소비자의 유기물이 분해자로 이동한다.

기출 유사 본문 66~69쪽

01 ④ 02 ③ 03 ③ 04 ②

01 다인자 유전의 특징

문제 풀이 TiP 다인자 유전을 하는 형질의 표현형에 따른 개체 수를 비교해 보면 평균값이 높은 정규 분포 곡선(평균을 중심으로 좌우 대칭으로 분포하는 곡선)을 나타낸다.

| 보기 분석 |

ㄱ. 다인자 유전의 경우 대립 형질 사이의 우열 관계는 분명하지 않다.

02 염색체 이상 유전병

문제 풀이 TiP (가)는 감수 1분열에서, (나)는 감수 2분열에서 염색체 비분리 현상이 나타났다.

| 문제 분석 |

① (가)는 감수 1분열에서 상동 염색체가 비분리되었다.

② (나)는 감수 2분열에서 염색 분체가 비분리되었다.

③ A는 21번 염색체가 없으므로 총염색체 수는 22이다.

④ (나)에서는 성염색체가 비분리되었으므로 B의 상염색체 수는 정상과 같은 22이다.

⑤ ㉠은 21번 염색체가 2개이므로 정상 정자와 수정되어 태어난 아이에게는 다운 증후군이 나타난다.

03 염색체 이상 유전병과 유전자 이상 유전병

문제 풀이 TiP 다운 증후군, 클라인펠터 증후군은 염색체 수 이상에 의해 나타나는 염색체 이상 유전병이고, 낫 모양 적혈구 빈혈증, 페닐케톤뇨증은 유전자 돌연변이에 의한 유전자 이상 유전병이다.

| 보기 분석 |

ㄱ. (가)는 염색체 이상에 의한 유전병이므로 핵형 분석으로 확인할 수 있다.

ㄴ. 알비노증은 유전자 이상에 의한 유전병이다.

ㄷ. (나)는 유전자 이상에 의한 유전병이므로 (나)의 유전병을 나타내는 사람에서는 돌연변이 유전자에 의해 돌연변이 단백질이 만들어진다.

04 생태계의 구성

문제 풀이 TiP 생태계는 생물적 요인(생물 군집)과 비생물적 환경 요인이 서로 영향을 주고받는 시스템이다.

| 보기 분석 |

ㄱ. 개체군 A는 한 종의 생물로만 구성된다.

ㄴ. 생물 군집을 이루는 생물은 생태계 내의 역할에 따라 생산자, 소비자, 분해자로 구분된다.

ㄷ. 가을이 되면 식물의 잎이 단풍이 드는 것은 비생물적 요인인 온도가 생물에 영향을 미치는 작용이므로 ㉠에 해당하지 않는다.

기초력 집중드릴

본문 70~75쪽

01 ⑤	02 ①	03 ④	04 ①	05 ③
06 ③	07 ②	08 ⑤	09 ③	10 ③
11 ⑤	12 ③	13 ④	14 ③	15 ④
16 ⑤	17 ⑤	18 ③	19 ①	20 ②

01 ABO식 혈액형과 혀 말기 형질은 단일 인자 유전으로 1쌍의 대립유전자가 형질을 결정한다. 키는 여러 쌍의 대립유전자가 관여하는 다인자 유전이다. 따라서 (가)는 키, (나)는 ABO식 혈액형, (다)는 혀 말기이다. ABO식 혈액형은 대립유전자의 종류가 3가지인 복대립 유전이다.

오개념 바로 알기 ㄷ. 키의 대립 형질은 우열 관계가 분명하지 않으며 특정 유전자에 의해 표현형이 누적적으로 나타난다.

02 형질 (가)는 다인자 유전을 하는 형질이다. 유전자형이 AaBbDd인 개체와 aabbdd인 개체가 자손을 만들 때 AaBbDd는 8가지의 생식세포를 형성하고 aabbdd는 1가지 생식세포를 형성한다. 자손에서 나타나는 대문자로 표시되는 대립유전자의 수는 3, 2, 1, 0으로 4가지이다.

03 ABO식 혈액형은 단일 인자 유전에 해당하는 복대립 유전이고, 지문선의 수는 다인자 유전이다.

04 다인자 유전 형질은 환경의 영향을 많이 받는다.

오개념 바로 알기 ㄴ. 다인자 유전은 대립 형질이 뚜렷하게 구분되지 않고 표현형이 연속적인 변이를 나타낸다.
ㄷ. 다인자 유전은 하나의 형질 발현에 여러 쌍의 대립유전자가 관여한다.

05 눈 색 유전자형이 AaBb인 두 사람이 생성하는 생식세포는 AB, Ab, aB, ab 4종류이다. 따라서 두 사람 사이에서 태어나는 아이에게서 나타날 수 있는 눈 색 유전자형 중 대문자로 표시되는 대립유전자의 수는 4, 3, 2, 1, 0개로 5가지이므로 표현형은 5가지이다.

오개념 바로 알기 ㄱ. 다인자 유전을 하는 유전 형질에서는 대립유전자 사이에 우열 관계는 분명하게 나타나지 않는다.
ㄴ. 눈 색 유전은 다인자 유전에 속한다.

06 (가)에서 유전자 A는 X 염색체에 있음을 알 수 있다. (나)는 X 염색체를 2개 가지는 암컷인데 X 염색체에 있어야 할 대립유전자 a가 상염색체로 이동하였다.

오개념 바로 알기 ㄱ. ㉠은 상염색체이고, ㉡은 성염색체이다. 따라서 ㉠과 ㉡은 상동 염색체가 아니다.
ㄴ. (나)에서는 상동 염색체가 아닌 염색체 사이에서 유전자가 서로 자리를 바꾸는 전좌가 일어났다.

개념 체크⁺ 염색체 구조 이상

염색체 구조 이상에는 결실, 중복, 역위, 전좌가 있다.

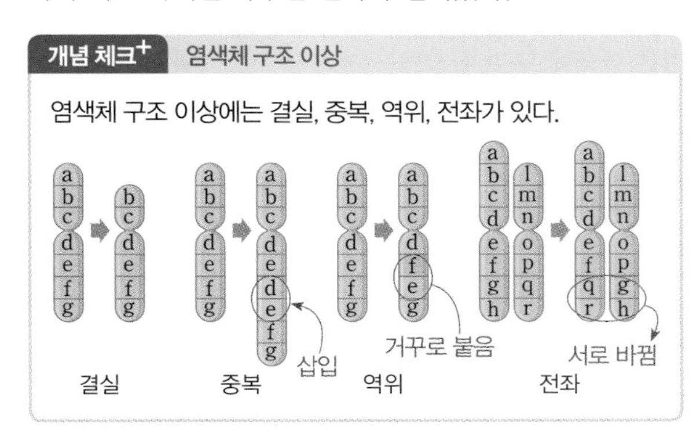

07 성염색체에서 비분리 현상이 일어난 생식세포의 수정으로 XXY가 되었으므로 클라인펠터 증후군이다. 클라인펠터 증후군인 사람의 상염색체 수는 정상이므로 44개이다.

개념 체크⁺ 염색체 수 이상

유전 질환	염색체 구성	특징
다운 증후군 ($2n+1=47$)	45+XX 45+XY	21번 염색체가 3개
에드워드 증후군 ($2n+1=47$)	45+XX 45+XY	18번 염색체가 3개
터너 증후군 ($2n-1=45$)	44+X	성염색체가 X 염색체 1개
클라인펠터 증후군 ($2n+1=47$)	44+XXY	성염색체가 XXY

08 사람 A는 성염색체가 XXY이므로 클라인펠터 증후군이다. 정상 난자는 X 염색체 하나를 전달하므로 비정상인 정자가 A에게 XY를 모두 전달한 것이다. 상동 관계인 X 염색체와 Y 염색체가 분리되지 않았으므로 감수 1분열에서 염색체 비분리 현상이 일어났음을 알 수 있다.

09 ㄱ. E는 적록 색맹인데 성염색체를 하나만 가지는 여자이므로 성염색체가 X 염색체 1개인 터너 증후군이다.
ㄷ. C의 아버지가 적록 색맹이므로 C는 보인자이다. 따라서 C(XX′)와 D(XY)의 자녀가 색맹일 확률은 XX′×XY → XX, XX′, XY, <u>X′Y</u>로 $\frac{1}{4}$이다.

오개념 바로 알기 ㄴ. E는 아버지(B)가 정상(XY)이므로 보인자(XX′)인 어머니(A)로부터 적록 색맹 대립유전자를 하나만 받았고, 아버지(B)로부터 성염색체를 전달받지 못했음을 알 수 있다. 따라서 아버지(B)의 정자 형성 과정에서 염색체 비분리가 일어났음을 알 수 있다.

10 염색체 구조 이상에는 결실, 중복, 역위, 전좌가 있다. 서로 상동이 아닌 염색체 사이에서 염색체 일부가 교환되는 것을 전좌라고 한다.

11 ㄱ. 감수 1분열 과정에서 성염색체 비분리가 일어나 XY 염색체가 모두 ㉠에게 가고 ㉡은 성염색체가 없다. A의 경우 성염색체 비분리가 일어났으므로 상염색체는 정상인 22개이다.
ㄴ. ㉠은 XY를 가지므로 정상 난자(X)와 수정되어 태어난 아이는 성염색체가 XXY이므로 클라인펠터 증후군을 나타낸다.
ㄷ. ㉡은 성염색체가 없으며 정상 난자와 결합하면 성염색체가 X염색체 1개인 터너 증후군을 나타낸다.

12 ㄱ, ㄴ. (가)는 알비노증, (나)는 고양이 울음 증후군, (다)는 터너 증후군이다. 알비노증은 유전자 이상에 의한 유전병이므로 DNA 염기 서열의 변화에 의해 나타나며, 고양이 울음 증후군은 5번 염색체의 결실에 의해 나타나는 유전병이다.
오개념 바로 알기 ㄷ. (다)는 터너 증후군으로 성염색체 수가 정상보다 하나 적다.

13 오개념 바로 알기 ㄱ. 낫 모양 적혈구 빈혈증은 유전자 돌연변이에 의해 나타나는 유전병이다.

14 ㄱ. 낫 모양 적혈구 빈혈증 환자(나)의 핵형은 정상인(가)과 같아서 핵형 분석만으로는 낫 모양 적혈구 빈혈증 여부를 판단할 수 없다.
ㄷ. 헤모글로빈 유전자의 염기 1개가 바뀌어 아미노산 하나가 달라진 결과 변형된 비정상 헤모글로빈이 만들어진다.
오개념 바로 알기 ㄴ. 낫 모양 적혈구를 구성하는 비정상 헤모글로빈은 정상 헤모글로빈과 아미노산 1개만 다를 뿐 아미노산의 수는 정상 헤모글로빈과 같다.

15 ㄱ. 낫 모양 적혈구 빈혈증은 유전자 이상에 의한 유전병이므로 염색체 수는 정상이다.
ㄴ. 다운 증후군, 터너 증후군은 염색체 수 이상 유전병이므로 핵형 분석을 통해 확인할 수 있다. 다운 증후군은 상염색체 수 이상, 터너 증후군은 성염색체 수 이상이다.
오개념 바로 알기 ㄷ. 터너 증후군은 성염색체 구성이 X 염색체 하나뿐이며, Y 염색체가 없으므로 여성이다.

16 A는 생산자, B는 소비자이다. 소나무는 생산자에 속하고 소비자는 생산자가 생산한 유기물을 먹이로 살아간다.

17 ㉠은 개체군 간의 상호 작용을, ㉡은 반작용, ㉢은 작용이다. 먹고 먹히는 포식과 피식 관계는 개체군 간의 상호 작용에 해당한다.

18 오개념 바로 알기 학생 C. 생태계는 생물적 요인과 비생물적 요인이 서로 상호 작용하는 시스템이다.

19 오개념 바로 알기 ㄴ. 생태계는 군집과 같은 생물적 요인과 비생물적 요인을 모두 포함하는 체계이다.
ㄷ. 소나무와 잣나무는 종이 다르므로 한 개체군에 속하지 않는다. 개체군은 한 종으로 이루어진 집단이다.

20 오개념 바로 알기 ㄱ. 토양 속 질소 고정 세균은 생물적 요인 중 분해자에 속한다.
ㄴ. 콩과식물과 뿌리혹박테리아의 상호 작용은 생물종 간에 일어나는 상호 작용이다.

07 일차 개체군과 군집, 생물 다양성

기출 유형 본문 78~81쪽

01 ④	02 ①	03 ③	04 ③

01 개체군
A는 이론적 생장 곡선, B는 실제 생장 곡선이다. 실제 생장 곡선은 S자형이다. 개체 수가 증가할수록 환경 저항이 커지므로 구간 Ⅰ에서보다 구간 Ⅱ에서 환경 저항이 더 크다.

02 군집

(나)에서 A종의 개체 수가 감소하다 사라진 것으로 보아 경쟁·배타 원리가 적용되었음을 알 수 있다. (가)의 생장 곡선은 A종의 실제 생장 곡선이다.

03 에너지 흐름과 물질 순환

생체량은 상위 영양 단계로 갈수록 감소하므로 피라미드 형태를 이룬다. 에너지 효율은 하위 영양 단계에서 상위 영양 단계로 이동하는 에너지의 비율로, 생태계 유형에 따라 다르며, $\frac{\text{현 영양 단계의 에너지양}}{\text{전 영양 단계의 에너지양}} \times 100$으로 구한다.

04 생물 다양성

종 다양성은 한 생태계에 서식하는 생물종의 다양한 정도로, 지구상에 존재하는 모든 생물종을 포함한다.

기출 / 유사 본문 78~81쪽

01 ②	02 ④	03 ③	04 ①

01 개체군

문제 풀이 TiP 개체군의 밀도는 일정한 공간에 서식하는 개체 수로, 서식지 면적이 바뀌지 않는 조건에서는 개체 수에 비례한다.

| 보기 분석 |

ㄱ. 구간 Ⅲ에서 개체군의 밀도가 가장 크다.

ㄴ. 구간 Ⅲ에서 환경 저항이 최대가 된다.

ㄷ. 구간 Ⅲ에서 개체군의 생장률은 0이 되는데, 이는 출생률이 사망률과 같아지기 때문이다.

02 군집

문제 풀이 TiP 단독 배양 때보다 혼합 배양 때 개체 수가 증가하면 서로 이익이 되는 상리 공생 관계이다.

| 보기 분석 |

ㄱ. 개체군 A는 한 종으로만 구성된다.

ㄴ. (가)의 개체군 간의 상호 작용에는 종간 경쟁, 공생, 기생, 포식과 피식 등이 있다.

ㄷ. (나)에서 종 ⓐ와 종 ⓑ는 단독 배양 때보다 혼합 배양 때 개체 수가 더 증가한 것으로 보아 상리 공생 관계이다.

03 에너지 흐름과 물질 순환

문제 풀이 TiP D는 생산자, C는 1차 소비자, B는 2차 소비자, A는 3차 소비자이다.

| 보기 분석 |

ㄱ. C는 1차 소비자이다.

ㄴ. C의 에너지 효율은 10 %, A의 에너지 효율은 20 %로, C의 에너지 효율은 A의 $\frac{1}{2}$배이다.

ㄷ. 각 영양 단계에서 호흡이나 고사 등으로 방출되는 에너지가 있기 때문에 상위 영양 단계로 갈수록 에너지양은 감소한다.

04 생물 다양성

문제 풀이 TiP 같은 생물종 내에서 개체 간에 나타나는 변이의 다양함을 유전적 다양성이라고 한다.

| 보기 분석 |

ㄱ. 한 생태계 내에서 서식하는 생물종 수가 많을 때 종 다양성은 높다.

ㄴ. 얼룩말의 무늬가 다양한 것은 유전적 다양성에 해당한다.

ㄷ. 유전적 다양성은 모든 생물종에서 나타난다.

기초력 집중드릴 본문 82~87쪽

01 ③	02 ⑤	03 ②	04 ③	05 ③
06 ③	07 ⑤	08 ①	09 ④	10 ③
11 ②	12 ⑤	13 ③	14 ③	15 ⑤
16 ③	17 ①	18 ③	19 ③	20 ④

01 단위 시간당 개체 수 증가율이 높을 때 개체군 생장률이 높다.

오개념 바로 알기 ㄷ. B에서 생장률은 구간 Ⅰ에서가 구간 Ⅲ에서보다 더 크다. 구간 Ⅲ에서의 생장률은 0이다.

02 ⓒ은 비생물적 요인이 생물적 요인에 미치는 영향을 나타낸다.

03 A는 자손 수가 많고 부모의 보호를 받지 않아 어린 시기 사망률이 높다. C는 자손 수가 적고 부모의 보호를 받기 때문에 어린 시기 사망률이 낮다.

오개념 바로 알기 ㄴ. B는 연령별 사망률이 일정하다.

04 분서는 생태적 지위가 유사한 개체군들이 같은 공간에서 서식할 때 경쟁을 피하기 위해 서식지를 분리하거나 먹이

를 달리하는 것이다.

오개념 바로 알기 ㄴ. 눈신토끼와 스라소니의 관계는 포식과 피식에 해당한다.

05 텃세와 순위제는 개체군 내 상호 작용이고, 포식과 피식, 종간 경쟁은 개체군 간 상호 작용이다. A는 종간 경쟁, B는 포식과 피식이다.

06 종간 경쟁은 두 종이 모두 손해이고, 상리 공생은 두 종이 모두 이익을 얻는 상호 작용이다. 따라서 상호 작용 Ⅰ이 상리 공생, 상호 작용 Ⅱ가 종간 경쟁이다.

오개념 바로 알기 ①, ② ⓐ는 이익, ⓑ는 손해이다.
④ 산호와 조류의 관계는 상리 공생(Ⅰ)에 해당한다.
⑤ 경쟁·배타 원리는 종간 경쟁에 작용한다.

07 ㄴ. (나)에서 종 A와 B 사이에서 종간 경쟁이 일어나 종 B가 사라졌으므로 경쟁·배타 원리가 작용하였다.
ㄷ. 종 B는 (가)보다 (다)에서 환경 수용력이 더 높게 나타난 것으로 보아 저온 건조한 환경이 생존에 더 유리함을 알 수 있다.

오개념 바로 알기 ㄱ. 환경 저항이 클수록 개체군의 생장률이 낮아진다. 구간 Ⅰ에서 A의 생장률은 0이므로 환경 저항이 크다.

08 ㄱ. 뿌리혹박테리아와 콩과식물은 서로에게 이익이므로 상리 공생 관계이다.

오개념 바로 알기 ㄴ. (가)는 상리 공생, (나)는 기생으로 개체군 간의 상호 작용의 사례이다.
ㄷ. 경쟁·배타 원리는 종간 경쟁에 적용된다.

09 ㄴ. 상대 피도의 합은 100 %이므로 ㉠은 45 %이다.
ㄷ. 우점종은 중요치가 가장 높은 종이다. 중요치는 상대 밀도, 상대 빈도, 상대 피도를 더한 값이다. 상대 빈도는 $\dfrac{\text{특정 종의 빈도}}{\text{조사한 모든 종의 빈도 합}} \times 100$으로 구한다. 모든 종의 빈도의 합이 1이므로 상대 빈도가 가장 높은 종은 C이다. 상대 밀도가 가장 높은 종은 C, 상대 피도가 가장 높은 종도 C이다. 따라서 우점종은 C이다.

오개념 바로 알기 ㄱ. 밀도는 조사한 면적에 있는 특정 종의 개체 수로 구하는데, 조사한 면적이 같으므로 개체 수로 계산하면 된다. 모든 종의 개체 수는 200이므로 A의 상대 밀도는 $\dfrac{\text{A의 개체 수}}{\text{전체 개체 수}} \times 100 = \dfrac{20}{200} \times 100 = 10(\%)$이다.

개념 체크+ 식물 군집의 조사

$\text{밀도} = \dfrac{\text{특정 종의 개체 수}}{\text{전체 방형구의 면적}(m^2)}$

$\text{빈도} = \dfrac{\text{특정 종이 출현한 방형구 수}}{\text{전체 방형구의 수}}$

$\text{피도} = \dfrac{\text{특정 종의 점유 면적}(m^2)}{\text{전체 방형구의 면적}(m^2)}$

$\text{상대 밀도}(\%) = \dfrac{\text{특정 종의 밀도}}{\text{조사한 모든 종의 밀도의 합}} \times 100$

$\text{상대 빈도}(\%) = \dfrac{\text{특정 종의 빈도}}{\text{조사한 모든 종의 빈도의 합}} \times 100$

$\text{상대 피도}(\%) = \dfrac{\text{특정 종의 피도}}{\text{조사한 모든 종의 피도의 합}} \times 100$

- 중요치=상대 밀도+상대 피도+상대 빈도
- 중요치가 가장 큰 종이 우점종이다.

10 ㄱ, ㄴ. 용암 대지 위의 불모지에서 시작되는 1차 천이이다. 1차 천이 중 건성 천이의 개척자(A)는 지의류이다.

오개념 바로 알기 ㄷ. (가)는 양수림, (나)는 음수림이다. 양수는 음수보다 보상점과 광포화점이 높다.

11 ㄴ. 천이가 진행될수록 군집 내 생물 다양성은 증가하고 층상 구조가 발달한다.

오개념 바로 알기 ㄱ. 산불이 난 후의 천이 과정은 2차 천이에 해당한다. 2차 천이의 개척자 A는 초본이다.
ㄷ. 양수림에서 혼합림을 거쳐 음수림으로 변하는 과정에서 지표면에 도달하는 빛의 세기는 감소한다.

12 ㉠은 호흡량, ㉡은 순생산량이다.

오개념 바로 알기 ⑤ 피식량이 생산자에서 1차 소비자로 이동한 에너지양이다.

13 ㄱ. A는 생산자이다.
ㄷ. 각 영양 단계에서 배설·호흡 등으로 에너지가 소비되고, 일부의 에너지만이 상위 영양 단계로 전달된다.

오개념 바로 알기 ㄴ. (나)에서 2차 소비자의 에너지 효율이 10 %이므로 $\dfrac{\text{현 영양 단계의 에너지양}}{\text{전 영양 단계의 에너지양}} \times 100 = \dfrac{20}{㉠} \times 100 = 10\ \%$, 따라서 ㉠은 200이다.

14 에너지는 생태계 내에서 생물 군집 사이를 이동하다가 최종적으로 열에너지의 형태로 생태계 밖으로 방출되며, 방출된 열에너지는 다시 생물 군집으로 유입될 수 없다. 따라서 지속적으로 태양 에너지가 유입되어야 생태계를 유

지할 수 있다.

ㄱ. 생태계를 유지하는 에너지의 근원은 태양의 빛에너지이다.

ㄴ. 녹색 식물이 받아들인 태양 에너지 중 일부가 호흡으로 방출되므로 (가)는 (나)+(다)+(라)를 합한 값보다 크다.

오개념 바로 알기 ㄷ. C에서 방출된 열에너지는 녹색 식물로 다시 전달되지 않고 생태계 밖으로 방출된다.

15 ㄱ. ㉠은 양수림, ㉡은 음수림이다.

ㄴ. 호흡량은 총생산량에서 순생산량을 뺀 값이므로 구간 Ⅰ에서 호흡량은 시간에 따라 증가한다.

ㄷ. 순생산량은 총생산량에서 호흡량을 뺀 값이므로 생장량은 순생산량에 포함된다.

16 (가)는 질소 고정, (나)는 질산화, (다)는 탈질산화 작용이다.

오개념 바로 알기 ㄴ. 단백질, 핵산의 합성은 질산 이온을 흡수한 뒤 식물의 세포 내에서 일어난다.

17 ㄱ. (가)는 광합성, (나)는 먹이 사슬에 따른 탄소의 이동, (다)는 동물의 호흡이다.

오개념 바로 알기 ㄴ. 먹이 사슬을 따라 이동하는 탄소는 유기물의 형태로 이동한다.

ㄷ. 지구 온난화를 일으키는 주요 원인은 화석 연료의 연소 작용이다.

18 오개념 바로 알기 학생 A. 같은 종에서 개체끼리 서로 다른 형질을 나타내는 것을 유전적 다양성이라고 한다.

학생 B. 종 다양성은 지구에 존재하는 모든 종을 포함하는 개념이다.

19 ㄷ. 개체군의 밀도는 일정한 공간에 서식하는 개체 수이고, (가)와 (나)의 면적이 같으므로 ㉢의 밀도는 (나)에서보다 (가)에서 더 높다.

오개념 바로 알기 ㄴ. 종 수가 같아도 생물종이 균등하게 분포할수록 종 다양성이 더 높으므로 식물의 종 다양성은 (나)보다 (가)에서 더 높다.

20 생물 다양성을 보존하기 위해서는 생물의 서식지를 보호하고, 생태 통로를 설치하여 단편화된 서식지를 연결해 준다.

오개념 바로 알기 ㄱ. 서식지 분리 결과 생물종 수가 더 줄어들었다.

통합 모의고사

08 일차 누구나 100점

● 1회 부록 1~2쪽

01 ④	02 ④	03 ⑤	04 ②	05 ⑤
06 ④	07 ①	08 ⑤	09 ④	10 ③

01 먹이의 종류나 서식지에 따라 새의 발 모양이 달라지는 것은 서식하는 환경과 먹이 활동에 알맞게 적응하여 진화했기 때문이다. 따라서 생물의 특성 중 적응과 진화에 해당한다.

ㄴ. 북극여우는 추운 지역에, 사막여우는 더운 지역에 적응하여 귀의 모양과 몸집이 변하였으므로 적응과 진화에 해당한다.

ㄷ. 단풍나무 종자의 구조는 바람에 의해 멀리까지 날아갈 수 있도록 변하였으므로 적응과 진화에 해당한다.

오개념 바로 알기 ㄱ. 파리지옥의 감각모에 벌레가 닿으면(자극) 잎을 닫는 것(반응)은 자극과 반응에 해당한다.

02 ㄷ. 모이의 종류는 실험군에서 인위적으로 변화시켜야 할 조작 변인이다.

오개념 바로 알기 ㄱ. 에이크만은 대조 실험을 수행한 결과 현미 속에 각기병을 예방하는 물질이 있음을 검증하였다. 이는 연역적 탐구 방법에 해당한다.

03 (가)는 바이러스의 일종인 박테리오파지이고, (나)는 동물 세포이다.

오개념 바로 알기 ㄱ. 바이러스는 효소가 없어 스스로 물질대사를 할 수 없다.

04 포도당은 산소와 반응하여 물과 이산화 탄소로 분해된다. 따라서 ㉠은 이산화 탄소이다.

학생 C. 세포 호흡은 동물과 식물에서 모두 일어난다.

오개념 바로 알기 학생 A. 포도당에서 방출된 에너지의 일부만 ATP에 저장되고 나머지는 열에너지로 방출된다.

학생 B. 포도당은 탄소, 수소, 산소로 이루어진 화합물이므로 질소 노폐물이 발생하지 않는다.

05 ㄱ. d_2에서 과분극, d_3에서 탈분극이 진행된 것으로 보아 d_2가 d_3보다 먼저 자극을 받았음을 알 수 있다. 따라서 흥분은 X에서 Y로 전도되었다. d_1은 활동 전위 발생 후 휴지 전위 회복 상태이다.

ㄴ. 이온 통로를 통한 Na^+, K^+의 이동에는 에너지를 소모하지 않는다.

ㄷ. d_4는 d_3보다 나중에 자극을 받았으므로 재분극이 아니라 탈분극이 진행되고 있음을 알 수 있다.

06 ㄱ. a는 근육 원섬유 마디의 절반이고, b는 A대, c는 I대이다. 근육이 수축할 때 근육 원섬유 마디, I대의 길이는 짧아진다.

ㄷ. c는 액틴 필라멘트만으로 구성된 I대로, 근육 원섬유 마디에서 가장 밝게 보여 명대라고 한다.

오개념 바로 알기 ㄴ. b(A대)의 길이는 마이오신 필라멘트의 길이이므로 근육이 수축하거나 이완되어도 변하지 않는다.

07 ㄱ. 구간 Ⅰ은 DNA 상대량이 1이므로 DNA가 복제되기 전인 G_1기 세포가 있고, DNA 상대량이 2인 구간에는 G_2기와 M기의 세포가 있다. 관찰된 세포 수가 많을수록 해당 세포 주기의 시간이 길다. 따라서 세포 수가 많은 G_1기가 G_2기보다 더 길다는 것을 알 수 있다.

오개념 바로 알기 ㄴ. 구간 Ⅰ에는 DNA 복제 전인 G_1기의 세포가 있다.

ㄷ. 집단 B의 세포가 DNA 상대량이 2인 지점에 모여 있는 것으로 보아 G_2기에 머물러 있거나 분열이 완료되지 못해 G_1기로 가지 못하는 상태임을 알 수 있다. 따라서 물질 X는 G_2기에서 M기로의 전환을 억제하거나 M기에서 G_1기로의 전환을 억제한다.

08 (가)는 상동 염색체가 없고 염색체 수가 4이므로 $n=4$, (나)는 상동 염색체가 있고 염색체 수가 4이므로 $2n=4$이다. 따라서 (나)가 A의 세포이고, (가)는 B의 생식세포이며, B의 체세포의 핵상은 $2n=8$이다.

09 (가)는 종 다양성, (나)는 유전적 다양성을 의미한다.

10 ㄱ. 빈영양호에서 시작하였으므로 습성 천이 과정이다.

ㄴ. 극상은 음수림이다.

오개념 바로 알기 ㄷ. 음수림에서 산불이 나면 토양은 남아 있으므로 2차 천이가 시작된다.

● 2회

부록 9~10쪽

01 ①	02 ①	03 ⑤	04 ①	05 ③
06 ④	07 ④	08 ①	09 ③	10 ③

01 약수터 물속에 미생물이 들어 있다면 그 미생물이 포도당으로 세포 호흡(물질대사)을 하여 물속 용존 산소량이 감소하고 이산화 탄소는 증가할 것이다.

02 ㄴ. 콜레라균과 독감 바이러스는 모두 핵산(유전 물질)을 가지고 있다.

오개념 바로 알기 ㄱ. 콜레라균은 핵막이 없는 원핵생물이다.

ㄷ. 바이러스는 숙주 세포 내에서만 증식할 수 있다. '독자적으로 증식할 수 있다.'는 ㉠에 해당한다.

03 ㄱ, ㄴ. A는 단백질 합성 과정으로 동화 작용이고, B는 글리코젠을 포도당으로 분해하는 이화 작용이다. 이화 작용은 에너지가 방출되는 발열 반응이다.

ㄷ. 모든 물질대사에는 효소가 관여한다.

04 ㄴ. ⓐ 시냅스 소포에는 신경 전달 물질이 들어 있다.

오개념 바로 알기 ㄱ. 시냅스에서 흥분은 가지 돌기에서 축삭 돌기로 전달되지 않으므로 d_1에 역치 이상의 자극을 주어도 d_2에서 활동 전위가 발생하지 않는다.

ㄷ. X는 시냅스 소포인 ⓐ가 있는 것으로 보아 시냅스 이전 뉴런(B)의 축삭 돌기 말단이다.

05 (가)는 세포독성 T림프구, (나)는 B 림프구, (다)는 형질 세포, (라)는 기억 세포, (마)는 항원 X에 대항하는 항체이다.

ㄱ. 보조 T 림프구에 의해 활성화된 세포독성 T림프구 (가)가 항원 X에 감염된 세포를 직접 파괴하는 것은 세포성 면역이다.

ㄷ. 형질 세포(다)에서 생성된 항체(마)는 항원 X와 항원 항체 반응을 하여 항원을 무력화한다.

오개념 바로 알기 ㄴ. (라)는 기억 세포이다.

06 ㄱ, ㄴ. ⓐ, ⓑ는 상동 염색체로 부모로부터 각각 하나씩 물려받았다. 21번 염색체가 3개이므로 상염색체는 45개이다.

오개념 바로 알기 ㄷ. 이 사람은 다운 증후군이다.

07 ㄱ, ㄴ. 이 유전병은 열성 반성유전이므로 ㉠(어머니)이 유전병이면 아들은 모두 유전병이어야 한다. 그러나 ㉥은

정상이고 염색체 수가 47개인 것으로 보아 $X^TX^{T'}Y$인 클라인펠터 증후군으로 정상 대립유전자가 있는 X^T 염색체를 하나 더 받았음을 알 수 있다. 즉, 어머니(㉠)로부터 $X^{T'}$를, 아버지(㉡)로부터 X^TY를 받았으므로 ㉡의 감수 1분열 과정에서 성염색체 비분리 현상이 일어났음을 알 수 있다.

오개념 바로 알기 ㄷ. ㉤은 정상 형질을 나타내고 성염색체가 $X^TX^{T'}Y$인 클라인펠터 증후군이다.

08 ㄱ. ㉠은 히스톤 단백질이다.

오개념 바로 알기 ㄴ. ⓐ는 G_2기, ⓑ는 M기(분열기), ⓒ는 G_1기이다.

ㄷ. ㉡이 ㉢으로 응축되는 시기는 M기(ⓑ)이다.

09 ㄱ, ㄷ. 갑상샘에서 분비되는 호르몬 ㉠은 티록신이다. 피부 근처 모세 혈관이 수축하면 열 발산량이 감소한다.

오개념 바로 알기 ㄴ. 신경 A는 교감 신경이다. 교감 신경의 작용 강화로 피부 근처 혈관이 수축한다.

10 ㉠은 질소 고정, ㉡은 질산화 과정이다.

오개념 바로 알기 ㄴ. 뿌리혹박테리아는 ㉠ 과정에 관여한다.

09 일차 수능 기초 예상 문제 1회

● 1회				부록 3~8쪽
01 ③	02 ②	03 ②	04 ①	05 ③
06 ⑤	07 ②	08 ①	09 ⑤	10 ⑤
11 ⑤	12 ③	13 ②	14 ③	15 ①
16 ①	17 ②	18 ⑤	19 ⑤	20 ④

01 (가)는 소화계에서 일어나는 소화 과정이다. ㉠은 이산화 탄소, ㉡은 암모니아이다. 이산화 탄소는 호흡계를 통해 몸밖으로 방출되고, 암모니아는 간에서 독성이 약한 요소로 전환된다.

02 ㄱ. K^+ 통로는 닫혀 있고 Na^+ 통로가 열려 있어서 Na^+이 세포 밖에서 안으로 들어오고 있으므로 탈분극이 진행되고 있음을 알 수 있다.

ㄴ. 항상 Na^+의 농도는 세포 밖이 세포 안보다 높고, K^+의 농도는 세포 안이 세포 밖보다 높다.

오개념 바로 알기 ㄷ. 이온 통로를 통한 Na^+의 이동은 고농도에서 저농도로의 확산이므로 에너지가 소모되지 않는다.

03 ㄱ. A의 맹관부에만 기체가 모인 것으로 보아 ㉠은 포도당 용액, ㉡은 증류수임을 알 수 있다.

ㄴ. ㉠, ㉡ 용액을 다르게 넣어준 것은 조작 변인이고, 동일한 온도와 효모액의 양은 통제 변인이다.

오개념 바로 알기 ㄷ. 맹관부에 모인 기체의 양은 종속변인에 해당한다.

04 ㄱ. A는 신경절 이전 뉴런의 길이가 짧고 신경절 이후 뉴런의 길이가 긴 교감 신경의 신경절 이후 뉴런이다.

오개념 바로 알기 ㄴ. B는 연수와 연결되어 있으며 신경절 이전 뉴런의 길이가 길고, 신경절 이후 뉴런의 길이가 짧은 부교감 신경의 신경절 이전 뉴런이다. 부교감 신경은 심장 박동을 억제한다.

ㄷ. A의 축삭 돌기 말단에서는 노르에피네프린이, B의 축삭 돌기 말단에서는 아세틸콜린이 분비된다.

문제 속 자료 분석 자율 신경

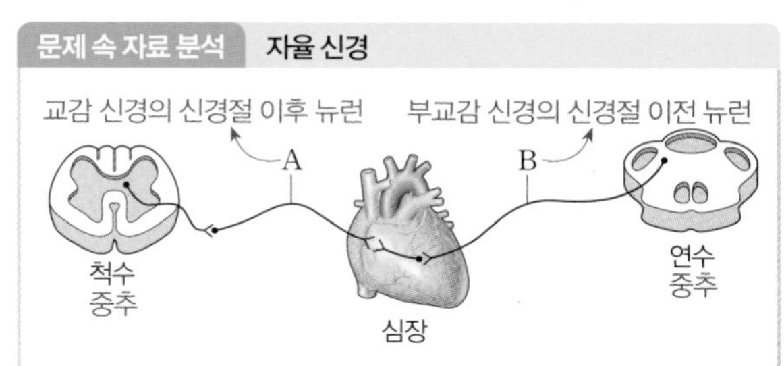

- 교감 신경은 척수에서 뻗어 나오고, 부교감 신경은 중간뇌, 연수, 척수의 끝부분에서 뻗어 나온다.
- 중추로부터 나오는 신경이 신경절 이전 뉴런이다.
- 교감 신경의 신경절 이후 뉴런의 축삭 돌기 말단에서는 노르에피네프린이, 부교감 신경의 신경절 이전 뉴런의 축삭 돌기 말단에서는 아세틸콜린이 분비된다.
- 교감 신경은 심장 박동을 촉진시키고 부교감 신경은 심장 박동을 억제한다.

05 ㄱ. 철수의 적혈구는 응집원 A를 가지므로 응집원이 있는 (가)가 철수의 적혈구이다. 따라서 응집원이 없는 것이 영희의 적혈구이므로 영희는 O형이다.

ㄷ. ㉠은 (가)와 응집 반응을 하지 않은 것으로 보아 응집소 β이며, 철수의 혈장에 존재한다.

오개념 바로 알기 ㄴ. ㉠은 응집소 β이다.

06 피부 근처 혈관에 닿아 있는 신경은 교감 신경이다. 교감 신경의 작용이 강화될 때 피부 근처 혈관이 수축하고, 교감 신경의 작용이 완화될 때 피부 근처 혈관이 이완된다.

07 (가)는 결핵균, (나)는 사람 면역 결핍 바이러스(HIV)이다.
ㄴ. (나)는 살아 있는 숙주 세포 내에서 증식한다.
오개념 바로 알기 ㄱ. (가)는 원핵생물로 핵막이 없다.
ㄷ. (가)는 항생제로 치료하지만 (나)는 항바이러스제로 치료한다.

08 ㄱ. A는 구심성 신경(감각 신경)으로 척수의 후근을 이룬다.
오개념 바로 알기 ㄴ. B는 골격근에 중추의 명령을 전달하는 체성 신경이다.
ㄷ. ⓐ 반응은 무릎 반사이다. 무릎 반사의 중추는 척수이다.

09 ㄱ. ADH 농도가 높을수록 콩팥에서 수분 재흡수가 활발하게 일어나므로 오줌 삼투압은 높아지고 오줌 생성량은 줄어든다. 따라서 ㉠은 오줌 생성량이다.
ㄴ, ㄷ. 오줌 생성량이 많을수록 오줌 삼투압은 낮아진다. 따라서 오줌 생성량은 $C_1 > C_2$, 오줌 삼투압은 $C_1 < C_2$이다.

10 혈당량이 증가할 때 분비량이 증가하고, 혈당량이 감소할 때 분비량이 감소하는 호르몬(㉠)은 인슐린이다. 인슐린 분비량이 많을 때 간에서 글리코젠 합성량이 증가한다.

11 ㉠은 보조 T 림프구, ㉡은 형질 세포, ㉢은 기억 세포이다.
오개념 바로 알기 ㄱ. ㉠ 보조 T 림프구는 특이적 방어 작용에 관여한다.

12 철수의 적록 색맹 유전자는 2 → 4 → 10으로 전달되었다.
오개념 바로 알기 ㄷ. 어머니가 보인자이고 아버지가 정상인 경우 딸이 적록 색맹일 확률은 0이다.

13 ㉠, ㉡, ㉢의 총염색체 수가 서로 다르므로 핵상은 각각 $n-1$, $n+1$, n이다. 즉, 감수 2분열에서 성염색체 비분리가 일어났음을 알 수 있다. ㉢의 염색체 수가 $n=4$이고 ㉢의 총염색체 수와 ㉡의 X 염색체 수를 더한 값이 6이므로 ㉡의 X 염색체 수는 2이다. 따라서 ㉠은 성염색체가 없고, ㉡에는 X 염색체가 2개, ㉢에는 Y 염색체가 있다.
오개념 바로 알기 ㄴ. ㉡과 정상 난자가 만나 수정하여 태어난 아이는 성염색체 구성이 XXX이다. 클라인펠터 증후군의 성염색체 구성은 XXY이다.

문제 속 자료 분석 염색체 비분리

감수 1분열에서 염색체 비분리: 핵상 $2n$ → 핵상 $n+1$, $n-1$ → 핵상 $n+1$, $n+1$, $n-1$, $n-1$

감수 2분열에서 염색체 비분리: $2n$ → n, n → $n+1$, $n-1$, n, n

- 감수 1분열에서 비분리가 일어나면 4개의 딸세포가 모두 염색체 수 이상을 나타낸다. 2개는 $n+1$, 2개는 $n-1$
- 감수 2분열에서 비분리가 일어나면 2개의 딸세포는 정상, 2개의 딸세포는 각각 $n+1$, $n-1$이 된다.

14 ㄱ, ㄴ. A는 체세포 분열 과정으로 염색 분체가 분리된다. C는 감수 1분열 과정이므로 2가 염색체가 관찰된다.
오개념 바로 알기 ㄷ. B의 핵상은 $2n$, D의 핵상은 n이다.

15 (가)와 (나)의 핵상은 모두 n이며, (가)가 암컷 B, (나)는 수컷 A의 세포이다.

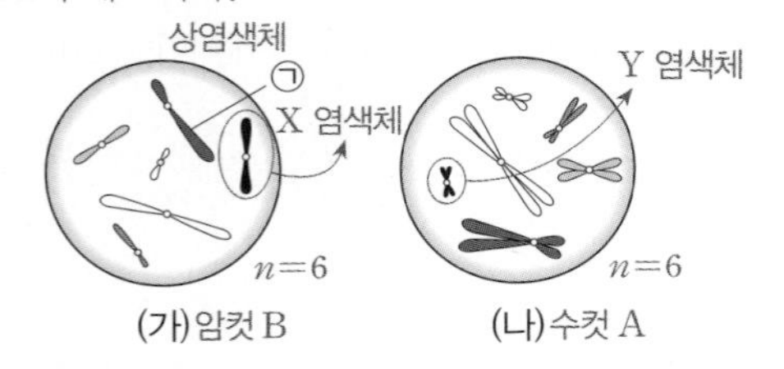

(가) 암컷 B (나) 수컷 A

16 ㄱ. 참나물의 상대 밀도는
$$\frac{\text{특정 종의 개체 수}}{\text{조사한 전체 종의 개체 수}} \times 100 = \frac{6}{25} \times 100 = 24(\%)\text{이다.}$$
오개념 바로 알기 ㄴ. 빈도는 $\frac{\text{특정 종이 출현한 방형구 수}}{\text{전체 방형구의 수}}$이므로 패랭이꽃의 빈도는 $\frac{1}{2}$, 참나물의 빈도는 $\frac{2}{2}=1$이므로 참나물의 빈도가 더 크다.
ㄷ. 밀도는 $\frac{\text{특정 종의 개체 수}}{\text{전체 방형구의 면적}(\text{m}^2)}$이므로 참나물의 밀도는 $\frac{6}{2\text{ m}^2}=3/\text{m}^2$, 개망초의 밀도는 $\frac{8}{2\text{ m}^2}=4/\text{m}^2$으로 개망초의 밀도가 더 높다.

17 근육 원섬유 마디가 줄어드는 (가)는 수축, 근육 원섬유 마디가 늘어나는 (나)는 이완 과정이다.
ㄴ. 근육이 수축하는 과정에서 ATP가 소모된다.
오개념 바로 알기 ㄱ. ㉠은 액틴 필라멘트이다.

ㄷ. A대의 길이는 근육의 수축, 이완 과정에서 변하지 않는다.

18 생산자의 총생산량 중 피식량이 유기물의 형태로 1차 소비자에게로 전달되는 양이다.

19 ㉠은 생물적 요인이 비생물적 요인에 영향을 미치는 반작용을, ㉡은 비생물적 요인이 생물적 요인에 영향을 미치는 작용을 나타낸다.

20 ㄴ. ㉠은 포식과 피식, ㉡은 상리 공생이다.
ㄷ. 눈신토끼와 스라소니는 포식과 피식의 관계이다.
오개념 바로 알기 ㄱ. 상리 공생은 두 종 모두에게 이익이며, 포식과 피식의 경우 포식자는 이익, 피식자는 손해이다. 따라서 ⓐ는 이익이다.

10일차 수능 기초 예상 문제 2회

● 2회 부록 11～16쪽

01 ③	02 ②	03 ③	04 ⑤	05 ①
06 ④	07 ②	08 ③	09 ②	10 ③
11 ④	12 ④	13 ③	14 ③	15 ①
16 ④	17 ③	18 ⑤	19 ③	20 ①

01 생물은 서식 환경에 적응하여 살아가기 알맞은 형태로 진화하였다.
오개념 바로 알기 ㄴ. '미모사의 잎을 건드리면 잎이 접힌다.'는 자극에 대한 반응이다.

02 (가)는 소화계, (나)는 순환계, (다)는 배설계이다.
오개념 바로 알기 ㄷ. 물질 A의 예로 여분의 물과 요소가 있다.

03 연역적 탐구 과정이며, (가)는 가설 설정 단계이다.
오개념 바로 알기 ㄷ. 비커에 넣은 생콩즙의 유무가 조작변인이고, 용액의 색깔 변화는 종속변인이다.

04 ㉠은 ATP 합성 과정이고, ㉡은 ATP가 ADP와 무기인산으로 분해되는 과정이다.

05 A는 대장균, B는 박테리오파지이다.
오개념 바로 알기 ㄴ. A는 독자적으로 증식할 수 있지만 B는 숙주 세포가 있어야 증식할 수 있다.
ㄷ. A는 항생제, B는 항바이러스제의 영향을 받는다.

06 ㄱ. 결핵과 AIDS는 감염성 질병이고 고혈압은 비감염성 질병이므로 '병원체가 있는가?'는 A에 해당한다.
ㄷ. 결핵의 병원체는 세균이고, AIDS의 병원체는 바이러스이므로 모두 단백질을 가진다.
오개념 바로 알기 ㄴ. 결핵균과 AIDS 바이러스는 모두 유전 물질을 가지므로 '유전 물질이 있는가?'는 B가 될 수 없다.

07 **오개념 바로 알기** 학생 A. 음식물로부터 얻은 에너지양이 활동에 필요한 에너지양보다 많을 때 체지방이 축적되어 비만이 될 가능성이 있다.
학생 C. 1일 대사량에는 기초 대사량과 활동 대사량, 그리고 음식물을 소화, 흡수할 때 필요한 에너지를 모두 포함한다.

08 ㄱ, ㄴ. ㉠은 TRH, ㉡은 TSH이다. TRH와 TSH는 호르몬으로 혈액을 따라 이동한다.
오개념 바로 알기 ㄷ. 혈중 티록신 농도가 높으면 음성 피드백 작용에 의해 TRH, TSH의 분비량은 감소한다.

09 ㄱ. (가) X의 길이는 A대의 길이$+(2\times$㉠$)$이므로 $1.6+(2\times0.2)=2.0(\mu m)$이다.
ㄴ. X의 길이가 t_1일 때보다 t_2일 때 긴 것으로 보아 t_1일 때가 근육이 수축했을 때, t_2가 근육이 이완했을 때이다. X의 길이$=$A대의 길이$+(2\times$㉠$)$이므로 $3.0=1.6+(2\times$㉠$)$에서 ㉠$=\frac{3.0-1.6}{2}=0.7(\mu m)$이다.
오개념 바로 알기 ㄷ. A대(마이오신 필라멘트)의 길이는 근육의 수축, 이완과 관계없이 일정하다.

10 ㄱ. 구간 Ⅰ에서 A에 대한 항체가 만들어져 항원 항체 반응으로 항원을 제거하는 체액성 면역이 일어난다.
ㄷ. 구간 Ⅱ에서 A와 B 모두 항체가 만들어져 항원 항체 반응이 일어났다.
오개념 바로 알기 ㄴ. 구간 Ⅱ에서 B에 대해서는 1차 면역 반응이 일어난 것으로 보아 구간 Ⅰ에서 B에 대한 기억 세포가 형성되지 않았음을 알 수 있다.

문제 속 자료 분석 1차 면역 반응과 2차 면역 반응

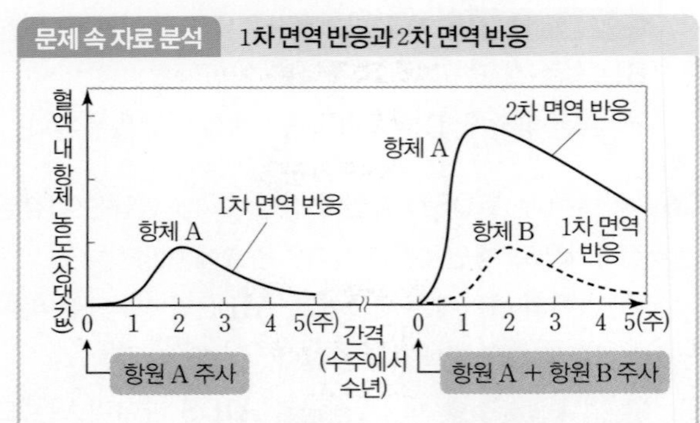

- 항원 A가 처음 침입했을 때 기억 세포가 형성되어 항원의 재침입에 대비한다.
- 항원 A가 두 번째 침입했을 때, 기억 세포가 빠르게 증식하여 형질 세포로 분화하기 때문에 항체가 빠르게 다량 생성되는 2차 면역 반응이 일어난다.

11 ㉠은 Na^+, ㉡은 K^+이다.

오개념 바로 알기 ㄱ. 구간 Ⅰ에서는 Na^+-K^+ 펌프에 의해 Na^+은 세포 밖으로, K^+은 세포 안으로 이동한다.

12 **오개념 바로 알기** ㄱ. 두 염색 분체의 유전자 구성은 같으므로 ㉠은 대립유전자 d이다.

13 ㄱ, ㄴ. (가) 형질에 대한 ⓐ의 유전자형이 동형 접합성인데 5가 정상인 것으로 보아 (가)는 열성 유전한다. 따라서 (가)를 발현시키는 대립유전자는 e이고 ⓐ는 (가) 발현 여자이다.

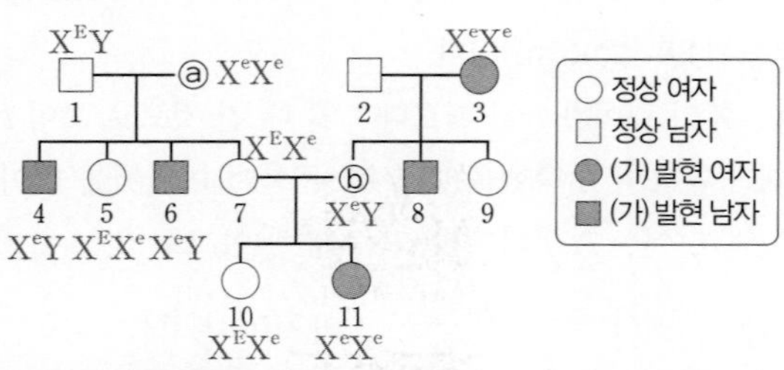

오개념 바로 알기 ㄷ. ⓑ는 딸(11)이 (가) 발현이므로 (가) 발현 대립유전자를 가진다. 따라서 ⓑ는 (가) 발현 남자이다.

14 ㄱ, ㄴ. ⓐ와 ⓑ의 핵상이 다르다고 했으므로, ⓐ의 핵상은 $2n$, ⓑ의 핵상은 n이고 (나)는 감수 1분열 과정이다. 따라서 ⓐ는 구간 Ⅱ에서 관찰된다. ⓑ와 ⓒ는 상동 염색체가 분리되어 형성되므로 유전자 구성이 다르다.

오개념 바로 알기 ㄷ. 세포 ⓐ는 분열 전이므로, DNA 상대량은 구간 Ⅰ 세포 1개의 DNA 상대량의 2배이다.

15 **오개념 바로 알기** ㄴ. 유전자 이상 유전병은 핵형이 정상인과 같으므로 핵형 분석으로 확인할 수 없다.

ㄷ. 유전자 이상 유전병인 사람의 염색체 수는 정상인과 같다.

16 (나)는 종간 경쟁, (다)는 상리 공생이므로 ㉠이 종간 경쟁, ㉡이 상리 공생이다.

ㄴ. A와 B의 종간 경쟁으로 B종이 사라졌으므로 경쟁·배타가 일어났다.

ㄷ. 뿌리혹박테리아와 콩과식물은 상리 공생 관계이다.

오개념 바로 알기 ㄱ. 종간 경쟁은 서로 손해이므로 ⓐ는 손해이다.

17 ㉠은 총생산량이고, 피식량은 순생산량(㉡)에 포함된다.

오개념 바로 알기 ㄷ. 호흡량=총생산량−순생산량이므로, 호흡량은 Ⅱ에서가 Ⅰ에서보다 더 많다.

문제 속 자료 분석 식물 군집의 총생산량, 순생산량, 호흡량

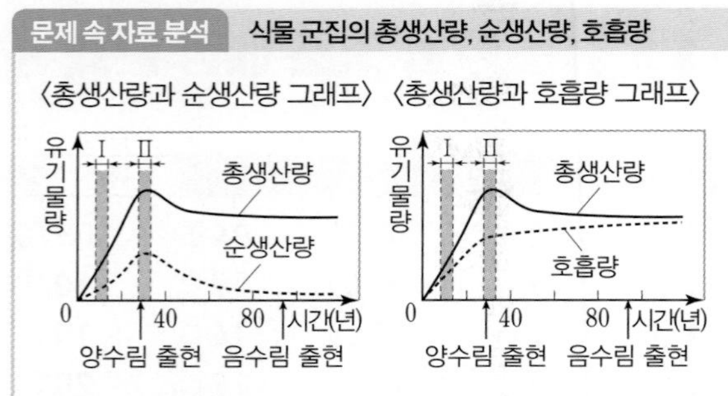

천이가 진행되어 음수림에서 군집이 극상을 이루면 호흡량은 많아지고 순생산량은 적어져 군집의 크기는 더 이상 커지지 않고 안정된다.

18 태양에서 A로 전달된 에너지양이 2000−1980=20이고, C의 에너지양은 0.3+0.1=0.4이다. B의 에너지양은 C의 에너지양의 5배라고 하였으므로 0.4×5=2이다. 따라서 ㉠은 20−(8+2)=10이고, ㉡은 2−(0.9+0.4)=0.7이며, ㉢은 8+0.7+0.1=8.8이다.

19 A는 양수림, B는 음수림이다.

오개념 바로 알기 ㄴ. 극상은 음수림이다.

20 **오개념 바로 알기** ㄱ. (나)의 면적이 (가)의 2배이므로 종 B의 밀도는 (가)에서가 (나)에서의 2배이다.

ㄷ. 개체군은 하나의 종으로 구성된다.

정답은
이안에
있어!

배움으로 행복한 내일을 꿈꾸는

천재교육 커뮤니티 안내

교재 안내부터 구매까지 한 번에!

천재교육 홈페이지

천재교육 홈페이지에서는 자사가 발행하는 참고서,
교과서에 대한 소개는 물론 도서 구매도 할 수 있습니다.
회원에게 지급되는 별을 모아 다양한 상품 응모에도
도전해 보세요.

구독, 좋아요는 필수! 핵유용 정보 가득한

천재교육 유튜브 <천재TV>

신간에 대한 자세한 정보가 궁금하세요?
참고서를 어떻게 활용해야 할지 고민인가요?
공부 외 다양한 고민을 해결해 줄 채널이 필요한가요?
학생들에게 꼭 필요한 콘텐츠로 가득한 천재TV로 놀러 오세요!

다양한 교육 꿀팁에 깜짝 이벤트는 덤!

천재교육 인스타그램

천재교육의 새롭고 중요한 소식을 가장 먼저 접하고 싶다면?
천재교육 인스타그램 팔로우가 필수!
누구보다 빠르고 재미있게 천재교육의 소식을 전달합니다.
깜짝 이벤트도 수시로 진행되니 놓치지 마세요!